HOFFMAN'S HONGER

LEON DE WINTER

Kaplan, roman
SuperTex, roman
De ruimte van Sokolov, roman
Zionoco, roman
Het grote Leon de Winterboek

DE BEZIGE BIJ

Leon de Winter

Hoffman's honger

Roman

1997
De Bezige Bij
Amsterdam

De citaten van Baruch de Spinoza zijn ontleend aan: W.N.A. Klever, *Spinoza. Verhandeling over de verbetering van het verstand*. Ambo, Baarn 1986.

Eerste druk mei 1990
Tweede druk juni 1990
Derde druk september 1990
Vierde druk januari 1991
Vijfde druk maart 1991
Zesde druk juli 1991
Zevende druk oktober 1991
Achtste druk maart 1992
Negende druk augustus 1993
Tiende druk september 1994
Elfde druk april 1995
Twaalfde druk (De Bezige Bij Pocket) juli 1997
Omslag Studio Paul Koeleman
Foto Bert Nienhuis
Druk Koninklijke Wöhrmann b.v.
ISBN 90 234 2492 1 CIP
NUGI 300

HOOFDSTUK EEN

de nacht van 21 juni 1989

Freddy Mancini had vier steaks verorberd bij de Hongaar, maar hij had honger toen hij door de gang naar zijn hotelkamer sjokte. Het was warm in Europa. Freddy's enorme buik hing zwaar onder zijn zwetende borstkas, de op maat gemaakte spijkerbroek spande om zijn vette billen. Bobby, zijn vrouw, liep soepel naast hem. Zij verweet hem dat hij vanavond zijn dieet had verknald.

'Verknald! Freddy, leer je 't dan nooit? De afgelopen dagen hield je je netjes aan de regels – en nu? Je zult 't nooit leren jij.'

In zijn maag voelde Freddy de schaamte branden. Maar de honger bleef zeuren, honger naar vervulling en eeuwigdurende bevrediging. Hij had een keer gelezen dat een speciale maagzenuw het hongergebied in de hersenen deed sidderen. Een verklaring van rationalisten en optimisten.

De diëtiste had hem een paar maanden geleden thuis in San Diego iets anders gezegd.

'Hoe lang kom je nou al bij me, Freddy? Drie jaar?'

'Drieëneenhalf. Bijna vier.'

'Zo lang al?'

'Wat wilde je zeggen, Sandy?'

'Elk pondje gaat door 't mondje, dat weet je, maar er zit bij iedereen ook iets in z'n hoofd dat 'm dik maakt. Maar bij jou, Freddy, bij jou zit 't *allemaal* in je hoofd. Bij jou is honger iets mentaals.'

Het had toen magisch geklonken en hij had onnozel geknikt. Hij had zich achter het stuur van zijn Chrysler New Yorker geperst en zich op weg naar het kantoor vanwaaruit hij zijn twaalf wasserettes regeerde afgevraagd wat dan precies die honger in zijn kop teweegbracht. De airconditioning van de auto had koele lucht langs zijn zwetende wangen geblazen. Hij was succesvol en hij hield van Bobby, ze hadden drie fatsoenlijke kinderen opgevoed die goed getrouwd waren en op hun beurt een gezin hadden gesticht, ze bewoonden een mooi huis met zwembad, ze reden in een Chrysler, een Dodge en een Jeep Cherokee, hij was een goed vaderlander en betaalde zijn belastingen en stemde republikeins, maar hij had een onvolkomenheid: hij woog driehonderdvijftig Amerikaanse ponden. Alles wat hij at bleef aan zijn lijf hangen. En onderweg in zijn Chrysler, met de woorden van de diëtiste nog in zijn oren, turend over de weg die zinderde onder de gloeiende zon van Californië, had hij plotseling bedacht dat hij niet gelukkig was. Deze gedachte bracht hem in verwarring. Hij had de auto naar een parkeerterrein van een K-Mart gestuurd en minuten voor zich uit gestaard. 'Ik ben niet gelukkig,' mompelde hij ontdaan. Hij had alles maar hij was niet gelukkig. En meteen voelde hij zich schuldig dat hij zich niet gelukkig noemde. Bobby! – ze zou geschokt zijn als hij haar straks vertelde dat er iets ontbrak. Hij hield niet meer van haar. Of nee, hij hield nog steeds van haar, zeker, net als van hun kinderen en van zijn wasserettes en zijn auto's en huis en twee katten, maar er ontbrak iets. Mijn god, wat ontbrak er dan?

Het was nooit eerder tot hem doorgedrongen dat de dingen zo gecompliceerd waren. Hij wist niet wat hij miste. En daarom had hij honger, concludeerde hij met verpletterende helderheid.

Onwillekeurig bewoog zijn hand naar het contact, maar hij reed niet weg. Achter de ruiten van de supermarkt schemerden de rekken met levensmiddelen. Hij had een snijdende honger. Hij vocht zich de auto uit en liep de supermarkt in. Hij kocht handenvol repen, zakjes, builen. In de auto schrokte hij alles naar binnen. Op de passagiersstoel groeide een berg verpakkingsmateriaal.

Freddy Mancini had beseft dat vanaf die dag alles anders zou zijn. Aan de buitenkant was niets te zien, maar in zijn hoofd had een omwenteling plaatsgegrepen, een revolutie zoals op Cuba, en hij zou voor de rest van zijn leven in eenzame stilte het gevoel dragen dat hij een tragisch en ongelukkig mens was, iemand die alles had en toch te kort kwam. Hij had gerild in de koele auto, zijn gezicht in een open zak geduwd en op de zoute chips zijn tranen laten vallen.

Bobby opende de deur van hun kamer in Hotel International in Praag. Freddy volgde haar. De warmte van de dag ademde nog uit de muren. Zelfs de vier zwangerschappen hadden Bobby's figuur ongerept gelaten, ze had de gestalte van een achttienjarige. Natuurlijk had haar huid geleden, maar als zij over het strand ging, wierpen de pubers broeierige blikken op haar topje en kont. Ze bezwoer hem dat hij morgen zou boeten voor de vier steaks.

'En ze waren niet eens te vreten!' riep ze vertwijfeld, 'wat was 't nou helemaal? Stukjes leer die je niet eens 'n hond voorzet! En jij zet er je tanden in alsof je zo arm bent dat je de laatste jaren alleen maar hebt staan kijken bij de slagers! Jezus Freddy je moet afvallen, Sandy en dokter Friedman hebben je verteld dat je eind volgende week twee kilo lichter moet zijn. Twee kilo maar! En wat gebeurt er? Je bent twee kilo zwaarder! Als je morgen iets durft te eten sla ik het persoonlijk uit je mond. Voor je eigen bestwil.'

'Ik had honger,' zei hij. 'Ik had niet geluncht.'

'Jezus man! Je komt nou al honderd jaar bij Sandy en nog steeds hou je je niet aan de regels! Hoe vaak moet ik 't jou nog zeggen? 'n Miljoen keer? 'n Miljard? Je kunt beter wèl lunchen. Maar *licht*. En dan 's avonds gewóón. Maar niet dit geprop. Wil je dood op je negenenveertigste?'

Ja, antwoordde hij stil voor zichzelf.

Ze liep de badkamer in en Freddy liet zich in een stoel zakken. Het hout kraakte toen hij zijn achterwerk tussen de leuningen perste. De tegels in de badkamer verleenden Bobby's stem een metalige echo. Hij luisterde niet.

Zij had hem meegesleurd op deze reis, vier weken die een vermogen kostten. Sandy en dokter Friedman hadden het aangeraden, ze zeiden dat hij zijn vaste patronen moest doorbreken, dat het hem zou hem helpen bij het afvallen, en Bobby had ingeschreven voor een groepsreis.

Hij was de tel kwijt, dit was het zoveelste hotel. Vanochtend vroeg waren ze vanuit Wenen in een bus met airco en bar en wc vertrokken en de rit had vijf uur geduurd. Eén uur hadden ze aan de grens gewacht terwijl de bus werd uitgekamd door sombere mannen met machinegeweren. In Praag hadden ze ingecheckt in Hotel International en daarna een toer door de stad gemaakt, langs de burcht met kerken en paleizen waarin de regering zat, langs een rivier en gebouwen die hij weer vergeten was.

Hun hotel was een pompeus bouwwerk waarvan de stijl volgens de Oostenrijkse gids in het Westen 'empire stalinique' werd genoemd. De hal beneden was ruim, met brede pilaren, een massale receptie, versleten kleden op de marmeren vloer, zithoeken met plompe meubels, dit alles gedompeld in een penetrante geur van doorgekookte kool, en ofschoon het gebouw en de brede gangen anders suggereerden waren de kamers benauwend klein. Dit was geen Hilton, niet eens een Ramada Inn of een Howard Johnson. Hun bus was comfortabeler.

In het andere bed ademde Bobby rustig en gelijkmatig. De honger stak als een bajonet in zijn maag en sneed door zijn hart naar zijn keel. De slaap kon hem niet verlossen. Hij hoorde de lucht door zijn neusgaten gieren. Zijn vette borst zwoegde. Hij nam een andere houding aan en vocht zich omhoog, trok al die lagen en kwabben met zich mee. Het matras zuchtte toen hij zich uitgeput en naar lucht happend liet vallen. Het laken kleefde op zijn huid.

Zijn gezwoeg 's nachts kon Bobby niet meer uit haar dromen sleuren. Na moeizame jaren van gewenning aan zijn geluiden was alleen de bulderende wekker van Bell & Howell in staat haar terug te roepen uit het verre land dat ze na het uitdoen van het leeslampje bezocht. Ze hadden het ding helemaal uit San Diego meegenomen zonder erbij stil te staan dat die arrogante Europeanen al jaren heilig deden over één Europa maar nog steeds niet zoiets banaals als één stekker en één voltage hadden afgesproken.

Freddy vroeg zich af hoeveel jaren verstreken waren sinds ze de laatste keer hadden gevreeën. Het was al een aflopende zaak geweest na de miskraam en toen ze van de laatste in verwachting raakte draaide Bobby definitief de kraan dicht.

Freddy begon uit te zetten. Hij begreep dat er een verband bestond tussen het ontbreken van sex en zijn omvang, maar het was te simpel om te stellen dat hij een normaal gewicht zou krijgen als ze weer wekelijks de liefde zouden bedrijven. Hij besefte dat hij er fysiek niet meer toe in staat was.

Zuur speeksel spoelde door zijn keel, hij slikte. De afgelopen avond hadden ze een Hongaars restaurant bezocht vlak bij het Vaclavské Namesti, het plein in het hart van de stad. Bijna iedereen had de grijze lap die op de menukaart werd omschreven als 'first class sirloin steak with gypsy sauce' laten passeren, maar Freddy had er drie van zijn buren overgenomen. Sommigen hadden zich voorbereid op de kwaliteit van het communistische eten en toverden Hershy Bars en Marsen in familieverpakking uit hun nylon heuptassen, en een autodealer uit Wisconsin, Browning heette die, had gezworen dat er in het hotel hamburgers met ketchup te krijgen waren.

Moeizaam verliet hij het bed. Bobby ademde ongestoord. Ze dwaalde door landen die hij nooit zou betreden. Na deze reis zou hij voor altijd in Amerika blijven. Natuurlijk vond hij het interessant, al die oude steden en die historie en traditie en zo, maar hij voelde zich hier verdwaald. Tsjechoslowakije was een ontwikkelingsland.

Zo stil mogelijk kleedde hij zich aan. Hij hoorde in de stilte van het hotel zijn briesende ademhaling. Elke beweging werd gevolgd door een zware luchtstoot, alsof er een stoommachine in zijn longen zat. Hij verliet de kamer.

Aan het einde van de gang zat onder een stervend peertje een oude man te lezen. Hij keek op toen hij Freddy hoorde. Freddy zag ongeloof in zijn ogen en zwijgend liep hij naar de lift. Iemand uit de groep had uitgelegd dat elke verdieping vierentwintig uur per dag werd bewaakt, niet zozeer om de gasten voor ongevraagd bezoek te behoeden als wel om hun eigen mensen op afstand te houden. Zonder speciale pas kwam je hier als Tsjech niet over de drempel. De hal van het hotel was verlaten. Freddy sleepte zich over het kaalgetreden tapijt naar de receptie. Hij merkte nu twee mannen op, die naast de draaideuren van de ingang onderuitgezakt in fauteuils zaten. Veiligheidsdienst, had de gids gefluisterd. Hij voelde hun blikken in zijn lijf prikken. Niet één kledingstuk bood hem bescherming. Hij was altijd naakt.

Geen receptionist te zien. Ook geen bel om zijn aanwezigheid kenbaar te maken. Hij hield zich vast aan het zwart marmeren blad van de balie en wachtte. In een Amerikaans hotel klonk altijd muziek, hij had zich vaak afgevraagd wat de reden daarvan was. Nu begreep hij hoe verwoestend de eenzaamheid uithaalt in een doodstil gebouw. Ver weg klonken een paar dunne geluidjes uit de ingewanden van het hotel. Verder geen straatgeluiden of krakende deuren om zijn wanhopige gesnuif te overstemmen.

Thuis in San Diego limiteerde hij zijn handelingen en gebaren tot wat noodzakelijk was. Hij moest afvallen anders zou hij geen vijf jaar meer te leven hebben, maar de honger was kwellend, een wilde hond in zijn maag die woest om zich heen vrat. Hij was ongelukkig, en dat gevoel, zo wist hij nu, werd gekenmerkt door het ontbreken van hoop. Zijn onstilbare verlangen naar een staat van algehele verzadiging droeg een floers van ontroostbaar verdriet.

Hij werd ongeduldig. Riep wat. Schrok van de schelle klanken die uit zijn mond door de hal schoten. Achter hem hoorde hij de mannen zich oprichten. En er verscheen in de deuropening achter de balie een man van zijn leeftijd, rond de vijftig, in een gekreukt pak en met toegeknepen ogen. Hij had zitten pitten.

'Wat wilt u?' vroeg hij zonder een spoor van vriendelijkheid. Hij nam Freddy's lichaam in zich op.

'Mijn vrouw heeft honger en ik vroeg me af of ze nog iets te eten kon krijgen.'

'Alles is gesloten,' zei de man meteen, en hij keerde zich resoluut af.

'Is er niet een sandwich te krijgen of zo? Koude kip? Of een hamburger? Mijn vrouw is in verwachting, ze heeft honger. Ik hoorde dat hier hamburgers te krijgen waren.'

De man bleef staan en keek hem aan.

'Het restaurant sluit om negen uur.'

'En daarna?'

'Daarna is er niks meer te krijgen.'

'En als er 's nachts groepen toeristen arriveren? Die moeten toch ook eten?'

'Die komen niet 's nachts.'

'Maar 't zou kunnen gebeuren.'

''t Gebeurt niet.'

'Nee?'

'Nee,' klonk de geïrriteerde stem van de man.

'Ze moet wat eten anders wordt ze ziek.'

De man slaakte een zucht, keek even naar de twee mannen bij de deur.

'Misschien is er een oplossing. Maar die is niet eenvoudig.'

Freddy knikte. Hij wriemelde een hand in een broekzak, trok een vijf-dollarbiljet te voorschijn en legde het op de balie. Met de flitsende snelheid van een ervaren receptionist legde de man een handpalm op het bankbiljet.

'Restaurant Slavia,' zei hij. Hij schoof het biljet naar zich toe en sloot zijn vuist erom. 'Een zijstraatje van de Francouzska. De Ladova Steeg nummer drieënzestig. Drie keer bellen. Privé-restaurant. Hele nacht geopend.'

'Hoe komen we daar?' vroeg Freddy smekend.

'Dat is niet mijn probleem,' zei de man.

Hij verdween achter de deur.

Freddy draaide zich behoedzaam om, bang zijn evenwicht te verliezen – dat moest hij voorkomen, zijn lichaam was niet meer verticaal te krijgen als het toegaf aan de zwaartekracht – en schuifelde in de richting van de draaideuren.

Een van de mannen ging staan. Ze waren allebei eind twintig, allebei gekleed in een trainingspak. De man hield hem tegen met een handgebaar.

'Papieren,' zei hij.

Freddy hapte naar lucht. 'Waarom?'

'Politie.'

'U ziet er niet uit als een politieman.'

'Paspoort,' vloekte de man. Freddy schoof het ding uit het borstzakje van zijn overhemd.

De man trok het ongeduldig uit zijn handen en vergeleek de foto met het origineel. Onderzocht de stempel van het visum.

'Het is twee uur,' zei hij. 'Wat gaat u zo laat doen?'
'Is dat niet mijn eigen zaak?'
'Wat gaat u doen op dit tijdstip?'
'Luistert u eens, niemand in de wereld heeft iets te maken...'
'Als u niet antwoordt arresteer ik u omdat u weigert informatie te geven.'
Freddy slikte, keek naar de andere man, die zich niet leek te interesseren voor een mogelijke arrestatie en in alle rust een Amerikaanse sigaret opstak, Marlboro.
'Mijn vrouw heeft honger,' verklaarde Freddy.
De man keek hem scherp aan. Hij wierp toen over zijn schouder een blik op zijn collega en zei iets in het Tsjechisch, de toon was vragend, alsof hij vroeg: 'Weet je wat die dikke gaat doen?' De man in de fauteuil schudde zijn hoofd, knipte een vlam uit een aansteker. De ondervrager zei nog iets en de ander begon te lachen, de rook verliet in korte stoten zijn mond.
'Alles is gesloten,' riep de man vanuit zijn stoel. De rook bleef uit zijn mond walmen, als signalen van Indianen. 'U moet wachten tot 't ontbijt.'
'Zo lang houdt mijn vrouw 't niet uit.'
'Dit is New York niet. Mensen gaan vroeg naar bed. Ze moeten werken.'
'Als u me m'n paspoort teruggeeft dan zoek ik zelf wel uit of iedereen hier ligt te slapen.'
De man die voor hem stond wapperde met zijn paspoort. De ander trok zich terug uit het gesprek.
'Ik vind dat u weinig respect toont.'
'Ze wordt ziek als ze niet snel wat eet.'
'Reden te meer om voorzichtig te zijn.'
'Wat denkt u dat ik 's nachts hier ga doen? Wat moet een mens doen in deze stad? Waar verdenkt u me van?'
'Het is onze taak om over de veiligheid van de toeristen te waken. Ik moet 't u afraden om op dit tijdstip de stad in te gaan.'
'Ik neem een taxi.'
'Weet u dan waar u heen moet?'
'We rijden rond en dan zien we wel.'

'Er zwerven soms mensen door de straten die er antisocialistisch gedrag op na houden.'

'Wat is dat?'

'Die willen uw geld.'

Freddy keek hem met grote ogen aan. 'In een taxi is 't toch wel veilig?'

'Voor zover we weten wel, ja.'

'Wat is dat hier voor 'n land? Overal politie en dan toch nog gevaarlijk op straat!'

'Nog één zo'n belediging en ik arresteer u.'

'Alstublieft, mag ik gaan? Wat moet iemand als ik nou uitrichten hier?'

'Misschien staat u in contact met antisocialistische elementen.'

'Ik?'

'Ja, u. Waarom gaat u anders nu naar buiten? Denkt u dat we dat slikken dat uw vrouw honger heeft? Waarom vertelt u ons niet de waarheid? We kunnen u vastzetten en vasthouden tot u ons vertelt waarom u om twee uur 's nachts de straat opgaat.'

'Omdat ik honger heb! Okee, ik geef 't toe! Honger! Ziet u dan niet hoe zwaar ik ben? Ik moet iets in m'n maag krijgen, ziet u, ik kon niet slapen door de honger en toen dacht ik, ik ga gewoon naar beneden en dan vraag ik of ik nog iets kan bestellen, maar...'

De tranen stonden in zijn ogen. De hond in zijn maag had zich vastgebeten. Het beest probeerde een gat in zijn middenrif te scheuren opdat het zijn kaken in Freddy's vette hart kon zetten. De pijn sidderde langs zijn slokdarm naar zijn keel. Hij bleef maar hijgen, zijn longen waren te klein om zijn grote lijf van zuurstof te voorzien.

De man in de fauteuil zei iets zonder op te kijken en concentreerde zich op de rookwolkjes die zijn mond verlieten. Hij sprak de Tsjechische woorden toonloos, als een bevel. De ondervrager keek onderdanig naar hem om.

Freddy sloeg zijn ogen neer, probeerde te redden wat er te redden viel.

'Ik kan niet goed uitleggen wat 't voor mij betekent om honger te hebben. De meeste mensen begrijpen dat niet.'

Hij zag zijn paspoort voor zijn buik verschijnen.

'U kunt gaan.'

'Ja?'

De man maakte een ongeduldig gebaar met het paspoort. Freddy greep het document en knikte.

'Dank u wel. Ik ben echt niks...'

De man had zich al omgedraaid en liep terug naar zijn fauteuil.

Freddy keek naar het boekje tussen zijn dikke vingers. Zijn niet te temmen hunkering naar voedsel had bijna tot arrestatie en verblijf in een communistische gevangenis geleid. Maar elk probleem dat door zijn hongertocht veroorzaakt werd moest hij blind accepteren. Hij was zwak: een slaaf van zijn maag.

Hij liet de draaideuren ongemoeid want hij had bij aankomst hier proefondervindelijk vastgesteld dat de segmenten niet berekend waren op wezens met zijn volume. In een ruit ving hij de reflectie van zijn gestalte op, een reusachtige baby die net had leren wankelen. Via de zijdeur verliet hij het gebouw, de zachte nacht betredend.

Het was warm. De volle buitenlucht rook naar olie en stof en gras. Het plein voor het gebouw lag verlaten onder de sterren, op één auto na, vlak voor de deur, een hoekig model waarvan de achterbank hopelijk groot genoeg was. Freddy liep naar de bestuurderskant, zag achter het opengedraaide raam een slapende man met grijs haar. Hij tikte op het portier.

De man richtte zich op en knipperde met zijn ogen alsof de aanblik van Freddy de voortzetting van een droom was. Freddy vroeg of hij Engels sprak, gaf hem toen het adres op van restaurant Slavia. Traag stapte de taxichauffeur uit. Hij opende de achterdeur en bleef wachten tot Freddy zich in de auto had gewerkt. Eerst duwde Freddy zijn kont naar binnen. Vervolgens draaide hij zich langzaam om, het hoofd tussen de schouders, en perste zich tussen de bank en de voorstoelen, zijn zware benen meesleurend. Hij zat niet comfortabel maar hij kon vervoerd worden.

De chauffeur was een oudere man die zwijgend en zorgvuldig zijn auto bestuurde. De stad was nauwelijks verlicht.

Freddy herkende een gebouw dat ze bij de sightseeing gefotografeerd hadden, maar verder was alles vaag en mysterieus. Het wegdek van de straten bestond uit gladde ronde stenen die de wagen leken te slopen. Zijn vet trilde bij elke oneffenheid. De honger staarde met hem mee naar de angstige stad.

Vroeger, vóór Bobby hem op dieet had gezet, was Freddy 's nachts wel eens de straat opgegaan, zoekend naar verlossing. Hij stuurde zijn New Yorker over de stille avenues en boulevards van San Diego, loerde naar junks en hoeren; de koele lucht uit de airconditioning wervelde rond zijn hoofd. Tijdens die tochten voelde hij zich zoals de kruisvaarders zich gevoeld moeten hebben in hun harnas: hij had dan een missie, bereid zijn leven te offeren, cruisend door de achterbuurten van downtown S.D., ook wel genoemd Hell's Kitchen, speurend naar een uithangbord dat hem toeriep: GREAT BURGERS OPEN ALL NITE.

Maar hier: nergens een in het licht badende hamburgertent met een verchroomde toonbank, nergens harde muziek uit de gestroomlijnde jukebox (stijl: jaren vijftig, net als de menukaarten en de rest van het interieur), nergens jongens en meisjes die in dubbeldekkers hapten, nooit druk 'round the clock'. Praag bereikte tijdens deze uren van eenzaamheid haar natuurlijke staat. Arrogante gevels, zwarte ramen, onaanraakbare monumenten. Deze stad was een donker museum dat bezoekers met tegenzin duldde.

De taxi stopte voor een onverlichte steeg. De chauffeur draaide zich naar hem om, legde vermoeid een arm op de rugleuning.

'Is 't daar?' vroeg Freddy.

De man knikte.

Freddy tuurde naar het donkere gat, maar hij kon geen uithangbord of verlicht raam ontdekken.

'Hoeveel is 't?'

De man haalde zijn schouders op. 'Geeft u maar wat,' zei hij.

Freddy vond een dollarbiljet tussen de onduidelijke Tsjechische kronen die hij in zijn borstzak bewaarde. De rest van zijn geld zat in zijn broekzak, maar zittend, zo wist hij uit ervaring, kon hij er nog geen nagelrand in krijgen omdat het vet van zijn buik en heupen de broek rimpelloos gespannen hield. De man knikte, blijkbaar tevreden.

Freddy duwde het portier open en greep de deurstijlen vast. Hij trok zich uit de auto, voelde zijn knieën trillen toen hij zijn volle gewicht op zijn benen liet rusten. Er schoot hem te binnen dat de taxi niet over een radio beschikte en hij vroeg de chauffeur of hij over een uur hier weer kon verschijnen.

'Dan moet u vooruitbetalen...'

Freddie trok de rol dollars uit zijn broekzak en gaf de man opnieuw een biljet. Zonder emotie nam die het geld aan. Freddy zag nu dat de man ouder leek dan hij in werkelijkheid was, zijn haar en ogen hadden de kleur van verbittering en capitulatie maar zijn wangen waren glad en elastisch.

De taxi liet hem achter in een stinkende walm. De uitlaatgassen roken hier anders dan thuis. Zo snel als zijn benen toestonden haastte hij zich uit de wolk en bewoog hij zich in de richting van de smalle straat.

In de duisternis zag hij contouren van gevels. Hij zocht naar het huisnummer maar hij kon nergens nummering naast de deuren ontdekken. Toch kroop er iets in zijn neusgaten dat hem vertelde dat hij vlak bij zijn doel was. Hij rook bakolie, een zware, warme lucht die de smaak van *french fries* en gefrituurde inktvisringen in zijn mond bracht, gevolgd door een golf heet speeksel, 'hongervocht' was hij het zelf gaan noemen, stroperig keelwater dat de brokken die hij slikte soepel naar zijn maag transporteerde. Hij slikte en probeerde te achterhalen waar de baklucht vandaan kwam. Hij snoof diep door zijn neus, draaide zich om, maar de hele steeg leek ermee gevuld en verraadde niets van de herkomst van de hallucinerende geuren. Opnieuw slikte hij, de hond in zijn maag om een paar seconden uitstel smekend, en hij begon langs een muur te schuiven met zijn zintuigen in hoogste staat van mobilisatie.

Ook al leek de duisternis te vertellen dat er hier niets te eten was, zijn neus gaf het troostrijke signaal door dat hij in de juiste steeg stond en hij hoopte nu dat zijn oren zijn neus zouden steunen: als het restaurant nog in bedrijf was dan zouden er, hoe zacht ook, glasgerinkel en gelach en gezang klinken.

Hij leunde tegen de muur terwijl hij ruikend en luisterend voortschuifelde. Zijn hemd was doorweekt van de transpiratie. Hoorde hij daar iets, het geluid van een mes dat over een bord schuurt? De *plop* waarmee een kurk uit de fles schiet? Achter de blinde deuren en ramen van een van deze gevels werd er schaamteloos gevreten en gezopen en Freddy was ervan overtuigd dat hij, als hij niet binnen enkele minuten zou proeven en slikken, de ochtend nooit meer kon begroeten.

Een weeë vermoeidheid zakte vanuit zijn nek naar zijn ledematen. Misschien had de man in het hotel hem een oud adres gegeven of had de taxichauffeur hem belazerd. Een krankzinnige gedachte overviel hem: hij zou hier door een acute aanval van agressief maagzuur sterven; deze zwarte stenen zouden zijn graf worden.

De pijn die zich plotseling in zijn achterhoofd aandiende kwam niet als een verrassing. Geen maagbloeding maar een hersenbloeding, schoot het berustend door hem heen, een zwak adertje dat het in hongersnood heeft begeven. Hij zakte door zijn enkels en verloor zijn evenwicht. Snel greep hij zich vast aan de muur, maar dit had slechts een vertragend effect: onweerstaanbaar bewoog hij naar de grond. De smak op de stenen klonk dof en deed eigenlijk geen pijn.

Dit was het dus. Op jacht naar een hamburger of biefstuk zou in een vreemd land de deur achter hem dichtslaan. En nu wilde hij weten wat het was, hoe het voelde, ook al zou hij het nooit aan Bobby kunnen vertellen. Dag Bobby, zei hij in zichzelf. Ze kon snel een ander vinden want ze zag er goed uit en over een paar dagen zou ze zijn geld erven zodat ze ook nog een vermogende weduwe zou zijn. Hij lag te wachten op een bijzondere sensatie, en opeens wist hij wat hij verwachtte: de gang met verblindend licht waarover hij in de *Reader's Digest* gelezen had, een gang waarin paradijselijk gezang klonk en die een vrede en rust verspreidde die het geketende leven op aarde – wat in zijn geval letterlijk genomen kon worden, dacht hij spottend – nooit had voortgebracht. Hij zou gestorven familieleden ontmoeten, mensen van wie hij gehouden had maar die hij had begraven, ze zouden er zijn en hem omhelzen. Hij glimlachte en verheugde zich ten diepste op het weerzien.

De pijn in zijn hoofd leek af te nemen en omdat hij veronderstelde dat pijn bij zijn stoffelijk omhulsel hoorde en alleen zijn ziel en geest toegang hadden tot de lange tunnel, zag hij dit als een eerste bewijs dat zijn *ik* wegzweefde om in de hemel te worden opgenomen. En tot zijn schrik besefte hij dat hij nooit gelezen had over bijna-doodervaringen van mensen die op weg waren geweest naar de hel! Misschien was dat juist de hel, zo redeneerde hij, was het volstrekte niets van mensen die klinisch dood waren geweest (want die had je ook natuurlijk, de klinisch-doden zonder verlichte gang) het voorportaal van de hel: de hel was het niks. Freddy begreep dat hij nog steeds over zijn denkvermogen beschikte omdat hij logisch de problemen probeerde op te lossen waarvoor hij zich nu geplaatst zag, zodat hij tot geen andere conclusie kon komen dan dat hij compleet met geest en ziel op weg was naar HET LICHT.

En er was licht. Hij zag het, ook al had hij geen ogen meer. Het danste diffuus en bewoog heen en weer op een ritme waarvan hij de muziek wilde horen. En vervolgens hoorde hij twee stemmen die een taal spraken die hij niet verstond, maar hij had er alle vertrouwen in dat hem snel het geheim tot die taal zou worden geopenbaard. Toen voelde hij iets dat leek op een visitatie: handen die zijn lichaam betastten. En met een schok realiseerde hij zich dat dat betekende dat hij nog steeds in zijn lichaam woonde en blijkbaar niet echt gestorven was.

Hij opende zijn ogen en zag twee mannen die zich over hem heen bogen. Een van hen lichtte met een zaklantaarn de snelle handen van de ander bij. Zijn broekzakken werden leeggehaald. En toen de man met het licht even zijn hoofd in zijn richting bewoog, herkende Freddy het melancholieke gezicht van de taxichauffeur. Uit zijn mond vielen onbekende woorden toen hij in Freddy's geopende ogen keek, en meteen haalde de andere man uit en sloeg toe met een soort knuppel.

De klap brandde in Freddy's schedel. Ondanks de pijn voelde hij slechts één emotie: hij treurde om de verrukking die hij nu verloren had. Hij was bereid geweest om te sterven en afscheid te nemen van de aarde en als ziel en geest gewichtloos door de gang te zweven. Hij rouwde omdat dat alles alleen maar het gevolg was van een klap op zijn kop van een louche taxichauffeur en diens handlanger.

De taxichauffeur zei iets terwijl hij de zaklantaarn doofde. De mannen renden weg.

Het duurde minuten voor hij kracht genoeg verzameld had om zich op te richten. Toen hij met zijn rug tegen de muur zat, greep hij de stijlen vast van de tralies die een raam beschermden. Hij trok zich op, voelde de spieren in zijn armen zwellen. Ze waren niet te onderscheiden onder de dikke laag vet, maar ze waren sterk geworden door de langdurige training met zijn eigen gewicht. De honger begon woest zijn lijf te verscheuren, zijn maag werd opgegeten, hij zou verdwijnen in een gat dat hij zelf was.

Toen hij stond was hij alle oriëntatie kwijt. Geen geld, geen richting, geen woorden. Voorzichtig zette hij koers naar het lichtpuntje aan het einde van de steeg, hopend dat daar de straat lag waar de misdadige taxichauffeur hem had achtergelaten. Een gillende kramp schokte door zijn hoofd. Hij begon zich voort te bewegen alsof zijn benen rietstengels waren. Hoeveel geld had hij precies bij zich gestoken? Misschien tweehonderd dollar. Hij zou erover zwijgen.

Freddy bereikte het einde van de steeg en stelde vast dat hij hier niet uit de taxi was gestapt. Een smalle rijweg met hoge, levenloze huizen, straatlantaarns die vuil licht verspreidden. Er was geen mens aan wie hij de weg kon vragen, en hij liep op goed geluk naar links.

Tweehonderd dollars betekenden in deze landen een fortuin. De reisleider had verteld dat ze op de zwarte markt acht, negen keer de officiële koers opbrachten. In het Hongaarse restaurant had Freddy zich acht, negen keer de steaks van de anderen ontzegd. Hij had er slechts vier gegeten. Ze dreven op een romige 'gypsy sauce' – paprika – die zijn landgenoten, voor zover ze bereid waren geweest de kwaliteit van het vlees voor lief te nemen, in een staat van razernij bracht omdat hij de vlammen uit je verhemelte deed slaan. *Cuisine communiste*. Ze hadden het op een zuipen gezet.

Het goede geluk ontpopte zich als een foute gok. Opnieuw een zijstraat. Opnieuw geen mens. Hij vroeg zich af of hij toch dood was en in de hel was beland – een leeg, stil Praag kon niets anders dan de hel zijn. Opeens trok het weinige licht uit zijn ogen. Hij dreigde te vallen.

Freddy bleef staan om de duizelingen te laten wegdraaien. Hij was bang dat de knuppel een hersenschudding had achtergelaten en hij vroeg zich af of hij morgen een vliegtuig naar Wenen kon nemen om zich in een kapitalistisch ziekenhuis te laten onderzoeken. Hij zocht steun op een vuilnisbak in een veilige hoek van de straat, onder een brede gietijzeren trap, en dacht na over die vraag. Hij kon Bobby niet vertellen dat hij beroofd was en evenmin dat hij zich zou laten onderzoeken. Hij wist niet eens of je in een communistisch land naar een reisbureau kon stappen en een ticket bestellen. Waren er wel reisbureaus hier?

Hij keek op toen hij iets hoorde. Het gebeurde allemaal snel en enkele minuten later deed hij het voorval af als een aberratie van zijn kop want hij was getuige van de kidnapping van een van zijn reisgenoten, de jonge autodealer uit Wisconsin, een man van een jaar of dertig die een zaak had die German Motor Company heette (hij had Freddy zijn kaartje gegeven) en uitsluitend in 'kwaliteitsoccasions' deed. De autodealer verscheen opeens om een hoek, gevolgd door twee mannen die Freddy nooit eerder had gezien, en een auto dook op uit een andere straat en sneed de rennende dealer de pas af door het trottoir op te rijden. De man moest de auto ontwijken en verloor daarmee een paar kostbare seconden, zodat zijn twee achtervolgers de kans kregen hun achterstand weg te rennen. Ze sprongen op de autodealer, sleurden hem de auto in, de wagen stoof met gierende banden weg en verdween uit Freddy's zicht. Alles bij elkaar had het misschien vijftien seconden geduurd.

Onder de trap had Freddy zich niet verroerd. Wat hij gezien had kon niet echt gebeurd zijn. En als het wel echt gebeurd was dan was het niet de man uit Wisconsin geweest. En ook was het de vraag of het wel een kidnapping was. Nee, natuurlijk: het was een arrestatie. Hij wreef door zijn ogen en voelde hoe de honger opnieuw bezit nam van zijn lijf en dit vreemde incident meteen uit zijn hoofd verdreef.

Verdwaald en vertwijfeld stuitte hij een halfuur later op een taxi. Hij betaalde met een Tsjechisch bankbiljet en liet zich terugrijden naar Hotel International. De koppijn bleef tot de ochtend doorbeuken en ziek van honger meldde hij zich in de ontbijtzaal. Hij kreeg er klef brood, mierzoete jam en ranzige boter, tweederangs voedsel, maar het was er in overvloed. Opnieuw was het een warme dag. Hij at en at, zich niets aantrekkend van Bobby's vermaningen en steeds feller klinkende verwijten. Om negen uur stapten ze in de bus voor een nieuwe excursie en in een stoel aan de andere kant van het gangpad beet Bobby haar ergernis weg terwijl Freddy met een vrouw uit Pasadena onderhandelingen opende over de overname van een zak M & M's.

Toen vroeg de gids, staande voor de voorruit van zonwerend glas, of iemand Michael Browning uit Wisconsin vanochtend nog aan het ontbijt had gezien, want hij was niet in de bus en evenmin op zijn kamer.

HOOFDSTUK TWEE

de nacht van 22 juni 1989

'Nadat de Ervaring mij geleerd had, dat alles wat in het alledaagse leven veelvuldig voorvalt, ijdel en futiel is, en toen ik zag dat alle dingen die ik vreesde of waarvoor ik bang was, in het geheel geen goed en kwaad in zich bevatten tenzij voor zover de ziel erdoor bewogen wordt, kwam ik uiteindelijk tot het besluit om te gaan onderzoeken of er iets bestaat dat een waarachtig goed is, dat zich laat verwerven en dat alleen, zonder alle overige goederen, in staat is de ziel te vervullen, dat wil dus zeggen of er iets bestaat waarvan ik, nadat ik het gevonden en verworven had, eeuwig zou kunnen genieten in een voortdurende en maximale vreugde.'

Terwijl de mooie, zilte kaviaar zijn verhemelte streelde, probeerde Felix Hoffman, de negenenvijftigjarige diplomaat die de afgelopen avond een receptie had gegeven voor de kanselarijstaf en het Corps Diplomatique, greep te krijgen op deze zin.

Het waren de openingswoorden van een boek dat hij een week geleden in een stoffige kast op de zolder van zijn nieuwe huis had gevonden. Ofschoon hij vroeger als leek zijn weg had proberen te vinden in de jungle van de filosofie, had hij nooit de moed gehad om in het werk van de schrijver van dit boek, Baruch de Spinoza, door te dringen.

Hoffman had het boek rechtop achter zijn bord gezet opdat hij het kon lezen terwijl hij de rijke resten van de receptie naar binnen werkte, maar het was niet uit zichzelf overeind blijven staan. Hij had de fles champagne naar zich toe geschoven en het boek vervolgens tegen de fles laten leunen, maar ook dit had niet geholpen want de inhoud van de fles bevond zich in Hoffman's lichaam. Elegant was de lichte fles over het wit marmeren tafelblad geschoven en het boek was achterovergevallen. Toen had hij de zware koeler met gesmolten ijswater voor zijn bord gezet. Het boek was blijven staan.

Op een slap geworden Melba toostje had hij een soeplepel Russische kaviaar geladen, hij had smakkend het boek geopend en de eerste paragraaf van het filosofische traktaat van Baruch de Spinoza gelezen.

De laatste filosofie die hij genuttigd had was Hermans' vertaling van de *Tractatus* van Wittgenstein, maar hij gaf ruiterlijk toe dat zijn gestel de strenge paragrafen van dat boek niet verdroeg, ook al was de laatste zin ervan – dat je beter kunt zwijgen over de dingen waarover je niet kunt spreken – hem goed bevallen. Hij had tijdens zijn studententijd zijn portie Kant, Nietzsche, Sartre en Heidegger meegenomen en ooit had hij aan de hand van Bertrand Russell's *Geschiedenis der westerse filosofie* pogingen ondernomen bredere kennis te krijgen van de ideeën van de grote denkers. Hij kende tientallen duistere gedichten van Rilke en Morgenstern uit het hoofd, had Hannah Arendt's werk gelezen, had wat gesprokkeld bij de Frankfurter Schule en in de fenomenologie, maar dat veranderde niets aan zijn status: hij kon niet ontkennen dat hij een gemankeerd intellectueel was, ongeoefend in de regels van de logica en de retorica. Hij was te klein voor Leibniz en Bergson; als hij iets las over de Franse 'Nieuwe Filosofen' nam hij zich voor om de gapende gaten in zijn kennis eindelijk eens te vullen en hij wilde weten wat Cioran en Levinas hadden geschreven, maar het kwam er nooit van.

Om zijn onvermogen niet nodeloos op de proef te stellen las hij bij voorkeur een detective of een spionageroman. Hij las omdat hij de tijd moest doden, en dit laatste nam hij letterlijk.

De titel van Spinoza's boek, *Verhandeling over de verbetering van het verstand en over de weg waarlangs het het beste tot de ware kennis der dingen geleid wordt*, had op zijn lachspieren gewerkt; onder het warme dak had hij het boek schoongeblazen en mee naar beneden genomen.

Het was een vrij hoog boek met een kartonnen omslag en dikke, zware pagina's. Het papier was gekarteld en vergeeld, hier en daar bevlekt doordat er naar het leek in vroeger tijden een glas wijn op was gevallen. De druk was groot en helder. En aangezien het door een meester was gebonden liet het boek zich gewillig openslaan.

Hij vulde de lepel nog eens met de prachtige blauwzwarte kaviaar en schoof de hele lading zonder slappe toost tussen zijn lippen.

De openingszin van Spinoza's *Verhandeling* was de meest curieuze die hij ooit had gelezen. Vermoedelijk was de toon van de zin voor iemand uit de zeventiende eeuw uitzonderlijk direct en persoonlijk. In tegenstelling tot zijn vrouw Marian, Vondelspecialiste, was Hoffman geen kenner van zeventiende-eeuwse literatuur; wat hij zich herinnerde was een residu van een lijst verplichte titels. Natuurlijk had hij in de loop der jaren de studieboeken en aantekeningen van Marian betast en beklopt als ze ergens rondslingerden, maar hij had zich nooit geroepen gevoeld om in de zeventiende eeuw af te dalen, haar hartstocht voor die tijd was hem vreemd. Tijdens hun studie had hij aandachtig haar analyses van Vondel's sonnetten gelezen, maar hij bleef een welwillende toeschouwer bij een spel waarvan hij de regels niet doorgrondde.

Met Marian had hij nooit een verstandelijke band gehad. Vanaf het eerste begin was zij zijn vrouw, hij haar man. Ze praatten over films en boeken, maar op een primitieve, emotionele manier. Later spraken ze over de tandjes en kinderziekten van de tweeling, en in de betovering van die jaren pasten geen gesprekken over het Godsbewijs van de scholastici.

Achter de 'ik' van de openingszin van het boek zag hij meteen dat vreemde, uitgerekt eivormige hoofd van Spinoza, met grote, zachte ogen, ongeschonden wangen, een strakke neus en lang dik haar. Het hoofd stond voor in het boek afgebeeld, niet meer dan een schets was het, maar het was suggestief genoeg.

Hij straalde een grote rust uit, deze Spinoza, Nederlands filosoof van Spaanse afkomst uit de zeventiende eeuw, een man die zijn bestemming gevonden had en nieuwsgierig een plek rechts van de tekenaar in het oog hield. Hoffman had geen idee wat daar te zien was, maar de filosoof had ontegenzeglijk een alerte, open blik.

Hoffman's gezicht toonde rimpels en groeven, een gecompliceerde delta waarin zweetdruppels, die hij de afgelopen hete dagen overvloedig uitscheidde, zigzaggend omlaagstroomden. Zijn ogen lagen verscholen achter zakjes die aan zijn wenkbrauwen hingen, maar wie de moeite nam om de zakjes op te tillen die vond ogen van een ongerepte kwaliteit: een heldere glans maar geschrokken en treurend, als de ogen van een jongen van een jaar of tien die net is gestraft.

Hoffman's schedel was ooit net zo gezond begroeid geweest als die van Baruch, maar in de loop der jaren had de haarlijn steeds meer afstand genomen van zijn ogen. Dunne grijze haren die hij op z'n Amerikaans kort hield, wezen hem elke dag op zijn naderende einde. Hij had een zware kin en brede schouders, hij droeg zo'n twintig kilo te veel gewicht, hij had grote handen en voeten en een stem die een volle zaal op eigen kracht kon toespreken; hij was de laatste van een familie van sterke, rossige joden die in voorbije eeuwen de werkpaarden waren geweest in Poolse en Russische sjtetls en eruitzagen als boeren uit de Oekraïne.

Hij boog zich over de keukentafel en greep een fles. Hij dronk direct uit de hals en mengde de volle nasmaak van de kaviaar met een slok lauwe Moët.

Het tafelblad reflecteerde het lamplicht naar alle hoeken van de keuken. In het stille huis zat Hoffman in een cocon van licht. Overdag gaf een hoog raam boven het aanrecht uitzicht op een diepe tuin, nu vormde de donkere ruit een spiegel waarin de keuken naar zichzelf kon kijken. Het was beter om de ramen dicht te houden, buiten was het nog warmer, muggen verdrongen zich achter het glas.

De tafel stond vol. Salades, vleessoorten en pâtés, krab en kreeft, Franse en Hollandse kazen, exotische vruchten, noten, flessen wijn en likeur. Sinds de machtsovername door de communisten had geen Tsjech deze delicatessen bij elkaar gebracht.

Het grote huis stond in een voorname buitenwijk van Praag en deed sinds '73 dienst als de residentie van de Buitengewoon en Gevolmachtigd Ambassadeur van Hare Majesteit de Koningin der Nederlanden. Het was een rechthoekig pand van drie verdiepingen, ingericht door een speciaal hiervoor ingestelde afdeling bij Buitenlandse Zaken die de beeldvorming van het Koninkrijk scherp in de gaten hield: degelijk, strak, ingetogen. Wie hier over de drempel stapte, betrad een hereboerderij in een calvinistische polder.

Aan de straatzijde van het pand bestond de begane grond voor ongeveer de helft uit een salon die maar liefst drie zithoeken bevatte. Twee openslaande deuren gaven toegang tot een separate eetkamer waarin een massale tafel stond die geschikt was voor officiële diners. In het hart lag een hal, compleet met Bechstein vleugel en een brede trap die dramatisch naar de eerste verdieping voerde. Aan de tuinzijde had een vooruitziende geest een tweede, kleinere eetkamer ingericht voor de alledaagse maaltijden, een grote keuken waarin voor uitvoerige diners kon worden gekookt, een bijkeuken voor het rauwe werk en een pikante tweede trap achter een kastdeur.

Op de eerste verdieping lagen slaapkamers en een werkkamer met bibliotheek, op de tweede nog meer slaapkamers en onder het dak stonden op de kale houten vloer van de zolder verstoten meubels, boeken en prullen.

Alle nieuwe bewoners vulden de meubels van BZ aan met eigen spullen om een persoonlijke signatuur aan het huis te geven, en altijd lieten ze wat overbodigs achter als ze vertrokken. Ook het boek van Spinoza was op deze manier op zolder terechtgekomen, verbannen door een vertrekkende ambassadeur of zijn in levensvragen geïnteresseerde echtgenote.

De Moët & Chandon was niet slecht maar Hoffman dronk bij voorkeur Taittinger, ook al had Dom Perignon de naam de beste te zijn. De Dom was alleen maar duur, vond Hoffman, een champagne voor de smakelozen met geld. De Moët was voor de afgelopen avond ingekocht door iemand van de ambassade – de naam van die man was hem ontschoten, hij zat hier in Praag per slot van rekening nog maar net – die beweerde dat de Taittinger was uitverkocht in de winkel in het naburige München die het Corps in Praag van delicatessen voorzag.

Wat had Spinoza nou eigenlijk te zeggen?

'Nadat de Ervaring mij geleerd had, dat alles wat in het alledaagse leven veelvuldig voorvalt, ijdel en fütiel is...' was een mededeling waarvan hij niet meteen omviel. Ook Felix Hoffman had zo veel kunnen vaststellen na negenenvijftig jaar alledaags leven, ook hij had ervaren dat alles ijdel en futiel is, maar Spinoza had niet zonder reden de naam een belangrijk filosoof te zijn en zou dus wel snel met een troef komen.

'... en toen ik zag dat alle dingen die ik vreesde of waarvoor ik bang was, in het geheel geen goed of kwaad in zich bevatten tenzij voor zover de ziel erdoor bewogen wordt...' was een toevoeging die evenmin veel deining veroorzaakte.

De oude filosoof bedoelde dat je slechts bang bent voor je eigen angst. Een auto is een onschuldig stuk blik maar een moordwapen wanneer het bestuurd wordt door een zatlap met een dozijn flessen champagne in zijn bloed – als je dit wist dan zou je dus a: geen druppel meer drinken, b: nooit meer in een auto gaan zitten.

Hij las verder.

'... kwam ik uiteindelijk tot het besluit om te gaan onderzoeken of er iets bestaat dat een waarachtig goed is, dat zich laat verwerven en dat alleen, zonder alle overige goederen, in staat is de ziel te vervullen...'

Dit waren vermoedelijk de woorden die hem bij de eerste lezing hadden getroffen. Spinoza ging op zoek naar iets dat de ziel kon vervullen, ofwel: naar iets dat hem geluk kon brengen, een belofte die in het laatste deel van de zin nog eens werd herhaald: '...dat wil dus zeggen of er iets bestaat waarvan ik, nadat ik het gevonden en verworven had, eeuwig zou kunnen genieten in een voortdurende en maximale vreugde.'

Baruch de Spinoza ging op zoek naar het geluk.

Felix Hoffman nam zich voor om de *Verhandeling over de verbetering van het verstand en over de weg waarlangs het het beste tot de ware kennis der dingen geleid wordt* grondig te lezen.

Hij stond op en opende de koelkast. De kurk van de verse fles Moët schoot als een raket uit de hals. Het was lastig om direct uit de volle fles te drinken en hij vulde een glas met de sissende champagne.

Vanochtend had hij in het Hradcany de president bezocht en hem zijn geloofsbrieven aangeboden:

'Aan het Staatshoofd van de Tsjechoslowaakse Socialistische Republiek,

Excellentie,

Ik heb besloten de heer Felix Aaron Hoffman, een gerespecteerd burger van het Koninkrijk der Nederlanden, te benoemen tot mijn Buitengewoon Ambassadeur en Algemeen Gevolmachtigde bij Uw regering.

Hij is op de hoogte van de wederzijdse belangen van onze twee landen en hij deelt mijn oprechte verlangen de langdurige vriendschap tussen ons te bewaren en te verdiepen.

Mijn geloof in zijn hoogstaande karakter en talenten geeft mij het volste vertrouwen dat hij zijn plichten op een voor U acceptabele manier zal vervullen.

Ik verzoek U om hem met alle egards te ontvangen en hem Uw oor te lenen wanneer hij spreekt namens het Koninkrijk der Nederlanden en mijn beste wensen overbrengt aan de Tsjechoslowaakse Socialistische Republiek.

Beatrix R.'

Op zijn negenenvijftigste had hij de promotie gekregen waarop hij al vijftien jaar recht had. BZ had hem de status onthouden en Hoffman had jarenlang zijn vijanden in Den Haag geteld en zijn kansen berekend. Hij had er zich al bij neergelegd dat hij als belegen ambassaderaad uit de Dienst zou verdwijnen. Opeens hadden ze hem tegen het einde van zijn loopbaan deze post gegeven, een positiever slot van zijn stroeve huwelijk met BZ dan hij op grond van zijn staat van dienst had durven verwachten.

In 1960 had hij in Caracas zijn eerste post gekregen als Derde Secretaris, vier jaar later gevolgd door Madrid als de 'economische man' en, opnieuw na vier jaar, Lima in Peru. Het was toeval dat het Spaanstalige landen waren, want de Dienst voerde een willekeurig benoemingenbeleid en geloofde niet in het kweken van deskundigen die hun carrière in één cultuur doorliepen. In '71 ging hij voor het eerst naar Afrika, Dar-es-Salaam in Tanzania, en vier jaar later werd het opnieuw Zuid-Amerika, Rio de Janeiro. Hij had toen al recht op het ambassadeurschap, maar het werd in '79 Houston, waar hij Consul-Generaal werd. Slechts als Tijdelijk Zaakgelastigde reisde hij in '83 af naar Khartoum, duidelijk zonder promotie, en daar was hij tot de benoeming in Praag gebleven.

Op de ontwikkelingsposten had hij zich in zijn werk kunnen verliezen, want het werk in die landen was veeleisend en onuitputtelijk. Met Tsjechoslowakije waren de diplomatieke relaties zo ongeveer bevroren en op economisch gebied vond er niet meer plaats dan wat gehandel in een treinlading Skoda's en een paar dozijn vogelkooitjes. Praag stond bekend als een saaie post en hij was bang dat hij hier zijn energie niet kon wegzweten. Maar zijn benoeming had hem genoegdoening geschonken.

Wim Scheffers was de man bij BZ aan wie hij zijn post te danken had. Wim was een slanke man met grijze ogen en zongerijpte wangen. Hoffman had hem in het 'klasje' ontmoet, zoals de eigen opleiding bij BZ werd genoemd. De vader van Wim, een jood die gemengd gehuwd was en daardoor de oorlog ongeschonden had doorstaan, had een maand na het begin van het klasje zijn hoofd in een strop gestoken en de stoel onder zijn pantoffels weggetrapt. Moedeloos wilde Wim het klasje en de diplomatie de rug toekeren, maar Hoffman had hem in Den Haag gehouden en Wim had bij het Ministerie van BZ carrière gemaakt. Ze noemden zichzelf de 'jewish gang', een jood en een halfjood (wat dat ook was) die door de mazen van het net bij BZ waren geglipt.

Scheffers was nu Hoofd-Directeur Dienst Buitenlandse Zaken, HDBZ, een bureaucraat die hoger steeg naarmate hij ouder werd. Wim stond bekend als een *lady's man*.

Hoffman had hem bij Des Indes onthaald en een Château Margaux laten openmaken. Wim besnuffelde de Margaux stil en langdurig.

'Mooie wijn,' zei hij, 'niks mooiers dan een Margaux.' De ober schonk de wijn verder uit.

'Ik weet dat je gek bent op Margaux. Er is een kist naar je op weg.'

'Je bent gek, Felix. Doe dat nou niet.'

'Zonder jou had ik 't al die jaren niet gered, Wim. Laat me nou dankbaar zijn.'

'Nee. Je hoeft niet dankbaar te zijn.'

Hoffman boog zich over de tafel en sprak hem vertrouwelijk toe.

'Laten we mekaar geen mietje noemen. Jouw invloed brengt me naar Praag. Al dat andere tuig vreet me niet. Stijve klootzakken zijn 't, bange etters die alleen maar oog hebben voor het huisje in de Ardèche dat ze bij mekaar hebben gespaard...'

'Dat heb ik ook, Felix!'

'Dat weet ik maar jij bent geen klootzak maar een francofiel. Ik weet bij god niet waarom een gezond mens francofiel moet zijn maar ik bid de Heer dat ie 't je vergeeft.'

'De cultuur, Felix, de cultuur...'

'Ja an me reet de cultuur. De Franse hoeren bedoel je...'

Hij wist dat hij Wim Scheffers amuseerde als hij zo sprak. In de loop der jaren was deze rolverdeling ontstaan: Wim bleef de speelse vrijgezel met een kleine passie die hij in een verbouwde boerderij aan de rand van een Middeleeuws dorp in het hart van Frankrijk botvierde, en Hoffman speelde de door het leven gebeten beer die door Scheffers' porseleinkast marcheerde en banaliteiten om zich heen strooide. Scheffers was nooit getrouwd geweest.

'Nee serieus, Wim, ik ben je dankbaar, echt. Ik heb te lang al die nitwitten de pias zien spelen. Nou mag ik even de pias zijn. Ik ben er blij mee. Maar ik hou 'n beetje een kleffe smaak, want 't gebeurt wel erg laat hè?'

'Je hebt 't jezelf ook niet echt makkelijk gemaakt.'

'O heb ik 't aan mezelf te danken?'

'Een carrière bij een uitgeverij of een filmmaatschappij was je misschien makkelijker afgegaan.'

'O ja?'

'Je bent eigenlijk te... te artistiek voor ons milieu, ik bedoel je bent veel losser en recht voor z'n raap. Sommige mensen hebben daar veel moeite mee gehad, Felix.'

Scheffers bedoelde dat Hoffman een grote bek had, vooral als hij dronken was, wat in Scheffers' vocabulaire gedekt werd door het woord 'artistiek'.

'En eigenlijk... ik zal 't je maar gewoon zeggen zoals 't is, Felix, eigenlijk is 't een wonder dat je nog steeds bij de Dienst zit. Je hebt 't zo nu en dan bont gemaakt.'

''t Valt wel mee,' zei Hoffman.

'Nou... zoals met die... die dame van lichte zeden in Kenia. Dat ging ver, Felix, te ver als je 't mij vraagt.'

'Zullen we van onderwerp veranderen, Wim? Ik heb je uitgenodigd om iets te vieren. Ik had er niet over moeten beginnen. Stom.'

Hij leidde het gesprek naar collega's en hun geroddel bracht het Keniase incident terug naar een van de kerkers in zijn geheugen, waar het thuishoorde.

In de keuken van zijn nieuwe huis nam Hoffman weer achter het boek plaats dat geduldig tegen de champagnekoeler leunde. Zonder de steun van Wim Scheffers was hij nu een bitter ambtenaartje geweest. Zijn nieuwe baan zou de uitkering na zijn eervolle ontslag met zeker twintig procent omhoogjagen en ofschoon hij niet rekende op een lang leven na zijn pensionering en hij het geld eigenlijk niet nodig had, stelde het hem gerust dat hij een vast inkomen zou houden wanneer zijn arbeidzaam bestaan ten einde liep.

Hoffman had zijn lichaam zwaar op de proef gesteld. Hij had hard gewerkt, ook in de warme landen had hij lange werkdagen gemaakt, had veel gegeten en gedronken en tot enkele jaren geleden was hij een kettingroker geweest. Hij was bang voor de lange middagen na dit ambt. Hij had geen hobby's, geen passies, geen bezigheden. Sinds hij in Houston gestationeerd was geweest, martelde hij 's nachts zijn slokdarm en maag met wat de koelkast te bieden had en las hij daarbij het liefst kranten, tijdschriften en reclamefolders.

Tot nu toe had hij hier geen folder gevonden en hij vroeg zich af of er in het Oostblok wel geadverteerd werd. Rusteloos probeerde hij de romans die in de mode waren, Zuidamerikaanse schrijvers of reizende Engelsen, maar ze bevredigden nauwelijks en dan greep hij terug naar de Russische en Franse klassieken en het degelijke gooi-en-smijtwerk uit de Crime Book Club, waarvan hij lid was.

Wekelijks werden hem vanuit Cleveland Ohio twee whodunnits toegestuurd. Twee nachten en hij had ze uit. Maar als het mogelijk was zou hij de voorkeur geven aan het lidmaatschap van de Direct Mail Club en elke dag de geneugten proeven van kilo's reclamemateriaal. Nog steeds maakte een koortsachtig Sinterklaasgevoel zich van hem meester als hij reclamefolders inkeek. Het maakte niet uit of het over damesondergoed of doe-het-zelfbadkamers ging. Ze hadden hem gered van de waanzin, simpelweg doordat ze zijn aandacht leidden naar gewone alledaagse dingen als koffiezetapparaten en supersonische stofzuigers. Daardoor was hij bij machte zijn gedachten te bundelen en de waanzin van de nacht op afstand te houden.

Hij was slapeloos sinds 6 september 1968. Sinds die dag was hij de gevangene van zichzelf.

Hij schonk een nieuw glas in, veegde het zweet van zijn voorhoofd en las de volgende paragraaf van de *Verhandeling*.

'Ik zeg "dat ik uiteindelijk tot het besluit kwam". Op het eerste gezicht immers leek het niet raadzaam om iets zekers los te laten omwille van een zaak die toen nog onzeker was; ik kende namelijk de voordelen, die men uit eer en rijkdom verkrijgt, en ik zag dat ik gedwongen zou zijn ze niet meer na te jagen, indien ik een ernstige poging wilde wagen mij op een andere en nieuwe zaak te richten. Ik besefte dat als dan het hoogste geluk misschien toch in die dingen was gelegen, ik het zou moeten ontberen. Het hoogste geluk zou mij echter eveneens ontgaan, indien het daarin niet was gelegen en ik ze toch met veel inspanning zou nastreven.'

Blijkbaar was ook Spinoza een man met een baan en een gezin geweest en had hij zoals ieder ander op eer en rijkdom gejaagd, maar hij begon te twijfelen en ging gokken: hij kon opgeven wat hij had en het hoogste geluk vinden, of hij kon behouden wat hij had en berusten.

Hoffman schoof een schaal met verse eendelevers dichterbij. Ze waren vacuüm aangevoerd uit München en aan het begin van de avond even aangeschroeid door de kok die hij van de Fransen had mogen lenen, waardoor ze de warmte konden doorstaan. Onder het tafelblad zat een bestekla en hij drukte een mes in een van de levertjes. Het malse vlees smolt in zijn mond.

Hoffman had gehouden wat hij had. Al was met de slaap ook hun huwelijk verloren geraakt, hij was bij Marian gebleven. Ze hadden besloten bij elkaar te blijven zoals een broer en zus na de dood van hun ouders hun leven kunnen delen, gebruik makend van dezelfde keuken en dezelfde wc, maar zonder intimiteit.

Het was nu halfvier, boven in haar kamer was Marian in diepe slaap. 's Avonds trokken ze zich in verschillende kamers terug, en als het mogelijk was, zoals in dit huis, maakten ze gebruik van verschillende badkamers. Hij begroette haar bij het ontbijt en als hij niet ergens een diner had zag hij haar terug bij het avondeten. Ze vergezelde hem bij alle officiële plichtplegingen, kweet zich van haar taken zoals het een doorgewinterde diplomatenvrouw betaamt. Ze bleven bij elkaar omdat hun verleden een definitieve scheiding verhinderde.

Hoffman was een lafaard.

Hij was niet meer dan een slapeloze alcoholicus met chronische honger die het recht om te bestaan al lang geleden had verspeeld. Hij wist dat hij zich op lage wijze door de defecten van zijn karakter liet leiden, waardoor hij er altijd wel een excuus bij kon slepen dat perfect verklaarde waarom hij Marian niet kon verlaten. Er was geen passie meer die hen bond. Wat er wel was, was verdriet, in overvloed zelfs.

Hij keek naar de schaal en zag dat hij gedachteloos drie hele eendelevers naar binnen had gewerkt zonder dat hij er iets van geproefd had. Opnieuw vulde hij een glas met champagne. De drank danste op zijn tong.

Nog zeker drie uur voor de ochtend hem uit de duisternis zou verlossen. Jaren geleden, ergens in het begin van de jaren zeventig, had hij gepoogd om het nieuwe leven dat hij door zijn slapeloosheid erbij had gekregen te benutten met het schrijven van een omgekeerd geschiedenisboek, zoals hij het toen noemde, een bundel essays waarin hij een nieuwe vorm van nihilisme ging prediken, voorbij alle geloof en ideologie, ter meerdere glorie van het nuchtere consumentendom. Hij wilde er Popper mee naar de kroon steken. Hij had bergen aantekeningen gemaakt en ze op reusachtige prikborden gehangen. Vele nachten was hij gefascineerd op zoek naar een structuur voor de bundel en schoof hij met archiefkaartjes over de borden alsof hij een gecompliceerde opening van een schaakwedstrijd naspeelde. Maar het was tot hem doorgedrongen dat hij niets meer dan zijn eigen leven aan het legitimeren was en niemand iets had mee te delen.

Tijdens de party had hij een stukje camembert geproefd met een scherpe houtsmaak en hij zag nog een laatste uitgelopen puntje liggen. Hij spoelde de rijke kaas met een slok Moët weg en meteen vulde hij het glas bij.

Het gebeurde pas laat in zijn leven – op een fractie af net niet *te* laat: gisterochtend had de President van de een of andere Republiek hem in zijn functie van ambassadeur ontvangen. In een koele, hoge zaal in het Hradcany hadden ze getweeën thee gedronken, over Van Basten en Gullit gesproken. Tot slot had Hoffman wat gemompeld over de innige vriendschap tussen de twee volkeren.

Daarna mocht Marian binnenkomen en ze straalde in haar rol als ambassadeursvrouw. Ze hadden de top van de ladder bereikt. Maar de voldoening hierover bejubelden ze allebei in afzondering. Toen ze het Hradcany verlieten, zittend in het leer van de Mercedes die hem als ambassadeur dag en nacht ter beschikking stond (de airconditioning zoemde, de Nederlandse vlag wapperde op de zwart glanzende motorkap, de chauffeur droeg een heuse pet, Marian beleefde een tweede jeugd in een mantelpak dat ze in Wenen had laten maken) brandde Hoffman van verlangen om haar gezicht in zijn handen te nemen en haar te zeggen: 'Dit is ook jouw werk geweest.' Hij zei slechts:

'Hoe vond je Husak?'

'Een engerd,' zei ze, 'doet als een lieve opa maar hij heeft 't bloed nog onder z'n nagels.'

'Hoe vind je 't nou?'
'Hoe bedoel je?'
Hij zocht naar woorden: 'Nou dat wij hier samen...'
'Ik vind 't fijn voor je, dat weet je toch?'
'Ja... maar... hoe vind je 't zelf?'
'Dat vind ik zelf.'
'Ik bedoel: hoe vind je 't om zo ver te zijn gekomen?'
'*Jij* bent zo ver gekomen. Ik help je alleen maar 'n beetje. Ik heb m'n eigen hobby's. Zoals je weet.'

En hij antwoordde niet: Marian, zonder jou was ik al lang in de goot gecrepeerd. Zulke woorden waren verbannen uit het protocol van hun verdroogde huwelijk.

Hijzelf was econoom, Marian neerlandica. Ze hadden elkaar tijdens hun studie in de mensa van de GU in Amsterdam ontmoet. In de oorlog had hij de middelbare school gemist omdat hij ondergedoken had gezeten bij een varkensfokker in Brabant. En na de bevrijding klonk in de rauwe werkelijkheid die van hem een wees had gemaakt de noodzaak van het diploma van de middelbare school als een obscene grap.

Hoffman's vader was bankdirecteur geweest en Felix had na de oorlog elke maand een kleine toelage gekregen. Zijn voogd, de vader van zijn vriend Hein Daamen, had hij ervan overtuigd dat hij zelfstandig kon leven. Hij ging niet naar school, had geen werk, lag op een kamer bij een hospita op de Plantage Middenlaan, rolde shaggies, dronk thee en deed niets. Hij was nog heel jong maar hij had geld en in cafés ontmoette hij andere jonge mensen. Zijn lethargie was hun vreemd. Schreeuwend en vloekend probeerden ze de schok van de bevrijding om te zetten in schilderijen en boeken.

Felix beperkte zijn bijdrage aan de kunst tot het kopen van de wilde doeken van zijn straatarme kennissen. Ingegeven door een vreemd soort sentiment had hij ze allemaal bewaard, doeken van rusteloze schilders die later hun beweging de naam Cobra gaven. Pas in '52, hij was toen tweeëntwintig jaar, haalde hij het staatsdiploma van het gymnasium en ging hij studeren.

Zijn Appels en Constants vormden zijn levensverzekering. Hij had ze opgeslagen in een beveiligde en verwarmde loods in Den Bosch die eigendom was van Hein Daamen, een gracieuze, onhandige ingenieur met wie hij op de lagere school had gezeten.

De Daamens waren een voorname Bossche familie die trots uit elke generatie een bisschop of moeder-overste leverde. In december '44, drie maanden na de bevrijding van Den Bosch, had Hein zijn schoolvriendje Felix Hoffman in de kou op de Hekellaan zien staan, tandenklapperend bij het leeggeroofde huis waarin hij was opgegroeid. Felix stonk naar varkensstront en het vuil zat diep in zijn huid. Hein praatte hem daar weg en nam hem mee naar huis.

Ze hingen papieren slingers over de hoge stoel van vader Daamen, alsof hij jarig was, en terwijl het huis zich vulde met zijn stank at Felix aan het hoofd van de tafel, onder de schuldbewuste blikken van de halve familie, een bord gierstepap, gebakken eieren met spek, een blik corned beef met vijf dikke sneden Canadees brood, een halve metworst en een plak chocolade. Hij had geen honger maar at de borden schoon. De slingers prikten in zijn nek. Daarna kreeg hij de dikke jas van Hein's oudste broer (de jas bracht hem door de winter). Hein merkte op dat het wegsturen van deze jongen een onchristelijke daad zou zijn en het dienstmeisje plaatste een roestend opklapbed op Hein's kamer. Ze vulden een badkuip voor hem en nog voor het slapen gaan verleende mevrouw Daamen onbaatzuchtig onderricht in het Nieuwe Testament. Felix bleef er tot augustus '45, elke week onderbroken door een moeizame reis, tussen militaire konvooien en eindeloze rijen ambulances, naar de licht krankzinnige varkensfokker bij Boxtel, Eduard van de Pas, bij wie hij twee jaar lang verborgen was gehouden in de steeds leger wordende stallen met God's eigen onaanraakbaren die de poëtische, watervrezende boer illegaal slachtte – de enige verzetsdaad die Felix had waargenomen – en voor een klein deel aan de jonge jood voerde.

Bij hem had Hoffman, die thuis uitsluitend kosher gewend was, de wonderen van de zelf gerookte ham leren kennen.

Op de keukentafel lag nog verpakt in cellofaan een hele Parma ham en Hoffman kon de verleiding niet weerstaan er een plakje af te snijden. De champagne scheen hem echter een zwakke compagnon toe en hij opende een fles Brouilly, een geurende, subtiele wijn uit het mooiste deel van Beaujolais. Op een schaal met salades ontdekte hij enkele schijven meloen en hij legde ze netjes naast de ham op zijn schone, officiële bord, onder het gouden kroontje van de Oranjes.

In augustus '45 was hij naar een Joods Kindertehuis gebracht, maar hij ontsnapte en een paar dagen hield Hein hem op zijn kamer verborgen. De Daamens accepteerden het voogdijschap en gunden hem de vrijheid om te verdwijnen in een kamer bij een hospita aan de Plantage Middenlaan in Amsterdam. Toen al wist hij dat zijn ouders in een doucheruimte waren vergast en daarna in een oven verbrand. Hein ging in '49 studeren, Felix in '52. Een paar jaar zagen Hein en hij elkaar bijna dagelijks. Toen trouwde Hein met Trudy Overeem, dochter van een Philips-directeur, en het contact sleet zonder dat het ooit werd verbroken. Als ze elkaar een keer per jaar spraken deden ze dat met de vertrouwdheid van gisteren. En één keer in de zoveel jaar gingen ze gevieren eten.

Marian onderhield een regelmatiger contact met Trudy. Hij wist niet of ze hartsvriendinnen waren, ze was in ieder geval een van de weinigen met wie Marian correspondentie voerde.

Hoffman richtte zich weer op Spinoza, de filosoof die rijp was voor de gok. Deze was bereid de drie dwalingen die de mensen verblind najagen: rijkdom, eer en lust, in te ruilen voor een onzekere zoektocht naar het hoogste geluk.

Hoffman las nog enkele paragrafen waarin Spinoza uitgebreider nadacht over zijn aarzelingen zijn leven te veranderen, en hij stuitte op de volgende passage:

'Ik zag immers dat ik in het hoogste gevaar verkeerde en dat ik wel genoodzaakt was om met alle krachten een geneesmiddel, hoe onzeker ook, op te sporen, zoals iemand die aan een dodelijke ziekte lijdt en de dood ziet naderen tenzij hij een geneesmiddel aanwendt, gedwongen is om met alle krachten een onzeker geneesmiddel aan te grijpen omdat zijn hoop daarop geheel en al gevestigd is.'

Terwijl hij een reepje van de plak ham scheidde en dit met zorg om een schijf meloen wikkelde, beaamde Hoffman dat ook hij in het hoogste gevaar verkeerde, het gevaar van de onherroepelijke aftakeling:

– Bij het urineren duurde het soms een halve minuut voordat de straal enige substantie kreeg. Wanneer eindelijk de blaas geledigd was, had hij moeite met afsluiten en zelfs na het dichtknopen van zijn broek druppelde hij na.

– Zijn anus kneep niet meer feilloos zijn darmen af en ongemerkt beschilderde hij zijn onderbroek.

– Raadselachtige pijnen schoten door zijn ledematen.

– Als hij een keer in melancholieke opstandigheid een Mahler-uitvoering van Leonard Bernstein beluisterde, begonnen opeens zijn oren te suizen.

– 's Nachts werden zijn ogen door onzichtbare naalden doorboord.

– Soms kromp zijn maag samen alsof hij arsenicum had gegeten.

– Gal spoot uit zijn slokdarm in zijn keel.

– Zijn gewrichten schuurden over elkaar.

– Nagels groeiden in het vlees.

– Behalve op zijn hoofd groeiden er op allerlei plekken dikke haren uit zijn huid.

– Een strenge pijn steeg uit het midden van zijn borst op, trok via zijn nek naar zijn linkerarm en schoot naar zijn vingers. Hij wist wat dat betekende, had er meer dan eens over gelezen en ook zijn dokter had hem dat verteld: de kransslagaders zaten verstopt, alles was dichtgeslibd en verroest.

Zijn dokter had hem aangeraden om met een streng dieet zijn cholesterolniveau omlaag te brengen.

'Als je zo doorgaat krijg je onherroepelijk een infarct. Die zit al in je computer, om het zo eens te zeggen.'

'Is alle cholesterol fout?'

'We denken van wel, ja.'

'Denken?'

''t Is gecompliceerd...'

'Ik weet 't niet...'

'Voor het meten van jouw cholesterolspiegel is mijn meter aan de bovenkant te kort, Felix.'

'Ja? Nou, ik weet 't niet. Ik geloof niet in cholesterol.'

Hoffman verkeerde in het hoogste gevaar, net als Baruch de Spinoza. Zijn lichaam stevende af op totale entropie, elke dag zat zijn geest vierentwintig uur met zichzelf in één hoofd opgesloten tot zijn schedel zou exploderen.

Hij overspoelde het hapje ham en meloen met een slok wijn. De Brouilly had een dronk die aan een verfijnde houtsoort herinnerde. De wijn was niet te zwaar, ze bezat een constante, bescheiden smaak.

Hij las verder.

'Verder kwam het mij voor dat het kwaad vooral hieruit stamde, dat geluk en ongeluk uitsluitend hierin gelegen is, nl. in de hoedanigheid van het object waaraan wij in liefde gehecht zijn. Want om datgene wat niet bemind wordt, ontstaan nooit twisten, zal er nooit verdriet zijn indien het verdwijnt, geen afgunst indien het door iemand anders wordt bezeten, geen vrees, geen haat en, om het in één woord te zeggen, geen beroeringen van de ziel.'

Deze verschrikkelijke waarheid, banaal en subtiel tegelijk, vertraagde de beweging van zijn hand en zijn glas zweefde halverwege de tafel en zijn mond. Bedoelde Spinoza alleen *dingen* of betrok de filosoof bij het 'object waaraan wij in liefde gehecht zijn' ook de liefde voor *mensen*?

Hoffman had wel eens de vriendinnen van de kunstenaars in zijn bed gekregen (pas later gebruikte je het woord *groupie*) om net als Sartre en De Beauvoir de vrije liefde te praktizeren, maar hij had van Marian gehouden vanaf de dag dat zijn oren haar in de mensa hadden gehoord. Zij was de dochter van J.C. Coenen, een hoogleraar Nederlands wiens faam al om de hoek kwam voordat de professor zelf ten tonele verscheen, en ze was vastbesloten haar autoritaire vader, een psoriasis-patiënt, op zijn eigen studieterrein te verslaan, wat voor een meisje in 1954 een heroïsch doel was. Coenen zag in Hoffman een parvenu, ook al had de oude Hoffman een bank geleid, en Hoffman zag in zijn schoonvader een enghartige frustraat.

Felix zat in de mensa met Hein Daamen een bord nasi te eten, een gewaagd experiment van de keuken. Zonder het te willen hoorde hij achter zijn rug een ruzie tussen een jongen en een meisje.

'Nee Eddie ik ga niet mee.'

'Ik dacht dat je 't beloofd had,' antwoordde de jongen somber.

'Dat had ik ook maar ik heb me vergist.'

'Vergist? Beloofd is beloofd.'

'Het spijt me. Ik ga niet naar dat feest.'

'Ga je dan mee naar de film? Er draait een nieuwe Italiaanse film in Kriterion.'

'Eddie... wanneer dringt 't nou tot je door? Ik... ik ben niet verliefd op je.'

'Nee? Ik dacht...'

Felix wisselde een blik met Hein. Allebei haalden ze hun schouders op.

'Het spijt me echt, Eddie, maar 't is beter dat ik 't gewoon tegen je zeg, vind je niet?'

'Je wil niet mee omdat ik joods ben,' zei de jongen plompverloren.

Felix verschoot van kleur bij het horen van deze opmerking. Het meisje antwoordde met verstikte stem.

'Nee dat is niet waar. Ik ben gewoon niet verliefd op je.'

'Je discrimineert.'

'Nee niet waar...'

Felix hoorde een snik in haar stem. Hij kon zich niet beheersen en draaide zich om.

Aan de tafel achter hem zat het mooiste meisje dat hij ooit had gezien. Dik donker haar hing op haar schouders, slanke vingers grepen verkrampt in elkaar, tranen stonden in haar bruine ogen. Een brede jongen zat met zijn rug naar hem toe.

'Hee ben je doof of zo?' zei Felix.

De jongen draaide zich naar hem om. Hij was breed en zwaar, met een gigantische kaak, Felix zag een sterke hand op de stoelleuning liggen. Felix kende hem wel, een ouderejaars van het corps, Eddie Kohn.

'Waar bemoei jij je mee?' zei Eddie.

'Ik bemoei me nergens mee. Ik hoor jou omdat 't jou niet gegeven is op gedempte toon te praten en ik hoor dat je haar...' – hij wierp een blik op de schoonheid, ze keek hem verbaasd aan – '... dat je haar niet in haar waarde laat.'

'Dan hoor je dat niet goed.'

'Ik hoor dat verdomd goed.'

'Als ik jou was zou ik m'n mond houden.'

'Als ik jou was en ik ooit nog een kans wilde maken om met haar te gaan dansen dan zou ik ook heel erg m'n mond houden.'

Ze schoot even in een zenuwachtige lach, drukte geschrokken haar hand tegen haar prachtige lippen. Eddie raakte hierdoor nog meer geïrriteerd.

'Jij-be-moeit-je-ner-gens-mee.'

'Dat doe ik wel...'

Hein legde een hand op Felix' arm. 'Hee rustig nou, Fee, laten we even afeten en naar huis gaan.' Hein, HTS'er, was zijn kamer kwijtgeraakt doordat hij een obscuur feest had gehouden met vrienden die Felix niet kende. Hein wilde niks over het feest loslaten en logeerde nu bij Felix. Maar Felix trok zijn arm los en keek Eddie onbevangen aan.

'Zij discrimineert niet,' zei hij tegen Eddie.

'Dat doet zij wel.'

'Nee.'

Met een ijzeren hand greep Eddie hem bij zijn kraag.

'Jij discrimineert ook,' zei Eddie gemeen.

Felix keek naar het meisje, dat hem bezorgd gadesloeg.

'Ga je mee dansen?' vroeg hij.

Eddie keek ook naar haar om, zijn greep op Felix' keel versterkend.

Ze haalde in verwarring haar schouders op, sloeg even haar ogen neer, keek toen op en antwoordde ferm: 'Ja.'

'Zie je wel?' zei Felix met verstikte stem tegen Eddie, die

moeite had deze wending te volgen. 'Zij discrimineert niet want ik ben net zo besneden als jij en als je dat niet gelooft dan ga je even mee naar de wc en vergelijken we onze handel, okee?'

Eddie staarde hem met open mond aan. Felix zag het meisje aarzelen tussen verbijstering en bewondering.

Eddie stond op. Onaangeroerd liet hij zijn bord met experimentele nasi achter. Felix maakte een onhandig gebaar naar het meisje, zich verontschuldigend voor zijn grenzeloze bemoeizucht. Ze reageerde niet, staarde hem glazig aan. Hij keerde terug naar zijn eten.

'Jij krijgt nog eens gruwelijk op je lazer,' beloofde Hein.

Felix nam een hap van de nieuwe Indische topper van het mensa-menu. 'Ach die kerel was een zeikerd,' zei hij met volle mond, 'en als je dan even een grote bek teruggeeft dan houwen ze meteen hun mond. Die kerels zijn altijd hetzelfde. Grote honden met een zware blaf die d'r vandoor gaan als je terugkeft. Maar zag je dat meisje? Jeeezus, heb je ooit zo'n mooi meisje gezien? Weet jij wie dat is?'

Hij zag Hein opkijken naar iets schuin boven hem. Felix volgde zijn blik en keek in het gezicht van het meisje.

Ze zei: 'Wanneer gaan we dan dansen?'

'Beroeringen van de ziel,' noemde Spinoza de pijn die zulke herinneringen begeleidde. Hoffman schrokte de rest van de ham en meloen naar binnen en realiseerde zich te laat dat hij door deze nerveuze manier van eten weer niets proefde. Hij pakte de schaal met haringen, een *evergreen* op party's van Nederlandse ambassades, en pakte er één bij de staart.

De schaal had te lang in de warmte op tafel gestaan en de haringen begonnen al te verkleuren, maar de smaak was perfect. De haringman van een kraam op de Scheveningse boulevard had hem eens gezegd dat hij het liefst een in ontbinding verkerende haring at. 'Op de rand van rotting,' had de man gezegd terwijl hij een haring opende, 'nog net geen maden d'r in. Gelooft u me niet? Hier, deze krijgt u gratis en voor niks van me mee, op één voorwaarde: laat 'm een dag of twee op het hoekje van het aanrecht liggen. Als de stank bijna niet meer te verdragen is dan eet u 'm en dan komt u mij de volgende dag vertellen hoe die was. Afgesproken?'

Hoffman had de haring twee dagen later gegeten en het haringvlees was zacht en smeuïg, met een geconcentreerde, aan wild verwante nasmaak.

Hij hing een tweede haring in zijn mond, at zelfs het restje van de graat tot aan het begin van de staart. Vervolgens stond hij op en nam uit het diepvriesvak een fles wodka. Het glas besloeg meteen toen de koude, stroperige wodka erin droop. Hij sloeg het glaasje in één teug achterover. De scherpe drank nam meteen bezit van zijn keel en trok naar zijn neus en ogen, hij rilde van genot. Nog een glaasje en hij beet op zijn tanden toen de alcohol in zijn slokdarm prikte. Hij ging zitten.

'Alleen de liefde tot een eeuwige en oneindige zaak echter voedt de ziel,' las Hoffman, 'en zij alleen is te allen tijde zonder droefheid, hetgeen ten zeerste begerenswaardig is en uit alle kracht na te streven.'

Wat was zijn eeuwige en oneindige zaak? Hij had zijn eergevoel bevredigd nu hij hier de hoogste vertegenwoordiger van het koninkrijk aan de Noordzee was. Marian dienen, dat had hij misschien ooit zijn eeuwige en oneindige zaak genoemd.

Sinds de dood van Mirjam, een overdosis in een junkenpension aan de Warmoesstraat, had Marian zich voorgoed teruggetrokken in haar studie over Vondel's sonnetten, 'het definitieve boek over hem' zoals zij het met zelfspot noemde, waar zij een paar jaar na Esther's dood aan was begonnen. Marian was nu vierenvijftig en nog steeds in gevecht met haar onaanraakbare vader. De wereldberoemde Coenen, zwijgend en bitter, had de teloorgang van zijn nakomelingschap in zijn geheel meegemaakt en bij Mirjam's begrafenis had Hoffman in zijn ogen gelezen wie hij de schuld gaf van dit alles, een genetische oerschuld. Drie weken na Mirjam's overdosis hadden ze ook hem in het familiegraf in Zwolle begraven, naast zijn vrouw en twee kleindochters.

Spinoza had het over rijkdom, eer en genot – valse waarden volgens hem.

Eer had ook Hoffman nagestreefd en nu hij het ten volle had gekregen keek hij met verbazing terug op al die keren dat hij bitter de lijst met promoties had verscheurd. Het was moeilijk onaangenaam te noemen dat hij nu hier in de residentie woonde en vervoerd werd in een Mercedes met chauffeur die Boris heette, maar de nachten bleven lang en de honger onverzadigbaar.

Rijkdom, of beter: het ontbreken van armoede, had zijn vader voor hem verzorgd. Met de kleine maandelijkse uitkering die hij tot zijn dertigste verjaardag had gekregen, had hij drieënveertig schilderijen kunnen kopen, die nu door een taxateur van Christie's geschat waren op ongeveer één punt drie miljoen. Rijkdom had hij nooit gezocht, maar hij besefte dat zijn leefwijze in verhouding tot het grootste deel van de mensheid opviel door het gebrek aan gebrek.

Genot was een meer gecompliceerd onderwerp. Eten was genot, drinken was genot, neuken was genot – zou Spinoza dit alles hebben opgegeven, had de filosoof met het 'hoogste geluk' een celibatair bestaan bedoeld waaruit al het aardse was gebannen?

Een sexueel avontuur zes jaar geleden had tot een diplomatieke rel in Kenia geleid en een pijnlijke schrobbering van de hoogste baas van het departement, die hem bijna zijn carrière had gekost. In zijn opgewonden gekte had hij bedroevende fouten gemaakt. Ze hadden het incident in een geluiddichte pot gestopt en hem de rekening gestuurd: wat smeergeld, smartegeld en de kosten voor de bouw van een eenvoudig huisje, iets meer dan vierduizend dollar. Dat was nog vóór Mirjam's dood geweest, een jaar voordat ze in dat pension werd gevonden. Het was zijn laatste sexuele ervaring. Hij wilde geen risico's meer nemen.

Eer, rijkdom en genot – hij kon moeilijk beweren dat hij er niks mee te maken had of dat hij de neiging had er afstand van te doen. Hij kon hoeren betalen, maîtresses, geld genoeg om zijn erecties te temmen. In Afrika kon je krijgen wat je wilde. Sex met een meisje van tien, een jongen van acht, met drie, vier of vijf vrouwen, op de rug van een giraffe, in de bek van een nijlpaard, maar voor wat hij wilde (Marian's gezicht vroeger als ze zwijgend klaarkwam) was geld een lachwekkend middel.

Maar alles wat hij nu bezat, de schilderijen en zijn rang en status, zou hij meteen willen inruilen voor één nacht slaap. Vroeger was hij zich niet bewust geweest van de zegeningen van de kleine dood. Hij was jarenlang in bed gestapt en in slaap gevallen zonder te beseffen dat het ontwaken de dagelijkse bron was waaruit hij putte.

Ontwaken was opstaan uit de dood en de dood was er om aan de tergende onbegrijpelijkheden van het leven te ontsnappen. In de droom werd het ergste doorstaan en het mooiste gevonden, maar ook de droomloze slaap – het banale niets, de domme leegte – gaf kracht de wrede werkelijkheid te verdragen.

Al meer dan twintig jaar kon hij niet meer slapen. Op 6 september 1968 stierf Esther, het tweelingzusje van Mirjam. Esther was de eerste dochter die hij begraven had. Zestien jaar later had hij naast haar de kist van Mirjam in de grond laten zakken, op 12 september 1984.

Toen er na Esther's dood enkele maanden verstreken waren en het hem duidelijk was geworden dat de slaap permanent dreigde te verdwijnen, zocht hij professionele hulp, zoals men dat tegenwoordig noemde. De artsen probeerden alles op hem uit, van nep tot suïcidaal, maar de slaap bleef weg, althans de slaap zoals hij die gekend had.

Zelden had hij moeite gehad om van zijn bewustzijn afscheid te nemen, en met Marian in zijn armen ('kom lekker lepeltje-lepeltje liggen,' zei ze dan) was hij jarenlang diep en krachtig naar de ochtend gestoomd. Overdag had zijn huid zich de huid van Marian herinnerd. Zijn buik hunkerde naar de komende nacht vol warmte en geborgenheid, zijn geslacht tegen haar gulle billen gedrukt, zijn handen rond haar borsten, zijn lippen op haar schouder. Ze konden elkaar geruststellen door een streling of een oogopslag. Intellectueel deelden ze weinig. Zij verkeerde in een verre eeuw, hij las dossiers over handelsbevordering. In hun dromen hadden ze de onschuld van pasgeboren mensjes gekend.

Er was een chemisch middel geweest dat hem verdoofde en

in een staat bracht die verwant was aan slaap, maar de veiligheid die een gewone slaap kenmerkte – je was er èn je was er niet, een curieuze baarmoederlijke ervaring – ontbrak volstrekt. De slaap die door het middel teweeggebracht werd, was kaal en angstig, je voelde je – ook al was je *out and gone* – onbeschermd. Later hoorde hij dat het uit de handel was genomen. Mensen waren door het middel tot blinde razernij gebracht, in hun slaap nog wel, en waren aan het moorden geslagen. De Amerikaanse fabrikant had miljoenen dollars aan smartegeld betaald.

Hij had morfine geïnjecteerd, maar de slaap die hij gekend had was niet te imiteren. Met opium zweefde je in een langgerekte droom vol kleuren en geluiden en het enige dat het na uitwerking bewerkstelligd had, was dat hij zich bewust werd van de vele kilo's lichaamsgewicht die hij over deze aarde torste. Opium maakte je lui.

Wat de slaap ook deed was je verlossen van je identiteit en je karakter. Iets rudimentairs bleef er over in de slaap, een vaag besef van een dierlijk bestaan zonder de onmogelijke paradoxen van de menselijke geest. Al twintig jaar was hij ononderbroken te gas[illegible]ij zichzelf en hij was de gastheer gaan haten.

Wodka en haring vormen een ideaal paar en hij kon de verleiding niet weerstaan een derde haring te nuttigen. Hij hapte in het malse vissevlees en wierp een blik in het boek.

Was Spinoza een gezonde slaper geweest? Er straalde iets uit de zinnen dat daar op wees; Spinoza had vermoedelijk van een gezonde nachtrust mogen genieten. De man die zulke zinnen schreef had vrede met zichzelf.

Hij las dat Spinoza door het *nadenken* over zijn streven naar het hoogste goed zich kon losmaken van de valse waarden die hij eropna hield. Spinoza kwam tot het inzicht dat zijn vermogen om te denken en te analyseren het hoogste geluk dichterbij bracht, immers de waarden die hem in hun greep hadden onthulden hun valse karakter pas nadat hij er uitgebreid over gedelibereerd had: 'Dit ene begreep ik, dat zolang de geest met deze gedachten bezig was, hij zich van die zaken'

– die valse, begreep Hoffman – 'afkeerde en het denken de nieuwe levenswijze serieus actualiseerde, hetgeen voor mij een grote troost was.'

Doordat hij nooit sliep, was nadenken het enige dat Hoffman gedurende de nacht deed, en nimmer had hij hierdoor een glimp opgevangen van een nieuwe levenswijze. Integendeel, het nadenken bracht walging en bitterheid, en hij was benieuwd of Spinoza met beweringen over de zuiverende kracht van het nadenken wel overeind bleef in de ogen van een nihilist (zo zag Hoffman zichzelf) in de twintigste eeuw.

Spinoza vertelde dat 'alles wat geschiedt, zich voltrekt overeenkomstig een eeuwige orde en volgens zekere Natuurwetten,' en het ging er volgens hem om, daarin lag dan blijkbaar het hoogste geluk besloten, die Natuur te begrijpen. En om te begrijpen moest de mens niet alleen gezond van geest maar ook gezond van lichaam zijn. Hij verloor zijn hoofdzaak echter niet uit het oog:

'Maar voor alles moet er een manier worden uitgedacht om het verstand te genezen en het, voor zover in het begin mogelijk, te zuiveren, opdat het de dingen gemakkelijk, en zonder dwaling en optimaal begrijpe.'

Bewonderend schudde Hoffman zijn hoofd bij het lezen van zoveel onnozele geestdrift. De filosoof kon dit nooit in redelijkheid gemeend hebben. Hij vulde het glas met wodka en las meteen verder omdat Spinoza drie leefregels formuleerde die de lezer konden helpen bij het verkrijgen van een verbeterd verstand.

Allereerst vond Spinoza dat men moest spreken naar het bevattingsvermogen van het volk opdat het doel – verbetering en zuivering – beter werd gediend. Dit was een regel die gold voor een leraar, voor iemand die het verbeterde verstand al bezat, maar een beginneling zoals Hoffman had er niets aan.

De tweede regel luidde: 'Slechts in die mate aangename dingen gebruiken en genieten, als voldoende is voor het behoud van de gezondheid.' En leefregel drie: 'Zich ten slotte slechts zoveel geld of andere zaken verwerven als vereist is om in het levensonderhoud te voorzien en de gezondheid te beschermen en zich aan te passen aan de gebruiken van de staat, voor zover die ons doel niet in de weg staan.'

Vóór de slapeloosheid zijn leven had ontregeld, had Hoffman de neiging tot mateloosheid aardig weten te beheersen. Een enkele keer ging hij zich te buiten aan een fles wijn of een tweede dessert, maar hij was in staat de aangeboren gulzigheid te controleren omdat zijn leven met Marian en de tweeling elke vorm van honger stilde.

Hij had graag een dochter gewild en de geboorte van maar liefst twee dochters had hem gek van geluk gemaakt. Ze zaten toen net twee maanden op zijn eerste post in Venezuela, in 1960, en in het American Hospital beviel Marian eerst van Esther en vier minuten later van Mirjam, een tweeëige tweeling. Met kinderen kon hij de oorlog belachelijk maken, had hij gedacht, uit de botsing van zaad- en eicel ontstond de restauratie van de onschuld. Hij kuste de kinderen in de wieg tot hun wangetjes brandden. Dagen achtereen hield hij hun piepkleine handjes vast en bad dat er een God bestond en als Hij bestond dan eiste hij gezondheid en geluk voor zijn kinderen. Hij verschoonde luiers en gaf ze de fles en Marian pronkte in het behoudende diplomatenmilieu met haar moderne man.

Hoffman kocht een super 8 camera en legde vast hoe ze kwijlend over de vloer kropen en zich aan de spijlen van de box optrokken en verbaasd hun eerste stapje zetten en in een opblaasbad met speelgoeddolfijnen op het water sloegen en tranen met tuiten huilden bij het eerste tandje. De liefde voor zijn kinderen was moordend.

Ze werden vier in Madrid, zijn tweede post, en tot het einde van 1967 had Esther behalve de normale kinderziekten niets ongewoons gehad. Op een ochtend, na een dikke Hollandse boterham met hagelslag, toen ze met Mirjam in de lift stond om door een buurvrouw naar de Internationale School te worden gebracht (in het flatgebouw woonden meerdere gezinnen van diplomaten en ze brachten bij toerbeurt hun kinderen naar school) gaf Esther over. De meisjes kwamen opgewonden teruggerend naar het appartement.

'Mama, mama!' riep Mirjam, 'Esther heeft overgegeven!'

Felix gebaarde naar zijn vrouw dat het wel mee zou vallen.

'Ja schat? Waar heb je overgegeven?' vroeg Marian.

'In de lift!' gilde Mirjam.

'Even rustig, Mir. Ben je ziek Esther?'

Ze schudde haar hoofd. 'Nee.'

'Ben je misselijk of voel je je niet goed?' vroeg haar vader.

'Nee,' zei ze, en ze begon te lachen.

Papa trok er met een emmer op uit en veegde het hoopje braaksel weg. Later begreep hij dat hij het had moeten laten onderzoeken, maar het enige dat ze toen deden was oma Coenen's hagelslag weggooien die misschien niet goed meer was.

Een week later overkwam Esther hetzelfde, deze keer 's avonds bij het eten, maar Felix en Marian hadden zo vaak meegemaakt dat hun kinderen hun eten niet hadden binnengehouden dat ze zich geen zorgen maakten en pas een dokter raadpleegden toen Esther drie dagen later koorts kreeg.

De arts was hun door iemand van de ambassade aangeraden, een beminnelijke, in zijn vak grijs geworden Madrileen die niets bijzonders kon ontdekken en een gewoon koortsje diagnostiseerde. Een week later was de koorts onverminderd hoog en de arts schreef penicilline voor. De koorts verdween maar Esther zakte in een zogenaamde 'malaise': ze was lusteloos, sliep slecht, kreeg bloedarmoede. Na drie weken keerde de koorts terug, deze keer hoog en fel. De arts gaf nog meer penicilline. Op een ochtend was er iets met haar huid. Ze had een rustige nacht gehad, Hoffman had een paar keer zijn bed verlaten om naar Esther te kijken, en toen hij haar 's ochtends nog even ging kussen alvorens naar zijn werk te vertrekken (ze lag nu alleen op de kamer; sinds de koorts was opgetreden sliep Mirjam in de logeerkamer) zag hij hoe droog en gerimpeld haar huid was.

'Heb je de huid bij Esther gezien?' zei hij tegen Marian.

'Nee, is er dan wat?'

'Ik weet niet. 't Is niet goed.'

Marian ging kijken en beheerste zich toen ze weer terug

was in de keuken. Hij had daar staan wachten, aktentas aan de hand.

'Wat zou ze hebben, Fee?'

'Moeten we Alvarez bellen?'

'Hij is gisteren nog geweest.'

'We moeten misschien toch maar eens 'n andere dokter laten komen,' zei hij.

'Ik dacht dat je 't overdreven zou vinden, maar ik denk dat Alvarez 't niet weet, ik... ik vind al lang dat we naar een andere dokter moeten.'

'Waarom heb je dat niet eerder gezegd?' vroeg hij kwaad. Hij was vooral kwaad op zichzelf.

'Jij bent nogal op 'm gesteld en ik dacht...'

'Jezus wat 'n flauwekul. Gesteld of niet, de gezondheid van m'n dochter gaat vóór, Marian toch...'

Ze sloeg haar armen om hem heen.

''t Komt wel goed met 'r,' zei hij. 'Ze zal wel een gebrek aan vocht hebben door de koorts of zo.'

'Die moet omlaag, Fee.'

'Maak je nou maar geen zorgen. Doe ik ook niet.'

Op de ambassade belde hij een andere arts. Deze kwam kijken en kon niets bijzonders vinden, meende dat de penicilline voldoende was en raadde aan haar ruim te drinken te geven. De koorts week, haar huid herstelde en ze begonnen te pakken voor de overplaatsing naar Lima.

In de tweede week van januari 1968 kreeg Esther vreemde bloeduitstortingen. De Peruaanse artsen wisten geen raad met de symptomen, spraken elkaar tegen. Ze zaten in Callao, een voorstad van Lima. Ze hadden daar een kaal appartement in een hoge flat aan de Pacific. Hun spullen zaten in kisten die de lange tocht door het Panamakanaal moesten maken en ze bivakkeerden er op een versleten parketvloer met terrasstoelen en een uitklaptafel.

Sinds Esther weer ziek was had Mirjam zich in stilzwijgen teruggetrokken. Felix nam haar mee naar de Zoo, naar speeltuinen, maar als ze lachte wilde ze alleen haar vader een plezier doen.

Met Marian wisselde hij de wacht aan Esther's bed. De onzekerheid over haar ziekte hield hen uit de slaap. Overdag op kantoor dommelde hij soms boven zijn bureau weg en schrok hij op als zijn brandende sigaret in een formulier schroeide. Een paar weken doorstonden ze dit, toen liet hij haar naar Miami vliegen.

Esther leed aan het Henog-Schönleinsyndroom, dachten de artsen, een gecompliceerde ziekte die een grillig verloop kende en dodelijk kon zijn. De onzekerheid explodeerde in vechtlust.

Marian troostte hem en hij troostte Marian. Ze namen zich voor om te vechten en opgewekt te blijven en hun optimisme aan Esther door te geven.

Twee weken lang werd ze aan tests onderworpen. Marian en Mirjam bleven bij haar, Felix keerde na een week terug naar Lima. Elke dag belden ze minstens twee keer.

'Hoe is 't vandaag met haar?'

'Ze houdt zich heel goed.'

'En Mirjam?'

'Ze wil dokter worden. Ze wijkt niet van Esther.'

'Had ze nog pijn?'

'De dokters hier zeggen dat ze heel sterk is want ze moet veel pijn hebben, maar ze klaagt niet.'

Hij zei: 'We hebben twee mooie mensjes gemaakt, Mar, je hebt me twee prachtige mensen gegeven.'

Ze huilde door de ruis van de telefoonverbinding.

Toen werd er leukemie geconstateerd.

Het duurde nog een maand of zes voor Esther zou sterven. Door de chemotherapie verouderde ze, alsof haar onvolgroeide lijfje in korte tijd doormaakte wat een ander mens in tachtig jaar moest doorstaan. Haar haar viel uit, ze kreeg rimpels en holle ogen.

Marian en Mirjam hadden voor een astronomisch bedrag een flatje gehuurd in een eenvoudige buurt, overgenomen door Cubaanse immigranten die dank zij de toevloed van Middenamerikaanse vluchtelingen de huren naar onbetaalbare hoogten joegen. Hij wilde elke week heen en weer naar Miami vliegen, maar Den Haag hield hem aan het werk en ondanks zijn smeekbeden stonden ze hem slechts spaarzaam een snipperdag toe. Hij stuurde woedende telexen, had bittere telefoongesprekken met het Plein, waar het Ministerie toen nog gehuisvest was, maar de ambtenaren weken geen duimbreed. Het was het begin van de oorlog die hij de rest van zijn loopbaan met zijn chefs voerde.

Als het gezin in Miami bijeen was, deden ze wat ze altijd deden. In een huurauto reden ze rond en de tweeling vroeg honderduit en Felix en Marian zagen de wereld door de ogen van hun kinderen en beleefden de jeugd die ze zelf nooit hadden gehad. Ze wandelden langs de zee, hij droeg Esther als ze moe werd, en ze waren druk gewikkeld in eeuwige gesprekken over het water en de vissen en de warme golfstroom. Soms bogen ze zich een kwartier over een graspol en in hun fascinatie en gretigheid stolde de tijd en kon hij met zijn gezin de wereld delen.

In mei van dat jaar werd Esther met een charter naar Nederland gevlogen. Ze werd verpleegd in het Luthers Diaconessen aan het Amsterdamse Vondelpark. Ze had een kamertje met uitzicht op het park en luisterde naar de platen die ze op haar pick-up legde. Ze las Annie M.G. Schmidt, troostte haar moeder en zusje, die elke dag op bezoek kwamen en haar als het weer het toestond door het park langs de hippies reden die daar naast rugzakken op de gazons lagen, ze las verhaaltjes voor aan de andere kinderen, ze was flink en mooi.

Twee keer mocht hij gaan. Felix vloog naar Amsterdam, een vlucht van vijfentwintig uur. Vier dagen bleef hij bij Esther, vloog weer terug. Twee keer maar.

Sinds hij werkte had hij het kapitaaltje van zijn vader, dat hem en een paar schilderende kennissen tot na zijn studie te eten had gegeven, ongemoeid gelaten, en nu sprak hij het aan.

'Het beste van het beste,' had hij bij beide bezoeken tegen de doktoren gezegd, 'de beste onderzoeken en apparaten, er mag op niks bezuinigd worden.'

En beide keren antwoordden ze: 'We doen wat we kunnen, meneer Hoffman.'

Esther begon moeilijk te lopen, maar haar ogen bleven die van een kind van acht, gretig en ongeschonden. Felix ontdekte er echter een glans in die hij voor haar ziekte niet had gezien: haar ogen waren wijs door de pijn en teder door het verdriet dat zij dag in dag uit om zich heen zag.

Terwijl overal in Europa langharige adolescenten de verbeelding aan de macht wilden hebben, verkreukelde Esther tot een heksje met zachte ogen. Eind augustus werd Felix' overkomst dringend geacht, en hij ging, zonder om toestemming gevraagd te hebben.

De laatste keer zag hij haar een uur voor ze stierf. Achter het raam van haar kamer heerste een geurige late zomerdag. Ze lag stil, verbonden aan apparaten met lampjes en buizen, en ze glimlachte en zag er goed uit, alsof ze nog niet had opgegeven en hun duidelijk wilde maken dat ze nog lang bij hen wilde blijven. Ze verlieten de kamer om op de Willemsparkweg een broodje te gaan eten. Toen ze naar beneden liepen, merkte Felix dat hij zijn tas bij Esther had laten liggen. Hij haastte zich terug naar haar kamer.

Voorzichtig opende hij de deur en zag dat ze naar hem omkeek. Hij glimlachte, kwam binnen.

'Dag liefje, ik was m'n tas vergeten.'

Ze knikte. Hij pakte zijn tas van de stoel en ging even naast haar op bed zitten, streelde haar kille hoofd en wangen. Ze leed aan een koude ziekte.

'Mirjam en mama en ik komen straks terug en dan lezen we iets voor, goed?'

Ze glimlachte. Hij hield zijn hand tegen haar oude wang, liet haar de warmte van zijn lichaam voelen. Toen zag hij dat ze haar magere linkerhandje hief en zijn pols greep. De aanblik van haar oudevrouwenvingers, de mooie babyvingertjes die hij dagenlang tegen zijn lippen had gedrukt, bracht een machteloze snik naar zijn strot en hij verzette zich tegen het woedende verdriet dat door zijn borst sneed. Hij wilde niet dat ze hem zag huilen.

Ze schudde haar hoofd, ze fluisterde.

'Papa, papa... 't is goed, echt waar 't is goed.'

Hij haalde zijn neus op.

'Esther, ik hou heel heel veel van je. En ik wil zo graag dat je weer beter bent en dat we dan weer allemaal dingen kunnen doen.'

'Ik word niet meer beter, papa.'
'Maar je moet beter worden!'
'Papa, ik word niet meer beter, heus niet...'
Haar ogen bekeken hem met een wijsheid die hij nooit zou kunnen vatten.
'Het is goed, papa, het is heus goed zo.'
'Het is pas goed als je beter bent.'
'Nee. Laat me maar zo. Ik weet 't.'
'Wat weet je dan, liefje?'
Ze glimlachte, voorbij de pijn.
'Ik weet 't, papa...'
'Maar wat dan, lieve Esther? Wat weet je dan?'
Ze zei het nog eens, nauwelijks verstaanbaar: 'Ik weet 't, papa...'
Hij kuste haar voorhoofd.
'We komen over een uurtje terug, goed? Dan lezen we je voor uit een prachtig boek dat Mirjam gekocht heeft voor jou. Ja?'
Ze knikte.
Toen ze terugkwamen, was Esther dood.
Haar hartje was opeens gestopt, de verpleegster vond haar met gesloten ogen. Felix zag haar liggen, een oude vrouw die in alle rust afscheid had genomen.
Marian brak van verdriet, gilde en schreeuwde in de betegelde ziekenhuisgang. Het lukte hem niet haar te kalmeren en een arts gaf haar een injectie toen ze krampen kreeg en in haar lichaam spiercontracties ontstonden alsof ze een kind moest baren. Hij stond erop dat ze de komende nacht onder verdoving in het ziekenhuis zou blijven. Felix nam Mirjam mee naar Opa en Oma Coenen in Zwolle.
Hij had de voorgaande maanden gehuild en gevloekt, en nu opeens was het stil in zijn hart. Hij hield Mirjam tegen zich aangedrukt. Zij hield hem verbeten vast, met een gespannen lijfje, haar nagels haakten in zijn kleren.
En hij vroeg zich in die stilte één ding af: Wat wist Esther? Wat had ze daarmee bedoeld? Wist ze dat ze dodelijk ziek was, of bedoelde ze – en dat leken haar ogen hem te zeggen – of bedoelde ze iets anders, een waarheid die hij niet kende, een

zekerheid die alleen een mensje als Esther gegeven was, een geloof dat hij nooit kon krijgen?

Het was fout geweest dat Marian de eerste nacht na Esther's dood in het ziekenhuis was gebleven. Het leek toen het beste voor haar want ze was buiten zinnen en hij was bang geweest. De volgende dag had ze hem met trillende stem verweten dat haar dochter dood was en dat haar man haar bewusteloos in een kamer had laten opsluiten.

Later begreep hij hoe fysiek hun huwelijk was geweest. Hun kinderen waren hun gesprekspartners, in de tweeling had hun sprakeloze liefde haar natuurlijke vorm gevonden. In de slaap met Marian, in hun aanrakingen, voelde hij een vanzelfsprekende vorm van leven die geen taal nodig had.

Ze konden elkaar niet troosten, want hun verdriet was van een andere orde. Haar verdriet was fysiek en rauw, dat van hem stil en nuchter, verborgen achter de vraag die hem steeds heviger ging obsederen: Wat had Esther geweten?

De meisjes waren niet religieus opgevoed. De Coenens waren een gezin geweest zonder kruis en Christus en het enige geloof dat bij Esther en Mirjam een rol had gespeeld was het mysterieuze jodendom van papa, die geen familie had en ook geen oma en opa.

Esther kon nooit een rudimentair christelijk 'weten' bedoeld hebben. In haar wereld had de hemel of het hiernamaals nog geen vorm gekregen, ook al kon hij niet uitsluiten dat een paar catechismuslessen in Lima en Madrid beelden van hemelse wolken en gevederde engelen hadden nagelaten. Nee, haar 'weten' was iets dat op een ander niveau bestond. Radeloos hoorde hij elke dag haar woorden, in een eindeloze herhaling, zoals die vreemd uitgedoste Hare-Krishnamensen die door Amsterdam trokken en hun *mantra* in een eeuwige cadans herhaalden.

Esther werd begraven in het familiegraf van de Coenens in Zwolle.

Hij kon niet meer slapen.

Een jaar geleden had hij in de wetenschapsbijlage van de NRC gelezen dat de vorm van leukemie waaraan Esther had geleden tegenwoordig een hoog percentage genezingen kende; nieuwe therapieën, nieuwe medicijnen. Hij had zijn Hollandse dokter gebeld en deze had navraag gedaan, het bericht klopte. Had Esther te vroeg geleefd, had hij haar te vroeg gemaakt, was hij zelf te vroeg geboren? Als ze twintig jaar later ter wereld was gekomen, had die ziekte haar niet vermoord.

In het verdriet dat volgde op Esther's dood sleet de woede van Marian: toen het tot hen doordrong dat Mirjam het grootste slachtoffer van deze ramp dreigde te worden probeerden ze haar met aandacht te beschermen.

Een psycholoog adviseerde Esther's dood vooral niet te ontkennen, ze moesten erover blijven praten en voorkomen dat Mirjam zich angstig of schuldig ging voelen, een achtergebleven helft van een tweeling scheen meer dan andere kinderen ontvankelijk te zijn voor gecompliceerde trauma's.

Het voortdurende gepraat over het dode kind hield echter de pijn in leven. Wat vroeger onbewust en organisch was, werd nu onderwerp van te lange gesprekken. Spontane momenten spatten kapot op een bedachte vloer. Als hij Mirjam zag, keek hij naar het meisje dat er niet was. Zonder bijgedachten hadden ze elkaar ooit vastgepakt, hadden ze aan zijn oorlellen getrokken en waren op zijn schouders geklommen, had hij ze gedragen, elk op een arm; nu werd elke aanraking geposeerd. Ooit was het gezin een organische eenheid geweest, nu bezweek het onder de kunstmatige opgewektheid die Marian en hij aan Mirjam toonden. De rouw zette zich maar voort, week na week.

Wild door slaapgebrek en blind van verdriet keerde Felix terug naar Lima, en zonder de aanwezigheid van vrouw en kind bezatte hij zich in een reeks cafés tot hij in een hut met zwijgende Indianen aan de rand van de stad terechtkwam, een goedje zuipend dat de wereld binnenstebuiten keerde. Er was daar een breedgeheupte Indiaanse die constant haar hand op zijn kruis legde tot hij eraan toegaf en met haar mee naar buiten ging. Hij nam haar in de duisternis achter de schenkerij tegen een houten schutting. Hij beukte haar tegen de losse latten en ze vuurde hem lachend aan, alsof hij een toreador was, en toen hij was gekomen en zij een orgasme had gesimuleerd, draaide hij zich om en en keek hij in de glimmende gezichten van een rij dronken Indianen.

Zij was zijn eerste prostituée, een vlezige, transpirerende vrouw met zware jukbeenderen en de geur van muskus. De nachten waren oneindig lang. Louche doktoren hielpen hem aan morfine en opium. Op een dag besloot hij de nacht te lijf te gaan door zich neer te leggen bij zijn slapeloze staat en de nacht als een extra dag te beschouwen. Hij ging 's nachts werken, probeerde zich erdoor te slaan.

Een jaar of tien geleden, hij was toen Consul-Generaal in Houston, groeide de snack die hij 's nachts wel eens nuttigde uit tot een complete maaltijd, samengesteld uit wat hij in de grote *Whirlpool* koelkast aantrof. De vraatzucht die zijn omgeving daar regeerde brak zijn tere zelfbeheersing. Wanneer hij begon wist hij dat hij niet meer kon stoppen. Zelf sloeg hij voorgerechten en desserts en complete *tv-dinners* in. Zittend voor de tv, die in de States 's nachts bleef uitzenden, verorberde hij in razende honger borden vol voedsel. Zijn vorm van honger werd geboren toen de eerste mens geboren werd, duizenden jaren geleden, toen Honger en Angst één woord waren. In zijn volgevreten lichaam voelde hij zich als de eerste mens die zich oprichtte in de savanne van Afrika en boven het gras gestraft werd door de afwezigheid van God. Bang voor alles dat komen ging. Verlangend naar een vervulling die hij maar niet kon vatten.

Marian gaf zijn honger een naam, zoiets als 'Parkinson's' of 'Alzheimer's' – zij noemde het 'Hoffman's Honger'.

Zonder te lezen, blind naar Spinoza's pagina starend, dwarrelden de herinneringen naar de bodem van zijn geheugen. De fles wodka had hij voor de helft leeggedronken en hij betastte zijn opgeblazen maag.

Achter het keukenraam zag hij de lucht een lichtere toon aannemen. De tuin onthulde zich, een weids gazon, sterke bomen, beschaafd en verzorgd.

Hij wierp een blik op de marmeren keukentafel, de verdorde resten van deze nacht, en hij voelde zich nauwelijks bij machte te gaan staan en naar de wc te lopen. Hij concentreerde zich en hoorde het gemopper van vroege vogels, kleine melodietjes die de zon aankondigden.

Hij legde zijn handen op tafel en drukte zich uit zijn stoel.

Hij hield zich vast aan het aanrecht en wankelde de keuken uit, naar het halletje dat toegang gaf tot de tuin. Maar eerst opende hij de wc-deur en hij liet zich op zijn knieën zakken.

Alleen al de aanblik van de wc-pot bracht zijn maag van streek. Hij hoefde niet eens zijn vinger te gebruiken, zijn slokdarm begon direct te pompen en de eerste zurige golf braaksel spoot in zijn keel, golfde over zijn tong en spatte op de witte bodem van de pot.

Hij keek neer op de walmende, bruin-grijze pap en de curieuze geur die eruit opsteeg, tegelijk bitter en zuur en walgelijk en opwindend, bracht een nieuwe golf teweeg. Hij kromp even samen door het geweld van zijn slokdarm en hij voelde de pap naar boven schieten en opnieuw braakte hij in de pot een ondefinieerbare mêlée van brokjes en hapjes en stukjes, en een tintelend gevoel van verlossing beving hem. Nog twee golven explodeerden uit zijn keel, twee keer een mondvol zure pap, en hij hield zich aan de pot vast terwijl hij uitgeput naar adem hapte en genoot van de bevrijding die zijn maag beleefde.

Met moeite kwam hij overeind. Hij trok aan de rol wc-papier en veegde zijn mond en kin schoon.

Toen hij de tuin inliep, was de lucht al iets helderder, een mooi, diep, transparant blauw. Het was nog steeds warm, maar er lag frisse dauw op het gras en de vogels riepen elkaar grappen toe en hij omhelsde de stam van een boom en verlangde naar zijn kinderen.

HOOFDSTUK DRIE

de ochtend van 23 juni 1989

John Marks reed zijn Buick de garage uit en de kont van de glanzende wagen draaide de straat in. Terwijl hij wegreed, drukte hij op de *remote control* en in het achteruitkijkspiegeltje zag hij dat de garagedeur zich deemoedig sloot.

De nieuwe wagen zweefde zacht naar de uitvalsweg die hem uit Vienna naar zijn werk in Langley zou brengen. Hij was niet lang van gestalte en hij had het gevoel dat hij in deze wagen lager zat dan in zijn oude, ook al waren de modellen bijna identiek.

De Buick was gloednieuw en rook naar vers plastic. Het dashboard toonde nog meer bedieningsknoppen van *gadgets* dan dat van de oude Buick, die hij zes jaar lang zonder problemen gereden had en twee weken geleden had weggedaan, vlak na een dure reparatie. De verkoper had hem een enorme korting geboden, maar dat was niet de reden voor de aanschaf van deze nieuwe. De reparatie had de auto van hem vervreemd, leek het wel, op het dashboard zag hij olieachtige vingerafdrukken, die ook na langdurig poetsen niet verdwenen, en hij rook een garagegeur. Deze nieuwe Skylark, bordeauxrood van kleur, compleet met betrouwbare boordcomputer, was minder hoekig dan het oude model en in het antiseptische plastic en leer voelde hij zich als in een veilige cocon.

Hij woonde in een *semi-detached* in Vienna, Virginia, een door projectontwikkelaars overmeesterd dorp onder de rook van Washington. In de uitgebreide nieuwbouwwijken woonde het legioen ambtenaren dat Washington D.C. ontvluchtte. De hoofdstad van het machtigste land op aarde was niet bij machte haar drugsproblemen op te lossen.

Marks woonde al in Vienna voordat de grote stroom forensen deze kant op kwam. Na de scheiding had hij twee jaar een klein appartement in Georgetown gehuurd. In '79 had hij zijn huidige huis gekocht, gesitueerd in een van de 'oude' wijken van Vienna. Zijn vrouw was teruggegaan naar Milwaukee, waar zij was opgegroeid. Hij had in het oude huis kunnen blijven maar hij gaf er de voorkeur aan in iets nieuws te trekken. Lynn's advocaat had de helft van de opbrengst van het huis geclaimd en hij had geen bezwaar gemaakt, ook al raadde zijn eigen advocaat hem aan niet in te gaan op de ridicule eis van zijn ex-vrouw. Maar advocaten vechten graag met elkaar en hij had geen trek gehad in een slepende rechtszaak over de verdeling van hun goederen.

Hij ging nooit op vrijdag naar Langley. Ze hadden hem echter over de beveiligde lijn gebeld en de code doorgegeven waardoor hij zich naar zijn garage had gehaast. Ook dit tijdstip was hij niet gewend, de straten zaten vol met forensen in kleine Japanse en Europese auto's.

Hij had een volle baan, maar hij ging nog maar twee dagen per week naar Langley. Op maandag en donderdag vertrok hij laat en kwam hij laat terug. In de kantine at hij een meegebrachte sandwich, in zijn stamkroeg dronk hij met een paar andere overjarige ratten twee of drie glazen bier uit zijn eigen glas, en rond een uur of elf reed hij terug. De andere dagen zat hij thuis op zolder, een grote ruimte die hij geluid- en stofdicht had gemaakt. De kleine patrijspoort had hij weggebroken en vervangen door een enorm raam, dat zo ongeveer de gehele oppervlakte van die zijde van het dak besloeg. Het gaf hem een weids uitzicht op de heuvels en bossen van dit deel van Virginia.

Drie weken geleden had de hele buurt zich in de bibliotheek verzameld toen bekend was gemaakt dat de gemeente het bos, een van de laatste in de omgeving, verkocht had aan de projectontwikkelaar die toevallig ook het nieuwe gemeentehuis bouwde. John was erheen gegaan, de eerste keer in zijn leven dat hij aan een dergelijke bijeenkomst deelnam. Ondanks zijn afkeer van grote groepen mensen en hun geuren en opwinding had hij er zelfs het woord gevoerd en voorstellen gedaan om het gevaar te keren.

Hij was ervaren genoeg om in Langley melding te maken van dit bezoek, zodat er geen misverstanden zouden ontstaan over dit plotselinge activistische gedrag van hem. Hij was geen activist, geen Democraat, maar hij wilde van zijn uitzicht blijven genieten.

Het verkeer zat compleet vast op Chain Bridge Road. Uit de nieuwe wijken stroomden duizenden auto's naar wegen die er niet op berekend waren. De wijken en huizen lagen er, maar de infrastructuur was ontoereikend. Zo nu en dan kwam hij een meter of dertig verder: de kans was groot dat hij niet om halfnegen in de vergaderkamer op de vijfde verdieping zou zijn.

Meer dan eens had hij in zijn loopbaan de alarmcode gekregen en hij zat zonder opwinding achter het stuur van de Buick, de rust van een man die het allemaal al eens had gezien. Hij had telefoon in de auto laten monteren en hij had geen andere keuze dan lijdzaam te wachten tot de auto's voor hem de snelweg hadden bereikt. Als dit lang ging duren kon hij bellen.

Hij was om zes uur wakker geworden, zoals altijd op precies dezelfde tijd, en hij had uitvoerig gedoucht en ontbeten met een glas zuiver mineraalwater en een kop natuurlijk gerijpte yoghurt. Daarna was hij naar de zolder gegaan en had hij in het eerste ochtendlicht naar de vruchten van zijn hobby gekeken. Hij was een electronica-freak. Hij had voor ingenieur gestudeerd, was bij de Firma terechtgekomen als ontwerper van electronica. Hij werkte nu aan een ruisloze versterker die de zwakke kanten van de compact disc, en die waren er volgens hem in overvloed, kon wegnemen. Hij luisterde liever naar een grammofoonplaat dan naar een CD die alles naar een steriele zuiverheid vertaalde. Hij prutste nu, uitsluitend voor zijn eigen plezier, aan een apparaatje dat de een en nul van digitale lezing de menselijkheid van de grammofoon teruggaf. In theorie klopte zijn opzet, het was verwant aan de DAT-recorder, en het kostte hem al zijn vrije tijd om een praktische oplossing voor zijn problemen te vinden.

De code duidde op een alarm bij de SE-PC afdeling, wat betekende dat er een overloper was binnengekomen of dat de tegenpartij een employé van de Firma had gegrepen.

PC vertelde dat het probleem zich voordeed in Polen of Tsjechoslowakije. Polen lag de laatste tijd stil sinds Solidarnosc de feitelijke macht had overgenomen. De verkiezingen drie weken geleden hadden de communisten weggevaagd. De agenten die daar in het veld werkten konden alleen maar berichten dat er een machtsvacuüm bestond en dat het land op dit moment geen wezenlijke bijdrage leverde aan het Warschau-pact. De Poolse Geheime Dienst verkeerde in een crisis en heroriënteerde zich op de vraag wie haar grootste vijand was: de Nato of het Sovjet-blok. Over de moord op duizenden Poolse officieren bij Katyn werd nu openlijk geschreven en de stemming in het land werd scherp in het oog gehouden omdat een eventueel Sovjet-ingrijpen – op dit moment ondenkbaar volgens Marks, anderen op de afdeling sloten een provocatie van *hardliners* niet uit –, zoals dat in Hongarije in '56 en in Tsjechoslowakije in '68, tot een oorlog zou leiden met het gemotiveerde Poolse militaire apparaat dat na tientallen jaren slaafsheid zijn zelfrespect had teruggevonden.

Marks vermoedde dat de crisis zich voordeed in het Tsjechische gebied. Ondanks de frisse winden die door Polen en Hongarije waaiden, hielden de machthebbers in Praag de ramen dicht, alsof er geen perestroika bestond. De bejaarde mannen die Dubcek in '68 hadden gewipt en tot sleutelmaker benoemd, waren onder Brezjnev groot geworden en bestuurden de partij op de bekende autoritaire manier, ooit door Lenin onder de dekmantel 'democratisch-centralisme' verborgen. Ze leefden met hun getrouwen in afgesloten wijken met rijke supermarkten waarvoor nooit een rij in de kou stond te kleumen, en hun veiligheidsdiensten maakten in nauwe samenwerking met de KGB korte metten met elke uiting van oppositie.

Zoals in elk land dat zich communistisch noemde, was de officiële moraal er gecorrumpeerd en van een ziekelijke benepenheid. Het gepropageerde leven daar leek op dat van een stadje in het Midwesten in 1949, strak, sober, met vage armoe en duidelijke klasseverschillen.

Marks verkeerde in de positie om beter dan wie ook een beeld te hebben van de leefstijlen van de leden van het politbureau in de Oosteuropese landen (PC was een van de afdelingen van de SE divisie, die de Sovjet Unie en Oosteuropa betastte en beklopte; de SE divisie was een onderdeel van het overkoepelende DO directoraat, dat geheime operaties voorbereidde en uitvoerde) en hij had regelmatig de bewijzen in handen gehad van de socialistische spilzucht. Hij was op de hoogte van de manier waarop sommige leden van zijn eigen Congres en Senaat hun privé-leven inrichtten, maar dat ging niet – of zelden – ten koste van de modale belastingbetaler. Communisten hadden minder problemen met de rekening voor hun gedrag, want zij verdedigden zich door zich te beroepen op hun marxistische ideologie – de meest plooibare religie tot op heden uitgevonden.

Marks leidde een bescheiden bestaan. De nieuwe Buick betekende in zijn uitgavenpatroon een gigantische uitschieter (hij was er zich van bewust dat hij dit soort woorden in rapporten was tegengekomen en ze had overgenomen). Een deel van zijn inkomen maakte hij naar Lynn over als alimentatiebetalingen. Wat hij overhield belegde hij in waardevaste fondsen.

Lynn had samen met haar zuster, die ook gescheiden was, een nieuw huis in Milwaukee betrokken. Marks betaalde de kleine hypotheek af. Hij vond dat zij geen geldzorgen moest hebben. Ook Jim, hun oudste zoon, stopte haar regelmatig wat geld toe, zodat zij in welstand kon leven.

Afgelopen Kerstmis had hij Lynn de laatste keer gezien, aan het diner in Jim's 'brownstone' in Georgetown. Jim was arts. Jim had zijn vrouw Linda, zijn twee kinderen, een hond, ze hadden naast Jim's Saab een stationwagon en ze maakten uitstapjes naar de wonderen van de Amerikaanse natuur. John Marks' zoon genoot van de weldaden van het gezin. John zelf had ze opgegeven.

Zijn auto had weinig voortgang geboekt. Hij zat gevangen in een zee van brommend blik en glas. Naast hem wachtte een man die voortdurend driftig in een autotelefoon sprak, aan de andere kant zat in een Japans autootje een jonge vrouw met uitbundig blond haar ongeduldig op haar nagels te bijten, door de zonwerende voorruit keek hij uit op een massieve man die hartstochtelijk in zijn neus groef.

Het was een tweede natuur geworden om onder de toevalligheid van gebeurtenissen een verborgen plan te vermoeden – zelf deed hij de hele dag niets anders dan zulke plannen beramen – en hij bekeek langdurig zijn buren, op zoek naar signalen die gevaar konden betekenen.

Als de file nu meteen zou oplossen, zou hij net genoeg tijd hebben om het begin van de vergadering te halen. Hij schoof heen en weer op zijn stoel, zocht naar de meest comfortabele houding en bedacht dat hij zijn stoel elektrisch kon aanpassen.

Hij vond de knoppen op de armsteun in de deur. Hij trok een klein pookje naar achteren en zacht gezoem klonk en de stoel kroop naar achteren. Een andere knop tilde de stoel op. Zo zat hij goed. Hij trok een tissue uit het kartonnen boxje dat op de passagiersstoel stond en veegde onzichtbare pluisjes van zijn vingers.

John Marks was klein van gestalte. Desondanks hadden vrouwen hem nooit over het hoofd gezien. Lynn was een halve kop groter, een vruchtbare vrouw uit een sterke Quaker familie in Minnesota. Hij had haar bij de Firma ontmoet. Ze was secretaresse, werkte met documenten van de laagste classificatie.

Lynn had veel aanbidders gehad bij de Firma. Later, gedurende de scheiding, wanneer ze alle andere verwijten over hem had uitgestort en alleen nog dit ene had, slingerde ze hem naar zijn hoofd dat ze de echt hoge jongens had kunnen krijgen, de mannen die na hun pensionering nog een miljoen of twee in het zakenleven grijpen of onduidelijke maar zwaar betaalde veiligheidsadviezen geven aan rijke Arabieren of Japanners. Ze had agenten met 'doctor' voor hun naam kunnen trouwen (die had je daar ook) of telgen van de oude WASP-families (daar wemelde het bij hen van), maar néé, ze had uit de hele wereld de hand van John Peter Marks gekozen en ze vroeg zich af of ze al die jaren gek was geweest.

'Je bent toch ook gelukkig geweest?' zei hij dan. 'Tenminste, ik wel.'

'Ja,' fluisterde ze dan met neergeslagen ogen, 'ik ben gelukkig geweest...'

'Dat is toch niet niks.' Hij mompelde, in de hoop dat ze de onmacht in zijn stem niet zou horen.

'Maar het is te kort,' zei ze opstandig, "t begon nog maar net.'

'Lynn, we zijn bijna vijfentwintig jaar getrouwd geweest, we hebben twee kinderen opgevoed, dat is méér dan de meeste mensen kunnen zeggen!'

'Maar ik wil nog méér!' riep ze, 'voor mij is 't helemaal nog niet voorbij. John, kijk me aan, alsjeblieft...'

Hij keek haar aan.

'We hebben nog zo veel te doen, John, we hebben samen nog zoveel te doen...'

Hij knikte en boog zijn hoofd.

'Wat heb je je toch in je hoofd gehaald,' hoorde hij haar zeggen, 'wat is er in je gevaren?'

Hij kon niet meer bij Lynn blijven. Hij kon het haar niet uitleggen, maar hij verraadde haar door bij haar te blijven. Hij had een verhouding gehad die zich vijf jaar in het duister had afgespeeld, en de vrouw van wie hij meer was gaan houden dan van Lynn had het niet aangedurfd haar man te verlaten.

Toen Marian hem vertelde dat hun verhouding ten einde was, pas toen kon hij bij Lynn vertrekken. Er zat voor John een curieuze logica in die hij moeilijk aan een ander kon uitleggen – hij had het aan niemand uitgelegd, aan Marian had hij het misschien duidelijk kunnen maken, maar het was er nooit van gekomen – en zijn vertrek bij Lynn ervoer hij als onafwendbaar en noodlottig. Hij was niet meer in staat naast Lynn te slapen en te dromen over een andere vrouw die onbereikbaar voor hem was.

Het had hem de grootste inspanning gekost om het Lynn te zeggen. Ze begreep het niet, en dat was geen wonder want hij had een groot hoofdstuk van zijn verhaal overgeslagen, het hoofdstuk dat over de verhouding met Marian ging.

In het begin van de jaren zeventig was hij regionaal controleur in Tanzania en hij leerde haar kennen op een van de clubs voor buitenlanders. Marian was Nederlandse, niet veel jonger dan hij en in de bloei van haar leven. Hij was in eerste aanleg alleen geïnteresseerd in de vraag of hij haar kon werven als informante (haar man was een Nederlandse diplomaat en om redenen die de Amerikanen nooit begrepen hadden onderhielden de Nederlanders in de Afrikaanse landen relaties met allerlei bevrijdingsbewegingen). Hij had het niet gezocht, zij evenmin. Toch werd hun contact intenser en er ontwikkelde zich een vriendschap zoals hij die tot dat moment alleen met mannen had gekend. Waar mogelijk zochten ze elkaars gezelschap zonder dat er beroering in hun omgeving ontstond. En hij deed de verontrustende ontdekking dat ze elkaars gelijken waren.

Aanvankelijk was hij niet verliefd. Hij had slechts een aanvulling voor zijn leven met Lynn gevonden. Hun huwelijk had zich teruggetrokken tot de opvoeding van hun kinderen, de keuken, de tuin, wat perfect zou zijn geweest als hij met zijn vrouw op een dergelijke manier had willen leven, maar hij had een diep maar onuitgesproken verlangen naar iemand die de subtiele wendingen van het schaakspel dat hij bij de Firma speelde zelf ook kon spelen. Lynn was te aards voor zijn abstracties.

Toen ze kinderen kregen en Lynn ontslag had genomen bij de Firma, zocht zij voor zichzelf en de kinderen zekerheid en geborgenheid. Jarenlang was hij in staat geweest die te bieden. Maar in de wereld die hij dagelijks bij de Firma betrad behoorden ook zekerheid en geborgenheid tot de middelen waarmee het beoogde doel werd bereikt. In zijn werk werd bijna alles wat een mens kon bedenken als een gerechtvaardigd middel beschouwd om aan vitale informatie te komen, al was dat vitale nooit met zekerheid vooraf vast te stellen. Hij manipuleerde met vertrouwen, respect, zekerheid, geborgenheid. Als hij er met Lynn over had kunnen praten dan hadden ze misschien hun eigen geheimen kunnen ontwikkelen – dit zag hij als het noodlot in zijn leven: de vertrouwensband die hij met mensen had woekerde op de hoeveelheid geheimen die hij met hen deelde – maar hij had er niet over gepraat.

Toen hij in Tanzania voor de eerste keer met Marian sliep,

bij hem thuis op het harde matras in de logeerkamer, hadden ze beseft dat ze voor elkaar waren geschapen, met de pijnlijke heftigheid die alleen mensen van boven de veertig ondergaan, en ze vervloekten het wrede leven dat hen pas zo laat bij elkaar had gebracht. Te veel verantwoordelijkheden, te veel verleden. Hun liefde was *geheim*, en dit droeg bij aan de hevigheid waarmee hij de verhouding beleefd had.

De dubbele bodem onder het huwelijk met Lynn werd onverdraaglijk. Maar ook Marian kon na vijf jaar het bedrog niet meer rechtvaardigen. Zij was niet in staat haar man te verlaten. Haar besluit om bij haar man te blijven kwam voort uit dezelfde gevoeligheid voor het noodlot als zijn besluit om Lynn te verlaten. Hij had Marian als geliefde en als informante verloren, want voor haar was dat hetzelfde. Ze namen afscheid van elkaar in Rio de Janeiro, een nacht in februari '77 vlak voor Carnaval. De lucht in zijn flatje kleefde aan zijn vingers, woorden hingen loom in de kamer, hun ogen zweetten. Na die nacht had hij nooit meer een vrouw aangeraakt. Toen hij terugkeerde uit Brazilië nam hij zijn intrek in het flatje in Georgetown. De langzame, pijnlijke scheiding van Lynn was begonnen. Hij had een paar weken een psychiater bezocht en gepoogd hem uit te leggen dat zijn leven in het teken van het noodlot stond. De man was echter voornamelijk geïnteresseerd in John's jeugd in Philadelphia, ook al was deze eenvoudig en onbezorgd en bood zij geen verklaring voor John's opvatting dat in zijn leven de kruik met liefde was leeggedronken. Hem restte niets anders dan Lynn met respect te behandelen en *die andere* in zijn herinneringen lief te hebben.

Hij zwom in herinneringen, baadde erin, verdween soms dagen achtereen in de weken en maanden die hij met Marian had beleefd. Sinds februari '77 had hij haar niet meer gesproken. Hij kon haar niet vergeten. Een jaar later werd de scheiding van Lynn officieel.

Toen hij naast zich beweging zag, keerde hij terug in zijn auto. Zonder de hoorn op te hangen reed de man die in zijn telefoon zat te schreeuwen opeens weg en onwillekeurig gaf ook John gas.

De Buick wipte licht op en schoot van zijn plaats en te laat drong het tot John door dat de rij waarin hij stond niet in beweging was. Direct trapte hij op de rem, maar de auto had ruimte nodig om tot stilstand te komen en die ruimte was er niet. De neus van de Buick boorde zich in de kont van de oude Chevy voor hem.

Een zware schok – hij kon de klap makkelijk opvangen doordat hij het stuur krachtig had vastgegrepen, de veiligheidsriemen deden de rest – glasgerinkel, en het was al voorbij.

Hij had geen tijd nodig om zich aan de nieuwe realiteit aan te passen. Hij stapte uit, tegelijk met de bestuurder van de Chevy, en ze kwamen elkaar tegen bij het gekreukelde blik. De man was zeker een kop groter dan John en had het brede lichaam van een getrainde bodybuilder.

'Dit is heel stom van je, man,' zei de zwaargewicht.

'Dat is 't zeker,' antwoordde John, zich bewust van zijn ondergeschiktheid, 'ik zal zorgen dat alles wordt vergoed.' Hij vroeg zich even af of dit wel een toevallige aanrijding was.

'Dat is je geraden... ik hoop dat je verzekerd bent.'

'Ja maakt u zich maar geen zorgen...'

'Ik ben op weg naar 'n afspraak die ik niet kan missen. Ben benieuwd wat m'n advocaat ervan zegt als ik dat misloop,' dreigde de man, zinspelend op een rechtszaak over een schadevergoeding.

'U kunt gewoon doorrijden en dan bent u op tijd. Hier...' John haalde zijn papieren te voorschijn en het drong tot hem door dat de man er zijn vingers op zou drukken. 'Schrijf alles op en dan neemt mijn advocaat wel contact op met die van u. Mag ik uw papieren zien?'

De man trok met tegenzin een portemonnee te voorschijn en overhandigde zijn rijbewijs. Marks hield het geplastificeerde kaartje tussen duim en middelvinger, zo weinig mogelijk ervan beroerend. De man heette Fowles. John zou hem laten natrekken.

De schade viel tegen. Zijn Buick had nieuwe koplampen nodig, een nieuwe grille en bumper, gehavend door de trekhaak van de Chevy, en de motorkap leek ontzet te zijn. Hij had al twintig jaar geen aanrijding meer gehad en dit moment was onvermijdelijk. Ook Marks was een nummer in een gemiddelde dat een ongeluk per zoveel duizend mijl voorspelde. Toch waren het niet de kosten waardoor hij ontsteld raakte. Het was de herinnering aan het strakke metaal, ongerept en onbevlekt, dat nu verwrongen was door de trekhaak en pijn leed.

De andere rij was inmiddels ook op gang gekomen en in de verte begonnen ongeduldigen op hun claxon te hameren.

De man gaf hem zijn papieren terug. John zou ze later schoonmaken.

'Misschien is 't beter om de politie erbij te halen,' zei de man, bang de schadevergoeding mis te lopen.

'Ik dacht dat u haast had,' zei John.

'Ja. Maar toch 't is beter om de politie erbij te hebben,' meende de man.

John werd ongeduldig. 'U hebt haast, ik heb haast, ik heb u m'n papieren laten zien en ik verzeker u dat ik alle schuld aanvaard en dat de schade die u aan uw auto heeft vergoed wordt.'

'Misschien eh... misschien zijn uw papieren niet in orde,' hield de man aan.

'Wat wilt u daarmee zeggen?'

'Je weet maar nooit,' zei de man.

'Meneer Fowles, deze auto van u is misschien duizend dollar waard. De schade die u heeft zou bij een gloednieuwe auto maximaal vijfhonderd zijn, dus u gaat er echt niet op achteruit.'

Hij had beter geen bedragen kunnen noemen, want de man schudde zijn hoofd, vastberaden nu.

'Nee, ik wil de politie erbij.'

'Doet u me 'n plezier, meneer Fowles, ik heb echt haast...'

'Nee. Ik ga niet weg voordat de politie er is.'

Uit de auto's achter hen stapten mensen.

'Hee schiet es op!' klonk er van achter uit. 'Hee kunnen jullie niet ergens anders staan zeiken!'

De man draaide zijn machtige rug naar John en was definitief van plan op de politie te wachten.

John ging achter het stuur zitten en wreef met een handvol tissues zijn handen schoon. Met beheerste weerzin zag hij voor zich hoe straks een lid van de motorpolitie met besmeurde leren handschoenen zijn papieren zou betasten; pas op kantoor kon hij ze steriliseren. Toen belde hij naar de Firma en vertelde dat hij de vergadering ging missen.

HOOFDSTUK VIER

de nacht van 25 juni 1989

Hoffman zat nu al tien minuten zonder resultaat op de eikehouten bril van de wc. Zijn broek lag op zijn enkels en onthulde zijn bleke benen die door grijze haren waren bedekt. Als hij tussen zijn dijen naar beneden keek, zag hij zijn vermoeide geslacht in de witte pot hangen, boven het lege vijvertje dat de landingsplaats was voor de rotsen in zijn darmen.

Soms kostte het een kwartier om een paar keutels te produceren, soms slaagde hij er in het geheel niet in om de druk op zijn darmen te verminderen. Maar hij wist dat hij elke dag op de pot moest plaats nemen en zijn anus naar het vijvertje moest laten kijken omdat het dagelijkse ritme, zo had zijn arts hem verteld, de peristaltiek van de darmen oefende.

Hij perste en kneep zijn ogen dicht, maar de boel zat verstopt en hij boog zich vermoeid over zijn benen.

Hij had net het boek van Spinoza uit zijn werkkamer boven gehaald en was op weg naar de keuken toen een kramp door zijn buik hem naar de wc had geleid. Het boek lag half verborgen onder zijn broek.

Verstopping was een vorm van impotentie. Zijn darmen hadden een van de meest fundamentele lichaamsfuncties – het verwijderen van kwalijke stoffen – opgegeven, en de tot steen verhardende drollen schuurden en bonkten en smeekten om laxeermiddelen. Hij had ze gebruikt, net als slaapmiddelen, en ze ook weer afgezworen. Als hij die middelen geslikt of gedronken had liep hij uren rond met een borrelende buik die steken naar zijn maag en liezen zond en hem het gevoel gaf dat hij op barsten stond. Dan opeens kon hij zijn kringspier niet meer houden en haastte hij zich naar de dichtstbijzijnde wc. Zijn kont braakte dan een rottende substantie.

Liever liet hij zijn lichaam in zijn eigen ritme, ook al was dat grillig en uitputtend. Als het ervan kwam, leek zijn anus te scheuren, een lijn van pijn langs zijn ruggegraat trekkend. En eens in de vier, vijf weken, nadat hij enkele dagen felle krampen had weggebeten, scheet hij op een natuurlijke, soepele manier de pot vol. De krampen werden blijkbaar veroorzaakt door het fijnmalen van de drollen, want tijdens dit maandelijkse lozen liep hij leeg alsof hij aan de diarree was. Het was zijn eigen vorm van menstruatie.

Marian had net op de deur geklopt en hem welterusten gewenst.

'Felix ik ga naar bed...'

'Welterusten,' antwoordde hij, 'Jana is ook naar bed?'

'Die is net gegaan.'

'Welterusten,' herhaalde hij.

Hij dacht dat ze meteen wegliep, maar na een paar seconden hoorde hij haar weer.

'Gaat 't moeilijk?' vroeg ze.

'Nee ik zit hier voor de gezelligheid,' antwoordde hij.

Ze reageerde niet meteen.

'Sterkte,' zei ze. Hij hoorde voetstappen die zich verwijderden.

'Hee Marian,' riep hij, 'zo bedoelde ik 't niet...'

Ze liet niets meer van zich horen. Dat was vijf minuten geleden. In de buizen van de waterleiding klonk boven het opendraaien van de kraan in haar badkamer, de wc daar werd doorgetrokken, het vage geruis van een vrouw die de dag uit haar gezicht strijkt.

Jana, de Tsjechische huishoudster die de laatste vier ambassadeurs had gediend, woonde doordeweeks in twee kamers op de tweede verdieping. Elk weekend logeerde ze bij haar broer, tenzij er iets officieels op de residentie plaatsvond. Ze was van zijn leeftijd en punctueel. Ze hadden hem op de ambassade ingefluisterd dat ze al jaren voor de geheime dienst werkte en Nederlands verstond. Maar de vrouw was onzichtbaar en regelde het huishouden naar Hollandse regels en als ze er bij de geheime dienst een zakcentje bij verdiende dan vond hij dat best.

Hij concentreerde zich op zijn darmen, spande zijn lichaam en perste. Zijn buik bolde, hij beet op zijn tanden, en zijn gezicht stond in een grimas. Hij kreeg geen beweging in de brokken. Hij zag sterretjes toen hij zijn ogen opende, witte vlekjes die oplichtten aan de rand van zijn netvlies. Hijgend hapte hij naar lucht.

Jana had snel begrepen dat de koelkast *altijd* gevuld moest zijn omdat hij ook 's nachts – vooral 's nachts – voedsel tot zich nam. Ze was zwijgzaam en keek hem met woeste ogen aan – hij herkende bij haar iets boosaardigs en zonder dat ze meer dan één zin gewisseld hadden bestond er vanaf de eerste dag een vijandschap tussen hen die hem uitstekend beviel.

Hij had uit zijn kantoor op de kanselarij de erfenis van zijn voorganger verwijderd (schilderijtjes met Hollandse taferelen, een KLM-kalender, Delfts Blauw, een klok in de vorm van een molen) en de opstelling van de meubels veranderd. Het ambassadegebouw stond aan de Maltézské Namesti, een pleintje in de wijk Mala Strana, het deel van Praag dat letterlijk ingeklemd lag tussen de heuvel van de Burcht en de Moldau. Mala Strana was een wirwar van straatjes en stegen rondom pleinen met barokke en neogotische kerken en paleizen. Het paradijs voor Anton Pieck.

De kantoren van de ambassade, de kanselarij, waren gevestigd in een vleugel van het Nostitz Paleis, gebouwd door Francesco Caratti in 1670 en honderd jaar later grondig verbouwd.

De Nederlandse ambassade lag op de tweede etage van het paleis en bestond uit niet veel meer dan een reeks vertrekken die aan één lange gang gelegen waren. De gang eindigde tegen de deuren van een heuse huiskapel, een kleine katholieke gebedsruimte met een weelderig gespierde Christus, bladgouden ornamenten en overdadige muurschilderingen uit 1765 van Vaclav Ambroz.

Hoffman's kantoor lag naast de kapel en had de afmetingen van een danszaal. Als je binnenkwam stond zijn bureau aan de rechterkant, halverwege het vertrek, op een enorm bordeauxrood tapijt zonder versieringen. De wanden waren tot ongeveer een meter hoogte gelambrizeerd, daarboven bestreken met een zachte, zeepgroene verf. Door de dikke muren en hoge plafonds bleef de temperatuur van deze lange warme zomer er verdraaglijk. Zijn kantoor had de adem voor een man met volume, hij dacht wel dat hij er zijn draai kon vinden. Maar veel werk was er niet.

Vandaag had hij er zijn eerste crisis mogen meemaken. Drie opgewonden heren van de Nederlandse televisie hadden opnamen gemaakt van een demonstratie door een handvol dissidenten op het Vaclavské Namesti en de politie had hun apparatuur vernield en enkele klappen uitgedeeld.

Hoffman had zijn tweede man gestuurd.

De drie werkten voor een actualiteitenprogramma en waren populaire gezichten thuis in Holland, had zijn secretaresse hem verteld. De politie had hen flink toegetakeld, een van hen had zelfs een gebroken arm. Het behoorde tot Hoffman's taken dit soort voorvallen te melden, dus hij had een codetje naar Den Haag verzonden. Hij verwachtte morgenochtend een ontwerp voor een officiële protestnota, die hij aan de Tsjechische Minister van Buitenlandse Zaken kon gaan overhandigen. Zijn rol was niet veel meer dan die van boodschappenjongen, erop uitgestuurd door onzichtbare bazen in een ver land.

Hij had vaker gedonder met journalisten gehad. Nederlandse journalisten schenen een mate van onbeschoftheid te kennen die die van andere nationaliteiten verre overtrof. Bij voorkeur bezochten ze in een gescheurde spijkerbroek en op smerige gympies de beëdiging van een president, en zelden had hij ze op kennis van zaken betrapt. Het interesseerde hem weinig of ze ten onrechte door de politie te grazen waren genomen, wat hem irriteerde was de vanzelfsprekendheid waarmee ze een beroep deden op de ambassade en simpelweg eisten dat ze door de diplomaten uit de stront werden getrokken.

Tot zes maanden geleden had hij in Khartoum gezeten (de hitte die over Europa lag liet hem koud) en BZ had hem drie jaar geleden tot lid benoemd van een commissie die de dood van twee Nederlandse journalisten in Namibië onderzocht. De twee waren door een Zuidafrikaans *hit-team* vermoord, daarover was geen twijfel mogelijk, en de commissie had Den Haag een rapport aangeboden waarin ze de omstandigheden die tot hun dood geleid hadden minutieus beschreef.

Op het Ministerie hadden ze hun rapport gecensureerd en een versie naar buiten gebracht die de pers in Holland minder tegen de haren in streek. Maar de onderzoekers en BZ en een deel van de pers wisten dat de twee, ondanks waarschuwingen dat hun leven gevaar liep, bewust sommige rechtse types geprovoceerd hadden. Hoffman had een van hen ooit in Kairo ontmoet, een geboren avonturier, een zwaar innemer en gulzig neuker, een rusteloze jongen die over zijn ontworteling een links aroma had gestrooid. Het rapport werd in de pers neergesabeld omdat het vaag en slonzig zou zijn. Hoffman had zijn buik vol van linkse types met een Nederlands paspoort die de wereld wel even opnieuw zouden indelen.

Hij zat voorovergebogen, zijn armen steunden op zijn bovenbenen. Zweet druppelde van zijn kin op zijn handen. Zijn overhemd hing los om zijn billen, en om te voorkomen dat de punt in de open ruimte bij zijn besneden geslacht zou vallen had hij zijn stropdas over een schouder geslagen. Hij staarde naar de trieste slurf en zijn ballen in hun verschrompelde zakjes en hij dacht somber terug aan de laatste keer dat hij gebruik had gemaakt van een erectie.

Hij was toen de Tijdelijk Zaakgelastigde in Khartoum en BZ had in Kenia een weekje voor haar Afrikaanse ontwikkelingsdeskundigen belegd. Ze hadden in het Hilton in Nairobi een zuipfestijn op stapel gezet. De vrouwen waren thuisgebleven en de hoeren stonden in rijen te wachten, prachtige, rijzige vrouwen met brede monden en soepele heupen.

De meeste collega's waren dronken, maar nuchter genoeg om zonder gezelschap in de lift te stappen die hen naar hun kamers in het cilindervormige gebouw bracht. In een voor hun diplomatieke bijeenkomst ingerichte, gesepareerde zaal hadden ze zwaar getafeld en een zee aan lege flessen achtergelaten, en Hoffman en een andere *hardliner*, Jef Voeten, tweede man in Rabat, waren de laatste overlevenden.

'Felix, vriend,' had Jef met zijn Limburgse tongval gezegd,

'als ik jou nou vraag wat ik nou zou willen, weet jij daar dan 't antwoord op?'

'Neuken,' antwoordde Hoffman, wiens lichaam verdoofd was door de alcohol maar wiens geest onverstoord was gebleven.

'Jezuz Felix,' riep Voeten, 'jij ziet ook dwars door me heen! Maar ik moet je wel zeggen dat je nogal grof in je woordkeuze bent. Ik zou zeggen... liefde... dat zou ik zeggen, de lichamelijke liefde van 'n vrouw...'

'Maar je bent dronken, Jef, je krijgt 'm niet meer omhoog.'

'Ik krijg 'm wel omhoog! Ik wel! Maar jij niet meer, Felix, jij krijgt 'm volgens mij al heel lang niet meer omhoog.'

'Dan moet ik je zwaar teleurstellen, jongen, want ik ben een geoefend neuker.'

'Godverdomme, Felix, je moet op je woorden passen... neuken da's een klotewoord... liefde, okee? Zeg nou de liefde, kom nou...'

Jef hing voorover op zijn stoel en probeerde Felix aan te kijken. Hij keek scheel van de drank.

'Liefde,' zei Hoffman om van het gezeur af te zijn.

'Goed zo, liefde,' herhaalde Voeten, en hij zakte terug in zijn stoel.

'Felix,' zei hij, 'ik zou wel eens willen weten waarom jij 'm niet meer omhoog krijgt. Want dat kan jij niet meer.'

'Dat kan ik wel,' zei Hoffman, die zichzelf erover verbaasde dat dit verwijt hem ergerde. 'Ik krijg 'm wel omhoog,' zei hij, 'maar jij, Jef Voeten, jij niet meer.'

Voeten duwde zichzelf uit zijn stoel en maakte een breed gebaar met een hand. 'Ik neuk ze verdomme allemaal plat,' zei hij met dubbele tong tegen de lege zaal, 'ik neuk ze allemaal suf. Zo...'

Hij liet zich tevreden terugzakken, alsof hij de daad er al op had zitten. De twee mannen staarden daas voor zich uit.

'Bewijs 't maar eens,' zei Voeten. Hij probeerde zijn blik op hem scherp te stellen.

'Bewijzen?'

'Ja, haal d'r één...'

Ze hadden elkaar vastgehouden en de bar van het hotel gevonden. Een dozijn vrouwen bood zich ogenblikkelijk te huur aan. Hoffman wees naar een vrouw die hem met een wrede lach aankeek.

'What do you want, boss?' zei ze met een rauwe stem.

'You,' grijnsde hij terug.

Maar de bewaker bij de liften had het gezelschap tegengehouden.

'This woman is a prostitute,' zei de bewaker, geschokt en onverbiddelijk, 'the hotel does not allow prostitutes.'

Jef Voeten probeerde te bemiddelen.

'Listen, sir, we have to investigate whether this gentleman' (hij wees met onzekere hand naar Hoffman, die met rechte rug arm in arm met de hoer stond, het drong niet tot hen door dat ze de bewaker wat moesten toesteken) 'is able to raise his masculin organ. You understand?'

De bewaker schudde zijn hoofd. 'No I don't understand this. Please, take her out, she is not allowed here...'

Ze nam hen mee naar haar huis. Ze kostte dertig dollar, voor het gebruik van haar huis rekende ze twintig. Een taxi die elk moment in elkaar kon storten verliet het centrum en dook over een weg met gaten en kuilen een van de buitenwijken in.

Ze zaten gedrieën op de achterbank van de Peugeot 404. De vrouw had een lange donkere arm om Hoffman heen geslagen. Jef Voeten legde haar voor Hoffman langs het doel van het onderzoek uit.

'This gentleman says he is able to... jezuz Felix "raise his organ", is dat niet zoiets als het orgel optakelen?'

'Weet ik veel.'

Hij lag op haar schouder, die zacht en soepel was. Ze rook naar goedkope zeep, een zoete lucht die hem meer beviel dan Chanel.

'He wants to investigate his ability to do his masculin act, you understand?' zei Voeten.

'Yeah,' antwoordde de vrouw met gevoel voor understatement.

'Because, you know, at his age it becomes quite a problem to raise the organ, am I clear?'

'Completely,' zei ze.

'Ze denkt dat ik 't over 'n orgel heb,' zei Voeten mistroostig.

De taxi stopte in een verre buitenwijk. Hier stonden geen huizen meer, hier was het platteland al begonnen.

Het was diep in de nacht maar de mensen zaten nog buiten in de openlucht. Lampen op hoge palen wierpen oranje licht op de hutten. Geen asfalt of tegels op de grond, gewoon aangestampte aarde. Het rook er naar geiten en verbrand hout.

'Betaal de chauffeur,' zei Hoffman tegen Voeten. De vrouw hielp hen beiden met uitstappen. Ze baarden geen opzien. Uit een hut stapte een andere Westerling, bezweet gelaat, dichtgeknepen ogen.

'Wat zullen we nou krijgen,' zei Voeten, 'weet je wie dat is?'

'Nou?'

'Hee Jim!' riep Jef.

De man bleef staan. Zijn schedel glom onder het oranje licht.

'Everything fine, Jim?' vroeg Jef.

De man haastte zich met opgetrokken schouders naar de taxi.

'Godverdomme wat 'n toeval hè?' zei Jef. 'Dat is Jim Manley. De tweede man van de Britten hier.'

'Man,' zei Hoffman, "t is hier gewoon 'n bordeel.'

'Neeee di's geen bordeel. Wat moeten wij in een bordeel?'

De hut had een dak van stro, muren van klei. Hij had twee kamertjes. De vrouw leidde Voeten naar een stoel, hielp hem met plaatsnemen.

'You too?' vroeg ze.

'What do you mean?'

'Do you want to fuck me too?'

'No.'

Hoffman was op het bed gevallen. Schone lakens.

'Hee Felix... 't is "elevate". Elevate the organ.'

Ze kleedde zich uit. Hoffman had geen hulp nodig. Ze onthulde een elastisch lijf dat glom in het zachte licht van de olielamp. Ze had een lichtbruine huid met rechtopstaande zwarte tepels.

'Jezuz...' hoorde hij Jef Voeten mompelen.

Ze kroop op bed en opende de knoopjes van het vest van zijn maatpak. Ze streelde over zijn kruis, voelde de stok in zijn broek. Ze glimlachte mysterieus.

'Give it to me, honey,' zei ze.

'Jezuz,' zei Voeten opnieuw, naar haar billen starend.

'What's your name?' vroeg ze.

'Felix...'

'Feeelixx,' zei ze proevend.

'And you?'

'Tawa... but you may call me Lindaaa.'

'Tawa is fine,' zei Hoffman.

'Jezuz,' kreunde Voeten weer. De vrouw zat voorover over Hoffman heen, hij keek recht in haar anus.

'How old are you?' vroeg ze.

'How old are you?' vroeg hij.

'I'm twenty-four,' zei ze. 'Today is my birthday.'

Ze opende de knoopjes van zijn pak. Van Gieves & Hawkes op no. 1 Savile Row in Londen.

Hoffman vroeg: 'What's the date?'

'The date?' zei Tawa lachend. 'Who cares?'

'Welke datum is 't vandaag, Jef?'

'Wat doet dat er nou toe, man!'

'De datum!' brulde Hoffman.

'De vijfde! Nou goed?'

'The fifth of September is always my lucky day,' zei Tawa.

Hoffman voelde zijn geslacht krimpen. Tawa voelde dat ook.

'Something wrong?' vroeg ze.

'Nothing,' zei hij.

Hij duwde zich op, ze kroop opzij.

'Wat doe je?' vroeg Voeten.

'We gaan terug,' zei Hoffman.

'Terug? We gaan niet terug.'

Hoffman kon zich even niet beheersen.

'Jef, ik ga geen voorstelling voor jou geven!'

Hij liep naar de deur van het hutje. 'Betaal d'r...'

Hij stapte naar buiten. Duizenden sterren staarden hem aan. Hij schaamde zich dat hij bijna de sterfdag van Esther was vergeten. Het was al ver na middernacht, de zesde september was al begonnen. Een groepje mannen, verderop rond een vuur, grote flessen bier in de hand, keek hem afwachtend aan. Hij hief ter begroeting een hand. Niemand antwoordde.

'Klootzakken,' mompelde hij.

Achter hem klonk gegil. Jef Voeten verscheen in de deuropening van de hut. Tawa duwde hem opzij en richtte zich tot Hoffman. Ze had een laken omgeslagen.

'You must pay me,' zei ze dreigend.

'Niet doen, Felix. We hebben er niks voor gekregen.'

'You owe me,' zei ze.

Felix gaf haar het afgesproken bedrag.

'Not enough.'

'It's enough.'

'It's enough,' echode Voeten.

'Come,' zei ze. Ze wenkte Hoffman.

'Ik praat dit wel met haar uit,' zei hij tegen Voeten.

Hij volgde haar opnieuw de hut in. Ze sloot de deur achter hem en liet het laken vallen.

'Why don't you fuck me,' zei ze. Ze streelde haar oogverblindende lichaam.

'I can't,' zei hij.

'Why not? Don't you think I am beautiful?'

'You are terrific. But I can't.'

'You insult me. Don't you want to fuck black women?'

'I like black women. As much as white women.'

'You despise me. Just like your friend.'

'No I don't. But I cannot fuck you.'

Ze boog zich snel naar een kastje en greep een mes.

'I want you to pay me more.'

Hoffman schudde koppig zijn hoofd.

'We agreed upon fifty.'

Ze kwam dreigend dichterbij met het mes.

'You have to pay me more.'

'Why should I?' zei hij.

'Because you insult me.'

Ze haalde met het mes uit en hij weerde het af. Er zat opeens een scheur in de mouw van zijn jas, bloed welde eruit op. Hij begreep dat het ernst was. Maar hij was er de man niet naar om toe te geven. Hij greep de olielamp.

'Tawa, Linda, you'd better stay calm and you'd better get out of my way.'

'Pay me,' zei ze. 'It makes no difference for you. You are rich. But for me...'

Ze had gelijk. Natuurlijk. Maar Hoffman kon zich niet laten bedreigen.

Opnieuw zwaaide ze met het mes. Hoffman stapte onhandig opzij en de flessen wijn die hij had gedronken klotsten door zijn maag. Hij struikelde, verloor zijn evenwicht en de olielamp gleed uit zijn hand.

Een zuigend geluid steeg op, alsof er een wind door de hut trok, en opeens sloegen de vlammen uit het bed en likten aan de muren. Hoffman lag op de grond en hoorde Tawa gillen. De heldere gele vlammen waren prachtig om te zien.

De mannen hadden hem uit de hut gesleept. De volgende dag, toen hij op het punt stond het Hilton te verlaten, werd hij gearresteerd. De plaatselijke autoriteiten maakten hem duidelijk dat onder zulke omstandigheden geld veel goed doet. Hij betaalde de commissaris duizend dollar, twee inspecteurs elk honderd, zestien agenten elk tien en hij betaalde Tawa drieduizend voor de bouw van een nieuwe hut, ook al kostte die niet meer dan een paar honderd.

Terug in Khartoum kreeg hij een ongemakkelijke Minister van BZ aan de lijn. Zijn arm zat in het verband, hij had tetanusprikken gekregen.

'Ik heb gehoord over uw eh... deconfiture in Nairobi, meneer Hoffman.'

'Ja...' Wat moest hij zeggen? 'We brachten daar een bezoek aan een buitenwijk met het oog op mogelijke ontwikkelingsprojecten.'

'Ik begrijp 't,' zei de Minister.

'Kwestie van gebrekkige communicatie. Zal niet meer voorkomen, meneer,' zei hij.

'Ik hoop dat u daarvan doordrongen bent, zo tegen het einde van uw loopbaan, zei de Minister.

'Volstrekt, meneer.'

Zittend op de plee had de gedachte aan Tawa even zijn geslacht doen groeien, maar een verse steek door zijn buik deed het ding ineenkrimpen tot zijn gewone trieste staat.

Wim Scheffers, de HDBZ, had hem de hand boven het hoofd gehouden. Toen Hoffman dit overleefd had was een automatische promotie dank zij anciënniteit een kwestie van afwachten. Hij nam geen risico's meer, paste in het openbaar op met drank, bleef op afstand van vrouwen.

Boven hem was de rust ingetreden. Hij stelde zich voor dat Marian met een obscure bundel sonnetten van Vondel in bed lag, aantekeningen makend tot haar ogen dichtvielen. Hij wist niet waar zij de rust en koelte vandaan haalde om te slapen. Al tijdens haar studietijd had ze zichzelf in Vondel verloren, jaren vóór zij de treurdichten om zijn gestorven kinderen en zijn overgang naar het katholicisme op een andere manier zou lezen.

Vondel was kousenhandelaar, zoon van een doopsgezinde immigrant uit Antwerpen, en had zich door een leven van persoonlijke tragedies gevochten. Achteraf begreep Hoffman Marian's passie voor hem; er straalde iets magisch uit haar vroege bezetenheid, alsof zij iets had voorvoeld.

Hij zat op de privé-wc naast de keuken. In de vestibule was ook een wc, een chique plee op een marmeren vloer. De hitte woelde de stank uit de riolen op, in het kleine hok waarin hij nu zat hing een scherpe rottingslucht. Aan de wand hier hing de oude kalender die Mirjam had ingevuld, een hoeveelheid beduimelde kartonnetjes. Ze had de kalender gekocht toen hij samen met haar een reis naar Italië had gemaakt, in 1976. Mirjam was toen zestien. Ze woonden in Rio de Janeiro maar Mirjam ontweek de zon en zag eruit alsof ze ziek was.

Tijdens de reis droeg ze haar lange haar in een paardestaart en liep ze op goedkope schoentjes, paarse espadrilles. Ze was verzot op die schoentjes. Hij herinnerde zich dat ze ze tot diep in de Braziliaanse lente had gedragen. Hij zag haar voor zich: een smal meisje in een witte zomerjurk en een bleke huid die tijdens de reis kopergeel kleurde. Op een avond waren ze in Verona naar het circus geweest, Circo Grande, een aaneenschakeling van circus- en commedia dell'arte-acts. De clowns doken op alle plekken van de tribunes op, speelden opgewonden Italiaanse familietaferelen na, alles mondde uit in chaos en hij zag vreugde in de ogen van zijn dochter. Na afloop hadden ze een kalender met afbeeldingen van circusaffiches gekocht en die hing naast hem aan de muur.

De dood van Esther had Mirjam's resultaten op school aanvankelijk niet beïnvloed. Ze zat op de Internationale School in Lima en haalde de hoogste cijfers. Ze leerde, las en zweeg. Geforceerd en krampachtig probeerde hij de verbondenheid van vroeger te herstellen, maar de verbondenheid was een geschenk geweest van een blinde God, die ook nog doof bleek. Een kinderpsychiater legde het hem uit: Mirjam had de schuld van haar zusje's dood op zich genomen, de rivaliteit tussen hen had tot een geheime doodswens geleid, die nu vervuld was. De dood van Esther was Mirjams schuld. Zij was slecht.

Soms riep hij haar de keuken in (hij dacht dat zoiets in de keuken minder formeel was) en als ze dan voor hem op een kruk zat en naar haar nagels tuurde, vergat hij wat hij had willen zeggen.

Ze gingen de straat op, reisden naar Ayacucho, maar alle drie dachten ze aan de vierde. Ze gingen met een pakketboot op vakantie naar Panama, maar Mirjam bleef onbewogen als een autist. Ze bezochten Suriname, maar ze bleef in het ronde zwembad van Hotel Torarica en trok duizenden baantjes.

Ze werd broodmager. Moeizaam sprak hij erover met Marian; fluisterend verweten ze elkaar dat ze een eenzaam kind aan het opvoeden waren. Hij vluchtte voor zijn machteloosheid en vond bescherming op kantoor.

De Italiaanse reis was een uit wanhoop geboren idee geweest. Ze zaten in Rio en op een dag keerde ze niet uit school terug. Marian belde hem rond zes uur op: Mirjam was nog steeds niet thuis.

Hoffman had twee dagen door de stad gejaagd. Bevangen door helse fantasieën was hij de gevaarlijke *favelas* ingelopen, had met dollars informanten geworven. Aan weggelopen kinderen van vijftien deden ze niet bij de politie en hij belandde bij de zedenpolitie. De chef daar beloofde hij een fortuin als ze zijn kind konden vinden. Zijn hart huilde terwijl hij 's nachts in de portieken en op bouwplaatsen zocht, kinderen met zwarte handen en verloren ogen boden hun gunsten aan. Hij zocht op de trappen van de Candelaria-kerk, op de stranden van Leme en Ipanema, onder het Christus-beeld op de Corcovado. Hij hield zich voor dat ze tot het ergste in staat was: maar op de stranden werd geen drenkelinge gevonden en in de mortuaria van Rio lag niemand die aan de beschrijving voldeed.

Twee dagen lang had hij ononderbroken rondgelopen. Een paar keer kwam hij thuis om de stank van de straten van zich af te spoelen. Achtenveertig uur na haar verdwijning kwam hij met natte haren uit de badkamer, vechtend tegen de uitputting, gehaast een overhemd dichtknopend om opnieuw af te dalen naar de stad, en zwijgend en bevuild betrad Mirjam hun flat en liep zonder haar ouders een blik te gunnen naar haar kamer.

Ze draaide de deur op slot, deed niet open ook al schreeuwde hij zijn longen uit zijn lijf; hij trapte de deur uit de omlijsting, de splinters schoten langs zijn slapen en zijn mond explodeerde tegen de rug van het meisje dat ineengedoken op bed lag, onder affiches van pop- en filmsterren, haar hoofd verborgen onder een kussen.

Na zijn woede liep hij naar zijn werkkamer en liet zich met knikkende knieën op een stoel zakken, gesloopt door het besef dat hij haar in gedachten al had begraven.

Een paar dagen later had hij het aan haar voorgesteld.

'Mirjam, luister 'ns... wat vind je ervan als jij en ik, wij samen, in de zomer, de Europese zomer bedoel ik, als jij en ik een reis gaan maken door Italië?'

Ze rende niet weg, haalde vaag haar schouders op. Hij had het met Marian besproken en zij was ermee akkoord gegaan ook al had hij geen argumenten voor dit plan. De volgende dag lag er op de tafel in zijn werkkamer een briefje van Mirjam: 'Pap, ik vind het leuk om met jou op vakantie te gaan.'

Ook in Italië sprak ze weinig. Zwijgend zat ze naast hem in de huurauto, zonder woorden liep ze over de Spaanse Trappen. Maar haar stilte betekende nu wat anders. Uitgehongerd keek ze om zich heen. Haar woordeloosheid kwam voort uit de overdonderende indrukken die zij daar opdeed; ze had geen adem over om te praten. En toen, na het kopen van de kalender, voor het eerst sinds jaren, had ze zijn hand gegrepen en er teder in geknepen.

Na de Italiaanse reis kreeg ze les van een privé-leraar, Roberto da Silva. Hoffman had de man van een bureau betrokken dat au-pairs en gouvernantes en dergelijke leverde, en Mirjam klaarde op. Ze werd socialer, maakte opmerkingen en zelfs grapjes. Haar levendigheid straalde op haar ouders af en de stemming in huis kreeg iets terug van de glans van vroeger.

Op een ochtend zei ze: 'Ik hou van meneer Da Silva. We hebben een verhouding. Ik ga met hem trouwen.'

Hoffman en Marian wisselden een blik en ze hield hem met een oogbeweging in bedwang.

'Weet je hoe oud meneer Da Silva is?' vroeg zijn diplomatieke echtgenote.

'Nou èn?' zei Mirjam, die het antwoord niet wilde geven.

'Tweeënveertig,' antwoordde Hoffman.

'Hou jij je er even buiten, Fee, ja?' maande Marian.

Hij verliet de keuken en ging naar kantoor. Een week lang behield hij zijn kalmte, tot hij de leraar thuis trof, met Mirjam aan de eettafel, verdiept in de Franse taal en de liefde van Madame Bovary. Hoffman kwam nooit zo vroeg thuis, maar hij had 's ochtends opgevangen dat Mirjam vandaag thuis les zou krijgen.

Da Silva, klein en donker, met romantische ogen en grijzende slapen, sprong op bij zijn binnenkomst.

'M'sieur 'Offmann,' zei hij. 'J'aime Mirjam. Elle m'aime. Nous voulons nous marier.'

'Jij blijft met je klauwen van m'n dochter af,' zei Hoffman in zijn beste Portugees, en hij ontsloeg Da Silva.

Ze stuurden haar naar een school in Zwitserland, een kostschool voor kinderen met problemen, begeleid door psychologen, een laatste redmiddel voor bijna verloren kinderen van welgestelde ouders.

Dagenlang had ze daar haar haar zitten vlechten.

Voor tachtigduizend Zwitserse francs kocht hij er het diploma van de middelbare school. Ze kon gaan studeren. Psychologie, wilde ze.

De verwachting dat ze spoedig zelfstandigheid zou verwerven veroorzaakte een opleving. Ze begon te praten en belde zelfs geregeld op. Later ontdekte hij dat ze meteen na aankomst in Amsterdam heroïne was gaan gebruiken. Ze had het gerookt, zoals de Surinamers, 'chinezen' noemden ze dat, spoedig was ze het gaan spuiten. Toen ze in de Bijenkorf gegrepen was met een leren jack in haar tas, belde ze vanaf het politiebureau op. Opnieuw vloog hij naar Nederland met een gevoel van onheil in zijn ziel. Hij was kampioen Vliegen naar een Ramp.

Bij die ontmoeting noemde ze hem 'meneer Hoffman'. Nooit meer had ze papa gezegd. Ze stopte met haar studie, betaalde haar kamer niet en werd er uitgezet. Soms wisten ze maanden niet waar ze uithing. Ze zwierf door Amsterdam, sliep in kraakhuizen of portieken. Hoffman bezat een solide zomerhuis in de bossen van Vught, ten zuiden van Den Bosch, en daar vluchtte ze naar toe elke keer wanneer ze zich heilig had voorgenomen af te kicken. Stukje bij beetje verkocht ze het antieke meubilair van het huis voor dat ene laatste shotje dat ze zou nemen voordat ze onverschrokken in de cold turkey zou stappen.

Op 8 september 1984 werd ze in een pension aan de Warmoesstraat gevonden, Pension Brooklyn, gekleed in een paarse broek en een paarse trui. Een overdosis, stelde de politie vast, een ongeluk met een cocktail die haar uitgeputte hart op hol had doen slaan. Hoffman wist dat het geen ongeluk was.

Twee weken voor haar dood had ze een paar dagen in het zomerhuis geslapen. Terwijl haar ouders in Khartoum zaten, hun post in die jaren, had Mirjam zichzelf geduldig uit alle foto's gesneden die Hoffman in de loop der jaren in albums had geplakt. Ook had ze zijn films verbrand, de films van de tweeling in de box en op het strand, de films van de tweeling op de armen van Marian en bij Opa en Oma Coenen, de films van de eerste fietsjes en de verjaardagspartijen met feesthoedjes en slingers en de twee taarten waarop te lezen staat hartelijk gefeliciteerd met je zoveelste verjaardag en de films van het uitblazen van de kaarsjes en de films met de dansende opnamen die Marian had gemaakt en waarop hij zelf met ernstige ogen te zien was – ernstige ogen door de dank die hij het leven verschuldigd was.

Hij tilde de vellen op van de kalender, keek bij september, waar Mirjam Esther's dood had aangegeven met: †. Als ze hem terugriepen voor consultaties – een eufemisme voor de woede in Den Haag over wat ze hier in Praag met die brave Hollandse journalisten hadden gedaan – zou hij hun graf kunnen bezoeken.

De afgelopen twee nachten had hij niet de moed gehad opnieuw door Spinoza te ploegen. Er was weinig werk; hij wenste dat hij moe was. Hij had kranten gelezen, de *Herald Tribune*, de *Süddeutsche Zeitung*, en een Duitstalig krantje dat ze hier in Praag lieten verschijnen en dat berichtte over recordoogsten en de schitterende staalproduktie. De nachtelijke maaltijden had hij gematigd gehouden. Hij voelde zich nu weer helder genoeg om zijn verstand te laten verbeteren. Geduldig wachtte het boek op de vloer van de wc tot hij een faecalie had voortgebracht.

Het voordeel van deze post was de nabijheid van München en Wenen. De rest van de Oosteuropese hoofdsteden, op Boedapest na, lag ver verwijderd van een Westerse grens, waardoor het moeilijk was even te ontsnappen aan de benepenheid van het communisme.

Hij zelf was altijd een communistenvreter geweest. Zijn vader, bankier, had er curieus genoeg communistische sympathieën op na gehouden. Voor de oorlog kon dat nog, naar het scheen, en voelde de intelligentsia zich aangetrokken tot het utopische in het gedachtengoed van Marx en Engels. Zijn ouders hadden de Partij in het geheim gefinancierd en ook een paar keer een etentje gegeven voor de leiders van de CPN, die in het donker door de keukendeur naar binnen waren geloodst. Toen hij zich had aangemeld voor het klasje van BZ was hij bang dat de communistische sympathieën van zijn ouders door de vooroorlogse BVD waren geboekstaafd, waardoor hij ongetwijfeld zou worden afgewezen, maar er was nooit naar gevraagd.

Hoffman vermoedde dat vooral zijn moeder de socialistische idealen had hoog gehouden. Haar vader was een joodse vluchteling uit Rusland, Jakov Kaplan, een vakbondsman die gevangen gezeten had en tijdens transport was gevlucht.

Jakov Kaplan had door Europa gezworven, was uiteindelijk diamantslijper bij Asscher geworden en had een arm meisje uit de Amsterdamse jodenbuurt getrouwd. Het enige kind dat niet dood geboren werd was Hoffman's moeder Esther.

De familie van zijn vader had een deftige Duitse achtergrond. Zijn grootvader Aaron Hoffman had zich bij een joods warenhuis in Duitsland naar boven gewerkt en in 1901 werd hij naar Amsterdam gestuurd om de kansen van een Nederlands filiaal te onderzoeken. Hij trouwde er met Hadassah Lopez Diaz, dochter van een Portugees-joodse bankier. Ze kregen een zoon, Mozes Hoffman, de vader van Felix, die na zijn studie bij de bank van zijn grootvader ging werken.

Mozes Hoffman en Esther Kaplan ontmoetten elkaar bij *Heck* aan het Rembrandtplein, een grote zaak van Amerikaanse afmetingen waar *big bands* speelden en waar je een hele avond naar toe ging voor een *diner dansant*. Het was de tijd van de Charleston en de eerste rokken die niet over de kuiten vielen en meisjes met kortgeknipte haren.

Mozes trouwde ver beneden zijn stand maar de ouders legden er zich bij neer en de chupah vond plaats in '28. Twee jaar later werd een zoon geboren, hun enige kind; ze noemden hem Felix, de gelukkige, en Aaron naar zijn grootvader.

Mozes, Esther en Felix verhuisden naar 's-Hertogenbosch, waar Mozes Hoffman het Zuidnederlandse filiaal van de bank leidde.

Hoffman herinnerde zich zijn grootouders. Regelmatig legden ze bezoeken af aan het modernistisch ingerichte huis van opa en oma Hoffman aan het Sarphatipark en de eenvoudige etage van opa en oma Kaplan in de Tolstraat. Bij de ouders van zijn vader speelde het jodendom geen rol meer, ze waren geassimileerd, bevriend met Mengelberg en Rietveld, verzamelden kunst en steunden de jonge kunstenaars van De Stijl. Zijn socialistische grootouders leefden daarentegen wel als joden, hielden een streng koshere keuken en bewonderden Maurits Dekker en Jef Last. Aan de depressie had Hoffman geen herinneringen. Hij vermoedde dat die aan hen voorbij was gegaan zonder opmerkelijke kleerscheuren; verder dacht hij dat het vanzelfsprekend was dat de Crisis de socialistische sympathieën van zijn ouders sterk had aangewakkerd. Hij herinnerde zich een verhit gesprek thuis tussen grote mannen met dikke buiken aan een lange, witgedekte tafel. Dat waren communisten.

Het conservatieve katholieke milieu dat Brabant regeerde zou dergelijke bijeenkomsten als subversief veroordeeld hebben, Felix wist dat hij er niet over mocht spreken. Zijn ouders geloofden in de Sovjet-Unie en Stalin, met tranen in de ogen verklaarden ze het Molotov-Von Ribbentrop-pact met behulp van de leugens die de partij hun voorhield, en de laatste keer dat hij hen zag, vlak voor hij werd opgehaald om naar een onderduikadres te worden gebracht, geloofden ze vurig dat het communisme de barbarij binnen enkele maanden zou verslaan. Maar de barbarij zou alles wegvagen waarvan zij de erfgenamen waren.

De Tsjechische communisten hadden drie types van de Nederlandse pers in elkaar gemept en Hoffman mocht namens de Nederlandse regering zijn bezorgdheid gaan uitspreken over hoe de Tsjechen hun onderdanen behandelden. Nog een mazzel dat zijn ouders dit Oostblok niet hoefden mee te maken.

Hoe lang zat hij nou al op de plee? Een halfuur? Met een punt van zijn overhemd droogde hij zijn zwetende kop.

Hij boog zich voorover en zag op de vloer het boek van Spinoza. In de encyclopedie op de ambassade had hij het lemma 'Spinoza' opgezocht. Baruch betekende de Gezegende. Hij was de zoon van een Spaanse jood die als kind met zijn ouders naar Nederland was gekomen. Baruch, geboren in 1634, was naar een joodse school gestuurd, had Hebreeuws geleerd en kreeg later les van Franciscus van den Enden, leraar aan de vermaarde Latijnse School in Amsterdam, een school van vrijdenkers.

Spinoza verwierf snel bekendheid als filosoof en in 1656 werd hij door de Portugees-joodse kerk geëxcommuniceerd omdat hij weigerde zijn ideeën – in de ogen van zijn geloofsgenoten bezondigde hij zich aan atheïsme en pantheïsme – op te geven en zich aan de Wetten te houden. Hij verhuisde naar Rijnsburg, in 1663 naar Voorburg en zes jaar later naar Den Haag, en hij hield zich in leven met het geven van privélessen en het slijpen van lenzen. Later – Hoffman vond dit een opmerkelijk detail – werd hij door 'het graauw' ervan verdacht met de Franse vijand te heulen.

De Fransen waren in 1672 – het beruchte Rampjaar – met honderdentwintig duizend soldaten de Republiek binnengevallen en Holland verschuilde zich achter de Waterlinie. Spinoza maakte een geheimzinnige reis naar Utrecht, waar zich het Franse hoofdkwartier bevond, en bij terugkeer in Den Haag werd zijn huis belegerd door een menigte die hem van spionage betichtte. Een jaar eerder waren de gebroeders De Witt door het plebs verscheurd, maar Spinoza lieten ze met rust. Het doel van de reis naar Utrecht werd nooit onthuld; vermoed werd dat hij namens de 'Grooten' in Den Haag als onderhandelaar was opgetreden en over een vredesverdrag had gesproken. Hij stierf op 21 februari 1677 aan tuberculose en werd in de Nieuwe Kerk aan het Spui begraven.

Spinoza leefde in Amsterdam in de eeuw van Vondel. Vondel was al een volwassen man toen Spinoza werd geboren en hij was een bejaarde toen Spinoza stierf. Hoffman vroeg zich af of de twee elkaar ooit hadden ontmoet.

Spinoza's *Verhandeling* was het enige dat hij bij zich had deze nacht en hij greep het boek, wat gezien de omvang van zijn buik enige inspanning vereiste, en sloeg het bij de omgevouwen bladzijde open.

Spinoza had hem dus drie leefregels gegeven en was nu toe aan zijn tweede hoofdstuk: 'de beste waarneming', en hiervan kon Hoffman zich geen voorstelling maken.

Hij steunde met zijn onderarmen op zijn knieën en begon te lezen:

'Na het formuleren van deze leefregels zal ik mij nu kwijten van de taak die allereerst en boven alles te vervullen is, namelijk het verbeteren van het verstand en het geschikt maken van het verstand om de dingen zodanig te kunnen begrijpen als vereist is voor het bereiken van ons doel.'

Dit was taal die Hoffman kon waarderen: gewoon recht op je doel af. Hij las verder en begreep dat Spinoza nu ging uitleggen hoe hij ervaringen opdeed, hoe hij leerde in het leven.

Spinoza noemde allereerst de ervaringen die je van horen zeggen had, zoals je geboortedag of wie je ouders zijn. Je leerde dit soort dingen door eenvoudigweg te luisteren en te kijken; veel verstand had je er niet voor nodig, elk kind deed deze vorm van kennis op.

De tweede soort kennis had Spinoza 'zwervende ervaring' genoemd. Je maakte iets mee, bij voorbeeld dat een brandje met water te blussen was, en dan wist je dus dat water iets is dat vuur kon doven. Onder zwervende ervaring rekende Spinoza 'bijna alles wat voor het leven gedienstig is', dus de wetenschappelijke verklaring voor het verschijnsel dat water vuur dooft mocht er niet onder vallen.

'Ten derde is er Waarneming, waar het wezen van een zaak, zij het inadequaat, uit een andere zaak wordt afgeleid.'

Hoffman begreep dit als volgt: je was onderweg op een snelweg die jou normaal toestond goed op te schieten, en vandaag stond je in een file. Dit betekende dus dat er een ongeluk was gebeurd of dat er werkzaamheden aan de rijweg plaatsvonden. Deze derde vorm van kennis was gebaseerd op een proces van *redeneren*. Wat je waarnam was niet meer dan een grote rij auto's, ofwel niets meer dan het effect van een bepaald incident, en je *giste* naar de oorzaak ervan door na te denken over het wezen van de file en de incidenten waaruit een file kon ontstaan.

Over de vierde vorm van kennis was Spinoza nogal cryptisch:

'In de vierde plaats is er Waarneming, waar een zaak aanschouwd wordt door zijn wezen alleen of door de kennis van zijn naaste oorzaak.'

Spinoza voegde hieraan toe: 'Tot nu toe heb ik echter heel weinig zaken met een dergelijke kennis kunnen begrijpen.' Gelukkig had hij een voorbeeld waarmee hij dit vierde punt verduidelijkte, anders had Hoffman de grootste moeite gehouden met de bedoeling ervan.

Het voorbeeld was wiskundig: drie getallen waren gegeven en je zocht het vierde getal, en dit vierde verhield zich tot het derde zoals het eerste tot het tweede.

Spinoza meende met onverholen minachting dat 'kooplui' de oplossing van het probleem 'niet lang geleden zonder bewijs van hun schoolmeesters gehoord hebben'. Hij verwees hier blijkbaar naar de eerste vorm van kennis, want die 'kooplui' hadden de regel die het probleempje kon oplossen alleen van horen zeggen.

Het antwoord op het probleem: 2:4=3:?, vond je als je het tweede getal met het derde getal vermenigvuldigde en het deelde door het eerste.

'Anderen echter zijn op grond van hun ervaring van eenvoudige getallen tot het algemene principe gekomen,' schreef Spinoza. Hiermee bood hij vermoedelijk een extra voorbeeld voor de tweede vorm van kennis, en hij ging meteen door naar de derde vorm, zich nog steeds beroepend op het voorbeeld van de getallen:

'De Wiskundigen echter weten krachtens de bewijsvoering van Euclides, welke getallen onderling proportioneel zijn, namelijk uit de aard van de verhouding en zijn eigenschap, dat namelijk het getal dat uit het eerste en het vierde ontstaat, gelijk is aan het getal dat uit het tweede en derde ontstaat.'

Wiskundigen bezaten dus meer inzicht in het wiskundige probleem omdat zij kennis van zaken hadden en, anders dan de kooplui, zich niet tevredenstelden met het kale naäpen van het regeltje dat de oplossing aanbood. Wiskundigen hadden zich verdiept in de problematiek en hadden echte kennis vergaard.

Hoffman begreep echter dat Spinoza met de vierde vorm van kennis een 'intuïtieve' kennis bedoelde, gestoeld op training en ervaring. Als iemand de oplossing van het wiskundige probleempje kon 'zien' zonder een bewerking uit te voeren, dan werd 'een zaak aanschouwd door zijn wezen alleen of door de kennis van zijn naaste oorzaak'. Dit was niet eenvoudig, maar Hoffman had het gevoel dat hij er nu een notie van had.

Hoffman zag het al aankomen en de filosoof liet hem niet in de steek: Spinoza ging de vier vormen van kennisvergaren met elkaar vergelijken, en hij concludeerde het volgende:

1. Kennis uit horen zeggen was zeer onzeker.

2. De tweede vorm van kennis, de 'zwervende kennis', was afhankelijk van toeval en gaf eigenlijk alleen maar een beeld van de buitenkant van de dingen, zoals de kennis dat water vuur kon blussen.

3. Over de derde vorm van kennisvergaren liet hij zich genuanceerd uit. Hij gaf toe dat wij 'daardoor een idee van de zaak hebben en vervolgens ook dat wij daardoor zonder gevaar van dwaling concluderen. Toch is deze niet het middel bij uitstek om onze volmaaktheid te bereiken'.

4. 'Alleen de *vierde* vorm van kennisvergaren bevat het adequate wezen van de zaak en wel zonder gevaar van dwaling.'

Hoffman liet dit alles tot zich doordringen. Spinoza had het in punt vier over een *intuïtieve* vorm van kennis, iets dat voorbij het redeneren lag, een soort ziel van het verstand, een manier van weten die zowel logisch als onverklaarbaar was.

Hij vroeg zich af of hij dit alles op zichzelf mocht betrekken, of hij in de laatste woorden van Esther die vierde vorm mocht horen. 'Ik weet 't', had ze gefluisterd. Bedoelde Spinoza zoiets of was het weten dat hij had nagejaagd aardser en concreter?

De adem stokte in zijn keel. In de ogen van zijn dochter van acht die boven de rand van leven en dood zweefde, had hij de overrompelende schittering van goedheid en volmaakte rust gelezen. Met haar lichaam was ook zijn slaap gestorven, en niet alleen dat; hij was het besef van goedheid en wijsheid kwijtgeraakt, alsof Esther alles had meegenomen in het kistje dat hij in de aarde had zien verdwijnen.

Hij kromp in elkaar. Hij liet het boek vallen en boog zich gepijnigd over zijn benen. Hij voelde iets zwaars en massiefs naar beneden zakken en zijn anus werd opengetrokken. Hij werd gemarteld maar hij wilde zijn darmen helpen en hij begon te persen en voelde toen het wonder geschieden.

Een drol van olympische afmetingen scheurde zijn aars en gleed opeens soepel in de wc-pot. Hoffman onderging een siddering van pijn en genot. Hij balde zijn vuisten en beet op zijn tanden om deze sensatie te verdragen. Hij greep zich vast aan de muur, hapte naar adem. Hij opende zijn ogen, staarde in het kale peertje aan het plafond tot de vlekken over zijn netvlies dansten en een gevoel van verlossing door zijn lichaam trok, een fysieke bevrediging die enkele seconden zijn bewustzijn verlamde.

Hij wierp een blik in de pot: een dikke, lange drol, massief en gevaarlijk ogend, bebloed door de gesprongen adertjes van zijn aars. Een prestatie van de eerste orde.

Hij trok aan de rol en ving een handvol papier. Hij nam zich voor om dit te vieren. De koelkast puilde uit.

HOOFDSTUK VIJF

de middag van 27 juni 1989

In een geblindeerde bestelwagen, een Chrysler Voyager, was Freddy Mancini naar een plek in de buurt van Washington gebracht. Een militair vliegtuig had hem, samen met een employé van de ambassade, naar Dulles Airport gevlogen en nu stapte hij uit de Chrysler in de tuin van een vrijstaande villa, verborgen tussen hoge beuken en dennen. Bobby was in Rome achtergebleven.

De man uit Rome – hij was zijn naam vergeten, al die uren had hij nauwelijks een woord met hem gewisseld – hielp hem bij het overbruggen van het hoogteverschil tussen de auto en de grond. Freddy plaatste zijn voeten op het grint en liep voorzichtig naar de ingang van de villa. Hij was weer terug op Amerikaanse bodem, Europa kon hem gestolen worden.

De steentjes knerpten onder zijn driehonderdvijftig pond. Zijn oren werden gestreeld door de stilte van de natuur, bladeren die in de wind zuchtten, zingende vogels.

In de deuropening van het huis, een klassiek Zuidelijk houten huis met veranda, stond een oudere man hem op te wachten. De man plooide zijn gezicht in een glimlach.

'Meneer Mancini? Welkom, ik ben John Marks.'

Freddy gaf hem kreunend een hand. De man gaf een vluchtige handdruk en sloeg snel zijn armen op zijn rug.

'Hoe was de reis?' vroeg Marks.

''t Ging wel,' antwoordde Freddy.

Marks maakte een uitnodigend gebaar.

'Ik zal u voorgaan.'

De woonkamer was gemeubileerd met een grote eettafel van donker, glanzend hout, eromheen stoelen met zachtgroene zittingen, en een uitgebreide zithoek bestaande uit twee ruime banken en vier fauteuils. Overal schemerlampen en aan elke wand een kleurrijk, abstract schilderij. Wat Freddy het meest opviel waren een elektronisch apparaat waaraan kabeltjes hingen en een taperecorder met grote spoelen.

'Hier, gaat u zitten,' zei Marks.

Hij schoof een stoel dichterbij; toen Freddy plaats nam merkte hij dat deze breder was dan de andere stoelen rond de tafel. Freddy was de man dankbaar dat hij aan zulke details had gedacht.

'Ik neem aan dat u honger heeft,' zei Marks terwijl hij met een paar tissues zijn handen afveegde.

Een vrouw van Marks' leeftijd verscheen, een verzorgde dame met geblondeerd haar en vergiffenis schenkende ogen. Ze had een schort voor en droeg een dienblad. Ze lachte naar Freddy alsof ze haar verloren zoon terugzag.

'Zo meneer Mancini, ik heb iets lekkers voor u gemaakt, daar zult u zeker wel trek in hebben?'

Ze schoof het blad voor zijn buik. Op een placemat stond een bord waarop een groot stuk kalkoen lag, ernaast bosbessensaus, aardappelpuree en pompoen. Hij was er dol op. Hij vroeg zich af hoe ze wisten dat hij gek was op het traditionele *Thanksgiving* diner. Misschien hadden ze Bobby in Rome gebeld en gevraagd wat hij wilde eten.

'Dit ziet er goed uit, mevrouw,' zei hij.

'Carolyn,' zei ze.

'Ik zal ervan genieten, Carolyn. Freddy...'

'Er is nog meer, Freddy,' zei ze terwijl ze wegliep. 'Je roept maar!'

Marks had tegenover hem plaats genomen, klopte een sigaret uit een pakje. Hij was klein, bijna een jongen zoals hij in de stoel zat. Freddy bedacht dat Marks ook voor zichzelf een speciale stoel had kunnen bestellen. Met een hogere zitting.

'Gaat uw gang,' zei Marks. 'Heeft u er bezwaar tegen dat ik een sigaret opsteek?'

'Nee hoor.'

Freddy rolde het servet open en nam er het bestek uit. Hij ontspande.

'Het spijt me dat we zo hevig inbreuk moeten maken op uw privé-leven, meneer Mancini. Maar het belang van de staat stijgt helaas boven uw persoonlijk belang uit. Nogmaals, het spijt me, maar zonder zulke maatregelen hadden we onze vrijheid al lang verloren, hoe paradoxaal dit ook moge klinken.'

Freddy knikte.

'Laat u zich niet afhouden van uw lunch,' zei Marks, 'ik praat wel door.'

Freddy knikte opnieuw, dankbaar nu. Hij prikte zijn vork in de kalkoen en wist meteen dat deze door een expert was bereid. In elk Amerikaans gezin werd minstens één keer per jaar een kalkoen in de oven geschoven en in negenennegentig procent van de gevallen verscheen de kalkoen te droog op tafel. *Timing* was het sleutelwoord bij de bereiding van kalkoen, een minuut te lang kon desastreuze gevolgen hebben. Maar het vlees dat Freddy hier at was stevig en sappig en kon de vergelijking met elke Thanksgiving-kalkoen met glorie doorstaan.

'Carolyn is onze beste kok,' zei Marks, die Freddy's waardering had waargenomen, 'we dachten er u een plezier mee te doen.'

'Dat is heel vriendelijk van u.'

'U bent ingesteld op de tijd in Italië – zes uur verschil is 't niet? – dus we zullen deze eerste sessie niet te lang maken. Boven is er een kamer voor u ingericht, alles is op u afgestemd, kleding, pyjama, scheerspullen. Er is hier personeel voor u, Carolyn staat vierentwintig uur per dag speciaal voor u in de keuken. U geeft een teken en wij rennen.'

Freddy knikte terwijl hij een hap kalkoen wegslikte. Ook al legden ze hem in de watten, hij kon zich niet aan de indruk onttrekken dat dit huis een soort gevangenis was.

'Hoe lang gaat dit duren?' vroeg hij terwijl hij een nieuwe hap nam. Hij kon praten met een volle mond.

'U moet toch wel op een dag of twee rekenen.'

'Twee...' herhaalde Freddy. Het maakte hem eigenlijk niet zo veel uit. Rome hoefde voor hem niet. Lawaai, stank. 'Mag ik bellen en zo?' vroeg hij.

'Natuurlijk,' antwoordde Marks alsof hij verbaasd was over Freddy's naïviteit. 'Maar u moet dat eerst aan Robert

Maclaughlin vragen. Dat is een van mijn medewerkers, u zult 'm zo dadelijk wel ontmoeten.'

Freddy at door. Marks keek toe. Freddy meende iets van afkeuring in zijn ogen te zien, een flikkering van verstopte walging.

'Dit zal u door onze collega's in Rome al wel gezegd zijn, maar ten overvloede wil ik u nog een keer bedanken namens de regering van de Verenigde Staten. Uw vervulling van uw burgerplicht waarderen we in hoge mate. We zullen dit niet vergeten.'

Freddy probeerde nonchalant zijn schouders op te halen, alsof hij het vanzelfsprekend had gevonden dat hij zich in Rome gemeld had. Maar het was een ruzie met Bobby geweest die hem ertoe had aangezet zijn vaderlandse plicht te vervullen. Anders had hij nu ergens op het Forum Romanum staan zweten bij een of andere ruïne.

'Ik moet u straks vragen een papier te ondertekenen. Dat is een formaliteit maar zonder dat kunnen we niet verder. Daarin staat dat u niets van wat er tussen ons gezegd wordt aan de buitenwereld mag meedelen. Zelfs aan uw vrouw niet, uw beste vrienden niet, uw kinderen niet. Ook uw bezoek aan de ambassade in Rome valt daaronder. En de gebeurtenis in Praag natuurlijk.'

'Maar Bobby, mijn vrouw bedoel ik, die weet toch af van de ambassade daar en dat ik nu hier ben?'

'Ook uw vrouw heeft de verklaring getekend.'

Hij knikte. Nam een hap.

'U bent hier in een safe house, meneer Mancini. We gebruiken ze als we in alle rust met iemand willen praten, zonder gestoord te worden door het gedoe dat je op een kantoor hebt, zonder de lastige kanten van het verblijf in een hotel. We doen dit natuurlijk alleen als we met een waardevolle relatie te maken hebben. Wij denken dat u dat bent.'

Freddy grijnsde en schudde zijn hoofd. Hij sprak met volle mond.

'Ik heb 't jullie mensen in Rome twee keer verteld en ik begrijp nog steeds niet wat jullie hebben aan wat ik heb gezien.'

'U heeft 't ze gevraagd?'

'Ze wilden er niks over zeggen.'

'Maar u bent bereid geweest hierheen te komen.'

'Jullie betaalden het ticket.'

Marks glimlachte.

'U bent getuige geweest van een kidnapping.'

'Daar leek het op, ja.'

'Alles wat ik nu ga zeggen, meneer Mancini, valt onder de Wet op de Geheimhouding. U gaat daar straks voor tekenen. Om duidelijk te zijn: u móet ervoor tekenen. Sinds u hier over de drempel bent gestapt heeft u eigenlijk geen keuze meer.'

'Geen punt. Ik teken.'

'De man die u in de nacht van 21 juni gezien heeft was Michael Browning?'

'Zo stelde die zich voor, ja.'

'Michael Browning werkte voor ons. Hij was daar met een opdracht. We hebben sinds die nacht niks meer van hem gehoord. We maken ons zorgen over zijn lot.'

'Dat had ik allemaal zelf ook bedacht,' zei Freddy.

Marks straalde iets treurigs uit, zag Freddy nu, alsof hij elke ochtend onschuldig ontwaakte en overvallen werd door de onverbeterlijkheid van de wereld.

'Dat is slim van u,' zei Marks.

Freddy dacht: iedereen had dat kunnen bedenken, hij wil me met die woorden alleen maar vriendelijk stemmen. Maar waarom?

'U weet wat ik ze in Rome verteld heb?' vroeg hij.

'Jazeker.'

'Maar u wilt 't nog 'es met eigen oren horen?'

'Precies.'

Freddy nam een hap en probeerde goed tot zich door te laten dringen wat deze situatie betekende. Hij wierp een blik op het apparaat. Was het een machine om hem onder hypnose te brengen? Strooide de man daarom met complimenten? Hij nam een volle hap, kalkoen met puree, en zalfde zijn mond. Hij wist opeens wat het was: een leugendetector.

'Wij willen precies weten wat u heeft gezien. En met precies bedoel ik ook precies. Maar hoe kom je te weten of iemand echt alles kan navertellen wat hij op een bepaald moment toevallig heeft waargenomen, zonder er speciaal op gericht te zijn geweest?'

Marks liet een stilte vallen, keek hem door de sigaretterook aan.

'We willen u beter leren kennen. We willen u kennen omdat we een idee willen krijgen van de manier waarop u om zich heen kijkt. Dan kunnen we gerichter vragen en details bij u oproepen die u zelf – zo ver gaat dat – over het hoofd ziet.'

'Volgens mij heb ik niks over 't hoofd gezien,' zei Freddy.

'Vermoedelijk niet. Maar wij willen dat zeker weten. Zodra we dat weten, kunt u terug naar Rome. Wij zullen de gemiste vakantiedagen vergoeden.'

'Ik hoef niet terug naar Rome.'

'Nee?'

'De hele reis hoefde van mij niet zo.'

'Nee? Waarom niet?'

''t Was een idee van m'n vrouw en m'n dokter. 't Zou m'n dieet helpen.'

'De meeste mensen vinden een reis naar Europa een bijzondere gebeurtenis.'

'Dat is 't ook wel, maar... 't is gewoon niks voor mij.'

Marks glimlachte begrijpend. Freddy was bang dat hij te veel had gezegd.

'Wilt u nog wat kalkoen?' vroeg Marks. 'Ik bedoel daar niks mee hoor!' riep hij met een brede lach. Freddy lachte ook.

'Nou ik lust nog wel wat...'

'Carolyn!'

Ze kwam meteen aangelopen. Ze had een schaal bij zich.

'Ik wist dat je me niet in de steek zou laten, Freddy. Ik hield 'm warm en ik zei nog tegen Robert, die zit bij me in de keuken, ik zei: Robert, als Freddy dit proeft dan wil die nog wel 'n bordje.'

''t Is goddelijk, Carolyn.'

Na de maaltijd waren ze in de fauteuils gaan zitten. Ze hadden koffie gedronken en Robert Maclaughlin had zich voorgesteld, een perfect geklede jongeman met een stralende lach en heldere blauwe ogen, een onwezenlijk type dat Freddy alleen kende van soap opera's. Het viel Freddy op dat Marks zijn koffie uit een plastic beker dronk, Carolyn had hem nog apart gebracht toen ze hem op het dienblad met de kopjes en de koffiekan vergeten was. Hij zat in een cellofaanverpakking, zo'n wegwerpbeker die in goedkope hotels naast de wasbak staat. Nadat Freddy enkele formulieren had getekend waarin hij beloofde niets van deze gebeurtenissen aan derden te onthullen, had Robert het tafeltje met de taperecorder dichterbij gereden en hem een microfoontje omgehangen.

Freddy vertelde over die nacht in Praag. Hij had het hotel verlaten om ergens wat te gaan eten. Hij was door een taxichauffeur en een handlanger beroofd en hij had door de donkere stad gedwaald. Op een bepaald moment was hij ergens gaan zitten en toen had hij het zien gebeuren.

'Wij willen graag reconstrueren waar u op dat moment was,' zei Marks. 'Denkt u dat dat mogelijk is?'

'Ladova Steeg.'

'En de taxichauffeur heeft u daar ook afgezet?'

'Ik weet 't niet. Ik denk 't wel.'

'U rook... eten?'

'Ja. Er was daar 'n restaurant in de buurt. Absoluut zeker. En 't was er eentje die in bedrijf was. Midden in de nacht! Jullie kunnen toch wel uitvinden waar 't was? Restaurant Slavia, de Ladova Steeg nummer 63. Als jullie 'n foto hebben van de echte steeg dan kan ik wel zeggen of ik daar ook echt ben afgezet door die taxi.'

'Er is een kaart onderweg, meneer Marks, en foto's,' zei Maclaughlin.

Marks knikte. 'Goed. Vertelt u verder, alstublieft.'

'Ik ging daar zitten. Ik was echt duizelig door de klappen op m'n hoofd en ik ging zitten op een vuilnisbak. Het was donker en ik wist niet waar ik was, ik voelde me echt belabberd. Nou... toen kwam daar die Browning aan...'

'Herkende u 'm meteen?'

'Ik weet niet... ik geloof van niet.'

'U zat op een vuilnisbak op straat...'

'Nee 't was niet op straat. D'r was daar een trap, een ijzeren trap en daaronder was een open ruimte. Daar ben ik gaan zitten.'

'U kon tussen de treden van de trap door zien?'

'Ja. Een open trap.'

'En toen?'

'Nou ik zat daar en toen kwam Browning de hoek om. Ik denk... ik denk dat ik 'm toch wel meteen herkende. Ik had die avond met 'm zitten praten, hij had gezegd dat er hamburgers te krijgen waren in 't hotel en zo, dus ik wist wel meteen wie 't was. Hij komt om de hoek vandaan, aan de overkant van de straat.'

'Was 't daar donker?'

'Nou en of.'

'Maar u zag 't allemaal goed?'

'Ik heb verdomd goeie ogen.'

'Wat had hij aan?'

'Ik weet niet... een jack, spijkerbroek.'

'Had hij iets bij zich, droeg hij iets?'

'Nee. Ik geloof van niet.'

'En toen?'

'Twee mannen zaten achter hem aan.'

'Waar kwamen die vandaan?'

'Uit dezelfde straat waaruit Browning gekomen was.'

'Browning rende?'

'Geloof dat maar. Als een hazewind.'

'Zag hij eruit alsof hij bang was?'

'Weet ik niet. Maar iemand die zo hard rent die wil weg.'

'De twee mannen, hoe zagen die eruit?'

''t Zelfde. Ook jacks. Jong. Ergens in de twintig waren ze. Ze liepen ook hard. Toen kregen ze hulp van 'n auto.'

'Waar kwam die vandaan?'

'Die reed door de straat opeens, kwam ook uit een zijstraat. Die auto scheurde langs 'm heen en reed de stoep op. Browning moest eromheen en toen konden ze dichterbij komen.'

'Herinnert u zich het merk van de auto?'

'Nee. Europees of Russisch, weet ik niet.'

'Hoe grepen ze Browning vast?'

'Een van die twee kerels dook over de motorkap heen, gewoon dook er zo overheen. Die had daar ervaring mee, een lenige kerel was dat. Die ander hielp hem en ze sleurden hem de auto in.'

'Bood Browning verzet?'
'Ja, hij probeerde los te komen. Maar die twee waren te sterk voor hem.'
'Kunt u voordoen hoe ze 'm vastpakten?'
'Ja eh... ze hadden z'n armen vast en een van die twee had 'm bij zijn nek en... ik geloof dat er ook nog iemand uit de auto kwam... zoiets...'
'Er kwam nog een derde man bij?'
'Ik geloof 't wel. Ik weet 't niet zeker meer.'
'En Browning, verzette die zich nog toen ze hem ook echt in de auto trokken?'
'Ja natuurlijk.'
'Neem er gerust de tijd voor, meneer Mancini, dit is heel belangrijk.'
'Hij spartelde.'
'Weet u dat zeker?'
'Hij wilde loskomen.'
'Geen twijfel over mogelijk?'
'Nee.'
'Dit is voor ons van het grootste belang, meneer Mancini.'
'Begrijp ik.'
'Als Michael Browning nog in leven is, in hun gevangenis, dan moeten we voor hem bidden, meneer Mancini. Het is beter dat hij gestorven is.'
'Ja?'
'Browning had een pil bij zich. In ons bedrijf heet dat een L-pil. 't Klinkt 'n beetje jongensboekachtig maar die pil heet echt zo, waarom weet ik eigenlijk ook niet. Misschien heeft Browning die op het laatste moment in zijn mond kunnen duwen, misschien niet. U was erbij, u moet iets gezien hebben.'
'Ik heb niks gezien dat daarop leek.'
'Browning maakte brede armgebaren?'
'Ja.'
'Hij verzette zich?'
'Ja.'
'Die pillen veroorzaken spiercontracties. Mensen raken meteen in coma. Zoiets was 't niet?'

Freddy wist niet meer wat hij had gezien. Hij probeerde zich die paar seconden voor de geest te halen, maar het leek wel of alles in zijn hoofd achter een nevel verborgen lag.

'Ik weet 't niet meer.'

'Net zei u dat Browning zich verzette.'

'Daar leek 't op, ja.'

'Maar u weet 't niet meer zeker nu?'

'Nee.'

'Laten we even teruggaan naar die auto, meneer Mancini... herinnert u zich de kleur van de auto?'

'Nee. Grijzig misschien. Ik weet 't niet.'

'Was de auto verlicht?'

Freddy keek Marks verbaasd aan. Hij herinnerde zich opeens dat de auto als een donkere schim was verschenen.

'Nee!' zei hij verrast. 'Die auto had inderdaad geen licht aan! Verdomd.'

'Maakte de auto veel lawaai, hoorde u de motor?'

'Nee 't klonk niet zo hard. Dus geen Oosteuropese wagen?'

'Misschien niet. De auto reed de stoep op?'

'Ja.'

'Hoe reageerde Browning daarop?'

'Hij ontweek de auto, drukte zich even tegen de muur, ging er toen langs en toen kwam die andere kerel, die gleed zo over de motorkap heen en greep Browning bij zijn jas vast, net zo aan de onderkant van zijn jas.'

'U zei net dat Browning een jack aan had.'

'Zei ik dat?'

'Ja, dat heeft u gezegd.'

'Nou dat moet dus een jas zijn. Een lange jas, een donkere lange jas...'

'Het is warm in Europa, een jack of een jas, meneer Mancini?'

'Een jas...'

Hij twijfelde over alles wat hij had gezien. Misschien had Browning toch een jack gedragen.

'Ja een jas, zeker weten...'

'Als het een jack was, dan is dat ook goed, meneer Mancini...'

'Een jas.'
'Goed. Een jas.'
Marks maakte een gebaar naar Maclaughlin. Deze pakte een grote envelop en legde op het salontafeltje vijf foto's naast elkaar.
Het waren vijf mannengezichten. Ze leken veel op elkaar.
'Kunt u Michael Browning aanwijzen?' vroeg Marks.
Freddy keek van de een naar de ander. Vijf brede gezichten met sterke nekken, dunne lippen, kort, blond haar, lichte ogen.
Hij wees naar de middelste, Marks vragend aankijkend.
'Is 'm dat?' vroeg Marks.
'Ja... ik geloof 't wel,' zei Freddy.
'Herkent u 'm of herkent u 'm niet, meneer Mancini?'
'Ik denk 't wel,' mompelde Freddy.
'Meneer Mancini... u heeft een avond met Browning aan één tafel gezeten, zes dagen geleden, en u herkent 'm niet meer?'
'Dit is 'm,' zei Freddy onzeker, vasthoudend op de derde foto wijzend, 'ik denk dat dit 'm is...'
'Draait u de foto even om.'
Freddy keek hem niet-begrijpend aan.
'De achterkant...' zei Marks.
Freddy draaide de foto om. Hij las: Joe Kayevski. Hij slikte en keek Marks met schuldige ogen aan.
'Ik had durven zweren dat dit 'm was,' fluisterde hij.
''t Is niet erg, meneer Mancini, het gaat erom een helder beeld te krijgen van wat u heeft gezien.'
'Ik heb 't echt gezien,' zei hij met stemverheffing, 'ik... ik was daar toevallig...'
'We zijn daarvan overtuigd, meneer Mancini.'
'Die foto's... die mensen lijken zo verdomd veel op elkaar...'
'Dat hebben we zo uitgezocht.'
'Ja, natuurlijk,' zei Freddy. Hij draaide de andere foto's om. Op niet één van de foto's stond de naam van Browning. Hij keek Marks met droge keel aan.
'Zit die er niet bij?'
'Nee.'

'Waarom hebt u me dan laten kijken?'
'Om uw geheugen te testen.'
'Dit is niet eerlijk, meneer eh...'
'Marks. John.'
'John,' zei Freddy, 'ik hou hier niet van...'
'Mag ik Freddy zeggen?'
Freddy knikte.
'Freddy, dit is geen wedstrijd, dit is geen spelletje. Het gaat ons om precisie, het gaat ons om de vraag: was Michael Browning nog in leven toen hij werd gegrepen? Jij bent de enige sleutel tot het antwoord, Freddy, en van het antwoord hangen mensenlevens af.'
'Hoe bedoel je?'
'Ik bedoel 't zoals ik 't zeg, Freddy. Leven en dood. Begrijp je?'
Het zweet brak Freddy uit.
'Ik weet niet of ik jullie kan helpen,' zei hij.
'Je helpt ons nu al enorm, Freddy.'
'Ja? Ik hoop 't...'
'Je zei net dat je dacht dat er nog een derde man verscheen.'
'Ja. Dat dacht ik.'
'Op welk moment precies?'
'Nou... toen ze 'm hadden vastgepakt... toen ging d'r een deur van de auto open.'
'Van binnenuit?
'Ja.'
'En toen?'
'Nou... en toen werd... toen werd ie naar binnen getrokken.'
'Je hebt geen gezicht gezien?'
'Nee.'
'Alleen armen?'
'Ja. Armen. Geen mouwen... ik bedoel, het waren armen zonder kleren, naakte armen...'
'Van een vrouw?'
'Kan zijn ja, misschien, ik weet 't niet.'
'Toen de deur van de auto openging, werd toen het interieur verlicht?'

Freddy keek de man opnieuw verbaasd aan. Ze dachten over alles na, over te veel dachten ze na.

'Ik weet 't niet.'

'Dat moet toch opvallen in zo'n donkere straat?'

'Ja dat moet wel opvallen... 't zal dus wel niet gebeurd zijn...'

'Ik vraag dat omdat je misschien nog een glimp van Browning hebt opgevangen toen hij in de auto zat.'

'Nee.'

'Toen hij even tegen de muur stilstond... dat deed hij toch?'

'Ja. De auto stond daar op de stoep...'

'Toen Browning daar stond, heb je toen gezien dat hij een beweging naar zijn mond maakte?'

'Ja... nee... ik weet 't niet.'

Freddy zag hoe Browning een beweging maakte naar zijn mond, alsof hij hem afveegde, alsof hij over zijn mond streek zoals iemand die koortsachtig ergens over nadacht – of stak hij toch iets in zijn mond?

'Hij deed toen zoiets...'

Hij deed het voor, streek met open hand over zijn lippen en kin.

Marks en Maclaughlin wierpen elkaar een blik toe.

'De auto stond daar voor hem en de mannen renden naar hem toe?' vroeg Marks.

'Ja. Hij was aan het rennen en toen hield hij op toen de auto op de stoep terechtkwam. Hij bleef staan en keek naar de mannen. Toen keek hij weer naar de auto en toen deed ie zo...' Hij maakte opnieuw het gebaar. 'Ik dacht er niet over na dat 't iets kon betekenen...'

'Stond hij met z'n rug tegen de muur daar?'

'Ja.'

'De mannen kwamen op hem af?'

'Ja.'

'De auto stond op de stoep?'

'Ja.'

'Hij had niets in zijn handen?'

'Nee.'

'Met welke hand maakte hij dat gebaar?'

'Voor mij rechts... geloof ik.'

'Zijn linkerhand dus.'
'Ja. Dat zal wel.'
'Links of rechts?'
'Links! Je zegt 't zelf!'
Freddy keek Marks woedend aan. Hij merkte dat hij zat te hijgen.
'Freddy...' Marks sprak op een zachte, vriendschappelijke toon.
'Wij willen alleen maar iets van je weten. Dat is alles. Jouw geheugen is vergeleken met dat van anderen verbazingwekkend goed. We zijn al heel blij met wat je ons tot nu toe verteld hebt. Maar wij willen tot de bodem. Jij hebt iets meegemaakt dat voor ons uitermate kostbaar is. Dat kostbare moeten we uit jou halen. En voor jou is dat soms frustrerend.'
Freddy knikte, tot rust komend.
''t Spijt me, John. Ik heb een droge keel. Kan ik iets drinken?'
'Koffie, thee, cola, zegt u maar, meneer Mancini,' zei Maclaughlin.
'Coke graag.'
Maclaughlin verliet de kamer.
Marks pakte een sigaret.
'Rook jij, Freddy?'
'Nee.'
'Nooit gedaan?'
'Nee.'
Marks knipte een dure aansteker open, gaf zichzelf vuur met een lange vlam. Freddy vroeg:
'Wat deed Browning daar?'
Marks keek hem even aan. Hij liet zich naar een kant zakken om de aansteker weg te stoppen. Hij inhaleerde diep voordat hij antwoordde.
'Freddy... ik zou je graag willen antwoorden, maar ik mag niet. Ik moet eerst weten wat ik aan je heb.'
'Wat je aan me hebt?'
'Ja, ik wil weten of ik je kan vertrouwen.'
Freddy keek hem met open mond aan.
'Vertrouwen? Ik... ik heb daar toch niks...'

Zijn hersenen werkten even niet mee. Hij begreep niet wat Marks bedoelde.

'Werk je voor hen, Freddy?' vroeg Marks.

'Wat?!' riep Freddy. 'Werk ik voor wie?'

'Voor hen... de Tsjechen,' zei Marks rustig.

Terwijl hij sprak walmde de rook uit zijn mond.

HOOFDSTUK ZES

de nacht van 3 juli 1989

Omdat er een voortdurend verkeer was van diplomaten die al hun hele werkzame leven in verre streken gestationeerd waren en niet meer over een woning in het vaderland beschikten, onderhield het Ministerie van Buitenlandse Zaken in Den Haag een aantal appartementen. Voor zover de aan tropenwarmte gewend geraakte diplomaten ergens een eigen huis bezaten, bevond zich dat in Zuid-Frankrijk of in Toscane.

Felix Hoffman was teruggeroepen voor 'consultaties'. De Nederlandse regering maakte op deze wijze haar verontwaardiging kenbaar over de schending van de mensenrechten in Tsjechoslowakije, waar zomaar drie brave Nederlandse journalisten in elkaar geslagen waren. De demonstratie die de heren gefilmd hadden was een provocerend opstootje geweest van Roemeense Duitsers, zogenaamde etnische Duitsers, die 'Heim ins Reich' wilden.

Wat Hoffman betreft waren de vijftien Duitsers en drie journalisten er nog wonderlijk heel uitgekomen want een standrechtelijke executie had hem een elegant antwoord geleken op deze demonstratie van Duits oerleven. Maar Den Haag berichtte hem dat hij moest komen en hij had weinig keus: hij pakte een koffer en stapte op een KLM-toestel naar Schiphol.

Marian bleef thuis in Praag, dromend over Vondel. Zonder discussie hadden ze besloten dat Hoffman alleen zou gaan, ook al wist hij niet hoe lang hij zou wegblijven. Het was ook rustiger zo.

Op Schiphol werd hij opgevangen door een ventje van Protocol, een gesjeesd studentje in een modieus oversized pak en met geblondeerd haar, dat hem meteen bij de slurf aansprak en naar het platform beneden leidde, waar naast het vliegtuig een chauffeur-met-pet-en-Mercedes wachtte. Er stonden journalisten in de aankomsthal en BZ wilde voorkomen dat hij uitspraken deed die de minister zouden ontrieven.

Ook in Nederland was de zomer warm.

In de Apenrots – de opslagplaats van betonblokken die als opvolger van het stijlvolle pand aan Het Plein onderdak gaf aan het Ministerie van Buitenlandse Zaken – deed Hoffman verslag aan Ruud de Haan, de Directeur-Generaal Politieke Zaken. In een ruime vergaderkamer op de vierde verdieping, aan een mahoniehouten tafel die glansde als een spiegel, luisterde De Haan, bijgenaamd de Kale, geflankeerd door twee secretarissen, naar het gedetailleerde verhaal over het incident. Hoffman zat in zijn eentje aan de andere kant van de lange tafel, zijn dossier opengeslagen op het naar boenwas ruikende hout. De Haan had al zijn haar verloren, en Hoffman zag hem zo nu en dan een blik werpen op zijn eigen uitgedunde maar nog steeds behaarde scalp. Nuchter ventileerde De Haan enige verontwaardiging en stond op. Hij verwachtte straks het definitieve rapport.

'Hebben ze me een beetje behoorlijk adres gegeven?' vroeg hij de chauffeur toen ze bij de Apenrots vertrokken.

'Ik moet u naar een hotel brengen, meneer,' antwoordde de man over zijn schouder.

'Hotel? Da's ook niet slecht,' zei Hoffman, die Des Indes voor zich zag.

Hij kwam terecht in Pension Zeezicht in Scheveningen.

'Dit?!' riep hij toen de chauffeur hem daar afleverde.

Het huis stond aan de noordkant van de boulevard, achter de duinen en rijen eengezinswoningen, naast een autokerkhof dat blijkbaar alle milieuwetten overleefd had. Roestende wrakken vervuilden daar de horizon.

''t Staat er echt,' zei de chauffeur.

Hoffman trok het papier uit zijn handen. Pension Zeezicht, Zandstraat, Scheveningen. Hij gaf het terug aan de man.

'Ze hebben een fout gemaakt,' zei hij vol overtuiging.

'Heb ik nog nooit meegemaakt, meneer. Ze zijn daar altijd pietje precies.'

'Ze hebben een fout gemaakt,' herhaalde Hoffman dreigend.

'U zegt 't,' zei de chauffeur, zich terugdraaiend en een blik werpend op het autokerkhof. 'U zegt 't maar.'

'Hoe bedoelt u ik zeg 't maar?'

'Nou wat moeten we doen?'

'Ik zou zeggen, waarom belt u uw chef niet?'

'Okee, okee...'

De man stapte uit en ging hulp halen bij het pension.

Hoffman, rechts op de achterbank, schoof geïrriteerd heen en weer op het beige leer. Nerveus maakte hij ruimte tussen zijn zwetende hals en de boord van zijn overhemd. Als dit geen vergissing was – en diep in zijn hart wist hij dat dit een onmiskenbaar diplomatiek gebaar was – dan moest hij misschien maar op eigen kosten in het Kurhaus of in Des Indes gaan zitten. Hij zou zich niet laten kennen.

Vervolgens bedacht hij dat hij zich niet zou laten kennen als hij zijn mond zou houden over dit flagrante signaal van minachting. Hier namen 's zomers Duitse families hun intrek, arbeiderachtige types met kolossale bierbuiken, hun dagen doorbrengend met hectoliters bier, scheepsladingen leverworst en het bedenken van Blitzkriege. Hun kinderen maakten van Lego modelletjes van concentratiekampen en hun vrouwen breiden dikke truien voor het Oostfront.

De chauffeur kwam naar buiten, in het gezelschap van een mollige zwarte vrouw uit een van de Rijksdelen. Hij opende de deur aan Hoffman's kant. De warmte viel de auto binnen.

''t Schijnt toch zo te moeten zijn, meneer,' zei de chauffeur met een zuinige mond, 'mevrouw Paardekoper hier weet er alles van.'

De vrouw lachte breed en knikte naar hem.

'Meneer Hoffman welkom!' zong ze met ronde Surinaamse klanken.

Hoffman knikte terug. Iemand bij de afdeling daar had grondig de pest aan hem.

'We zijn zo blij dat u er bent, meneer Hoffman!' riep mevrouw Paardekoper, 'we zullen u verwennen alsof u ons kleine ventje bent!'

Ze lachte luid. Ook de chauffeur zag er iets komisch in.

Hoffman stapte uit en schudde de uitgestoken hand van de hospita.

'Meneer Hoffman, u bent de eerste gast van zulk hoog niveau. Wij zijn heel blij met u.'

'En ik ben blij dat ik er ben,' zei hij vol overtuiging.

'Wij hebben u de Bloemetjes Suite gegeven,' vertelde ze trots.

Hij logeerde in twee kamers op de eerste verdieping, volledig behangen met bloemetjespapier, tot en met het plafond, met een weids uitzicht over het autokerkhof. Hij rook de typische geur van nieuwe vloerbedekking.

Hij had er telefoon en belde de afdeling op BZ.

'Ik wil je bedanken voor 't leuke pension waarin ik zit. Wie heeft daarvoor gezorgd?' vroeg hij aan Mia Jansen. Hij kende haar stem al vele jaren en had haar nog nooit in levenden lijve gezien, wat niet verhinderde dat ze door de telefoon een gepassioneerde verhouding onderhielden. Altijd had ze een schorre stem, alsof ze afgelopen nacht had geschreeuwd.

'Jean van Galen.'

'Van Galen? Zit die daar dan?'

'Hij is een maand geleden benoemd tot secretaris van de Directeur-Generaal.'

'Is ie er?'

'Hij is gisteren met vakantie gegaan.'

De klootzak was er dus net op tijd vandoor gegaan en Hoffman kon hem nu niet uit elkaar scheuren.

'Blijft ie lang weg, Mia?'

'Drie weken.'

'Hoe doe je dat toch met je stem?'

'Ik oefen 's nachts.'

'Wanneer wil je mond eens met mij oefenen?'

'Je bent altijd ver weg, Felix.'

'Als ik jouw stem hoor dan zie ik prachtige lippen.'

'Ik ben me er niet van bewust, maar als je 't zegt...'

Hij had vaak op het punt gestaan haar uit eten te vragen, maar de complicaties waren niet te overzien en hij kon niet uitsluiten dat ze elke gefrustreerde diplomaat door de hoorn zat op te geilen.

'Nog één vraag,' zei hij, 'brengen jullie vaker mensen onder bij Pension Zeezicht in Scheveningen?'

'Nou ja... niet vaak, eerlijk gezegd.'

'Waarom niet?'

'Ja... misschien kan ik dat eigenlijk niet zeggen, maar...'

'Doe 't toch maar,' zei hij.

'Ja, nou ja: normaal kunnen we op zo'n adres niet onze mensen onderbrengen. Maar Van Galen vond dat je uit de buurt van de pers gehouden moest worden.'

'Nou, ik vind 't hier uitstekend. Zeg dat maar aan Van Galen.'

Van Galen had hij een paar jaar geleden in Khartoum leren kennen. Khartoum was een ontwikkelingspost, geschikt voor types die geen problemen hadden met een salamander tussen de lakens of wat modder uit de kraan. De stad lag midden in de woestijn, was heet en droog. Als je jong was dan beloofden de jaren die je er draaide een promotie naar een goede Europese of Amerikaanse post. Als je ouder was, Hoffman was drieënvijftig toen hij er werd benoemd, dan betekende het dat ze geen raad met je wisten.

Hij was eerder in Afrika gestationeerd geweest, in Tanzania, een verschrikkelijke post, maar vreemd genoeg had hij zich goed gevoeld in Khartoum. De nachten waren vol leven, hij had er hard gewerkt, gelden bij elkaar gezeurd voor allerlei irrigatieprojecten en strak toezicht gehouden, ze hadden een Libanese kok die kon toveren en in het zuiden van het land woedde een burgeroorlog die voor de broodnodige spanning en variatie zorgde. Marian had er halve dagen in een ziekenhuis gewerkt en ook zij, zo scheen het hem toe, keek, ondanks de ellende met water en elektriciteit en het onvermogen van Sudanezen om zich aan afspraken en regels te houden, met voldoening terug op de zware jaren.

Het was de eerste post voor Van Galen, jurist, fris uit het klasje vandaan. Het was al op de eerste dag duidelijk dat Van Galen volstrekt ongeschikt was voor dit werk: Van Galen verscheen in driedelig grijs. Hij ging ermee de woestijn in, bekeek de door Ons Koninkrijk gefinancierde irrigatieprojecten. Uitgedroogd en halverwege een dood door verstikking keerde Van Galen tegen het einde van de dag terug. Hij vertikte het zijn driedelige stijl in te ruilen voor het kaki van de woestijn.

Hoffman was er Tijdelijk Zaakgelastigde, in BZ jargon: TZ. Formeel gezien was dat fors lager op de ladder dan wat hij nu was maar in feite regeerde hij Khartoum als zijn ambassade (het was een soort rekenkantoor, Khartoum was voor Nederland een puur economische post die ontwikkelingsgeld beheerde).

Na een week het gemodder van de jurist te hebben aangezien meende hij dat het zinvol was om met Van Galen van gedachten te wisselen, want de nieuweling gedroeg zich als een prinsje, deed neerbuigend tegen de 'lokalen' van het kantoor en bleef een ieder met 'meneer' of 'mevrouw' aanspreken.

'Van Galen,' zei hij terwijl hij de jongeman aankeek, over zijn bureau heen, 'waarom kleed jij je zo?'

Van Galen duwde zijn bril terug op zijn glimmende neus. Ondanks de airconditioning lag de temperatuur in het gebouw rond de zevenendertig Celsius.

'Ik begrijp uw vraag niet, *meneer* Hoffman,' antwoordde Van Galen.

'Spreek ik in raadselen? Ik bedoel: jij bent niet gekleed op dit land. We zijn hier midden in de woestijn, jongen, het is meer dan vijftig graden, maar jij loopt hier midden op de dag rond in een pak van nylon en polyester alsof het buiten kwakkelt. En dan dat vest met die knoopjes! Je moet wijde kleren dragen, Van Galen. Honderd procent katoen of honderd procent zuivere wol. En ik geef je dit advies omdat ik ervaring heb in dit soort landen en dat wil ik je alleen maar doorgeven. Trouwens, je mag me tutoyeren hoor, dat doet iedereen hier zoals je weet.'

Door zijn dikke glazen keek Van Galen hem kil aan.

'Ik hoef uw advies niet, meneer Hoffman,' zei hij.

'Je krijgt 't gratis,' zei Hoffman tevreden.

'Luister eens,' zei Van Galen terwijl hij opstond en zijn colbert over zijn vest dichtknoopte, 'u heeft een slechtere reputatie dan wie dan ook ooit bij de Dienst heeft gehad en iedereen weet dat u om de een of andere duistere reden de hand boven het hoofd wordt gehouden door de heren in de top en u denkt dat *ik* van iemand als u iets ga aannemen? Ik ben bang dat u zich vergist, meneer Hoffman.'

De jongen articuleerde overdreven zorgvuldig. Hij liet er geen gras over groeien, wat iets was dat Hoffman kon waarderen, en toen hij uitgesproken was wandelde Van Galen naar de deur en draaide zich daar naar hem om.

'Ik neem aan dat dat 't was?' vroeg de jonge diplomaat, langs Hoffman kijkend naar een blinde plek op de muur.

'Jongen,' zei Hoffman vriendelijk, 'jij bent de grootste kwast die ik in al die jaren in dit gekkenhuis heb meegemaakt en toevallig weet ik dat je grootvader minister is geweest dus ik hoef niet te gissen waarom zo'n droplul als jij hier terechtgekomen is, maar om misverstanden uit te sluiten: jij bent hier binnen één maand weg en als jij niet uit jezelf weggaat of als jij niet wordt teruggehaald dan zorg ik ervoor dat jij hier verdwijnt, maar ik verzeker je dat dat niet in één zending gebeurt omdat ze je bij elkaar moeten vegen want ik ga jou helemaal mollen tot jij echt niet meer weet of je nog bestaat. Maar je hebt nog 'n kans, Van Galen. Als je je vanaf nu als een gezonde Hollandse jongen gedraagt dan vinden we 't wel met mekaar.'

Bleek had de jongen zijn kamer verlaten. Twee weken later openbaarde zich bij hem een virus dat de koorts zo hoog opjoeg dat hij zich in Nederland moest laten behandelen. Hoffman voelde zich schuldig.

In een vooroorlogse ambulance was Hoffman met hem mee naar het vliegveld gereden. Hij zat onder de penicilline. Toen ze hem in het vliegtuig droegen, legde Hoffman een hand op zijn schouder.

'Van Galen, sterkte ermee.'

De jongen reageerde niet.

'Het spijt me voor je,' ging Hoffman verder, 'ik had dit echt niet voor je gewenst, jongen. Zo gauw je beter bent, kom je terug en dan gaan we eens eten. Wij komen er wel uit samen. En dat pak... als je er zo gek op bent dan moet je 't maar dragen.'

De jongen keek hem met koortsige ogen aan. Hij fluisterde

iets dat Hoffman niet verstond in het geloei van de vliegtuigmotoren.

'Sorry,' zei Hoffman en hij boog zich voorover.

De jongen slikte en haalde diep adem, naar kracht zoekend om te spreken.

'Joodse klootzak,' kreunde hij.

Hoffman kon niets terugzeggen. Nog overrompeld staarde hij naar het vertrekkende vliegtuig, een oude 707 van Egypt Air, en hij zocht vergeefs naar het juiste antwoord.

Op de afdeling Tropische Ziekten van het Havenziekenhuis in Rotterdam, de vaste kliniek van de Dienst, constateerden ze allergieën die een carrière in de tropen in een risicovol avontuur veranderden. Van Galen bleef in Den Haag en werd compleet met pak en bril de nieuwe ster aan het ambtenarenfirmament. Hoffman had hem graag even toegezwaaid, maar hij was dus op vakantie.

Met haar man Stanley, een grote grijze neger met een gegroefd gezicht, die stil in een schommelstoel in de hal zat, dreef mevrouw Paardekoper als een verlicht monarch het pension. Nadat Hoffman getelefoneerd had kreeg hij beneden in de eetkamer een lunch geserveerd van Surinaamse hapjes, vette, pittige gerechten die hem goed bevielen. Hij was de enige gast. Mevrouw Paardekoper had zelf gekookt en toen hij bekend had dat het jaren geleden was dat hij Surinaams had gegeten legde ze breed lachend uit wat hij naar binnen werkte.

Hij liet Hertz een huurauto brengen en reed in de gloeiende wagen terug naar de Apenrots, waar hij met een paar minkukels nog een keer zijn rapport over de gebeurtenissen in Praag besprak. Hij probeerde ook nog zijn vriend Wim Scheffers te spreken te krijgen, maar deze zat in een vergadering met Russen en kon niet gestoord worden. Hoffman liet een bericht voor hem achter en keerde terug naar de Bloemetjes Suite.

Hij installeerde zich in een fauteuil bij het raam en sloeg Spinoza open. Hij had uitzicht op het autokerkhof. De zon stond er recht op. Het terrein besloeg minstens een hectare en enkele duizenden wrakken lagen er gezellig in de zilte zeelucht te roesten. Hij verdiepte zich in Hoofdstuk Drie, dat 'Eerste weg: naar de vorm van de gegeven ware idee' heette, een titel waarbij hij zich niets kon voorstellen. Maar de eerste paragraaf klonk uitnodigend.

Nu duidelijk was geworden welke soort van kennisverwerving de beste was, werd het volgens Spinoza noodzakelijk Weg en Methode aan te geven die naar de Waarheid konden leiden.

Meteen wierp de filosoof de vraag op of er voor het vinden van de beste methode nog een andere methode nodig was, en dan daarvoor weer een methode, enzovoorts. Hierop had Spinoza een aardig antwoord:

'Het is hiermee op dezelfde wijze gesteld als met de materiële instrumenten, waarover men op dezelfde manier kan argumenteren. Want om ijzer te smeden is een hamer nodig en om een hamer te verkrijgen, moet die vervaardigd worden, waarvoor een andere hamer en andere instrumenten nodig zijn, voor welker produktie weer andere instrumenten nodig zijn, en zo tot in het oneindige.'

Spinoza vervolgde dat het voldoende was om te vertrouwen op de 'ingeboren kracht' van het verstand, en hij vergeleek technische instrumenten met de instrumenten van het verstand, die zich eveneens door evolutie ontwikkeld hebben. De Methode kon gevonden worden als je je instrumenten maar ten volle benutte.

Hoffman keek op toen hij een diepe knal hoorde. Op het kerkhof dreunde een rode Ford Granada in een grote bak, losgelaten door een enorme klauw die aan de arm van een kraan hing. Hoffman zag het ding opstuiteren en weer neerkomen.

Zodra de auto stil in de bak lag, begonnen twee zijden van de bak naar elkaar toe te bewegen, de bak was dus een reusachtige pers. De wanden drukten de auto in elkaar, grommend en piepend, metaal schuurde op metaal en krijste in hoge, schelle tonen. Het was het geluid van nagels op een schoolbord en Hoffman sloeg zijn handen tegen zijn oren en verkrampte. Het geluid riep een dierlijke angst op, blinde paniek in een gillend universum. Toen er een pakketje uit de pers viel, de hele Ford Granada teruggebracht tot een handzame koffer, had de kraan weer een vers slachtoffer te pakken: boven de bak hing nu een geel Kevertje, een makkie. De klauw opende zich en de kever donderde omlaag, bleef meteen weerloos liggen.

De bak begon hem te bewerken en de Kever jammerde. Opnieuw drukte Hoffman gepijnigd zijn oren dicht.

Hij ging naar beneden en vroeg de heer Paardekoper hoe lang dit nog kon duren.

De donkere man keek hem keurend aan. Hij zat onbewogen in zijn schommelstoel, kauwend. Zijn huid was bijna blauw, op zijn kin groeiden grijze haren, zijn oogwit was geel en troebel. In een hoek van de hal, een kleine ruimte met wanden van kale schrootjes, stond een televisietoestel waarvan het geluid was weggedraaid. Ook hier klonk de pers.

'De wind staat verkeerd,' zei de man.

'O,' zei Hoffman, 'en als de wind goed staat?'

'Als de wind goed staat...' De man leek na te denken. 'Dan hebben we er geen last van.'

'Kunt u er niks tegen doen?' vroeg Hoffman tegen beter weten in.

'Moeilijk,' mompelde de man. 'Ik heb vroeger een regenmaker gekend, maar een windmaker... zeker niet hier in Holland.'

Hoffman stak Spinoza bij zich en ontvluchtte het pension. Hij wandelde naar de boulevard. Geërgerd sjokte hij tegen de duinen op, zich kwaad makend over Van Galen. Hij was te warm gekleed en al snel stond het zweet op zijn rug, maar hij kalmeerde zodra hij de zee zag.

Als een uitgelaten kind liep hij naar beneden, steeds sneller, tot hij begon te hollen en dreigde te vallen en zich in moest houden.

Op het lange, brede strand lag een golvend dek van roodverbrande badgasten, gehuld in de geur van zonnebrandolie. Ontblote borsten staarden hem hautain aan. Er liepen honden die het zeewater uit hun vacht schudden. Joggers bij wie het zweet van hun gezicht spatte passeerden hem met suïcidale blik. De lauwe wind trok aan zijn kleren, zijn das danste om zijn hals, zijn schoenen trokken sporen in het vochtige zand. Hij liet zich even in de wind hangen, met gesloten ogen, en luisterde naar de zingende golven. Enkele seconden dacht hij aan niets.

Hij zocht bij de strandtenten naar een lege stoel en in een houten gebouw dat op palen boven het zand stond bestelde hij een pannekoek met appel. Spinoza legde hij ernaast. Hij rook de zee.

Hij las een gecompliceerd betoog over het verschil tussen de wereld van de dingen en de wereld van de ideeën. Hij at er een romige pannekoek bij, niet te melig of te vet, met schijfjes sappige appel erin. Hij las het hele hoofdstuk en begon door te krijgen wat Spinoza, deze keer in moeilijke, haast wiskundige zinnen, te beweren had.

Hoffman begreep er het volgende van: je had een wereld van de dingen en je had een wereld van de ideeën van die dingen, of om het in Spinoza's woorden te zeggen: je had een echte cirkel, met een omtrek en een middelpunt, en je had de *idee* van de cirkel. De idee van de cirkel was net zo abstract als de echte cirkel concreet was, maar allebei bestonden ze in de ervaring van de mens.

Over de *idee* kon vervolgens ook weer nagedacht worden, die kon op zijn beurt onderwerp van gedachte zijn, en dat zou je dan *de idee van de idee* kunnen noemen, en dat kon zo tot in het oneindige doorgaan. Spinoza was niet van plan deze krankzinnige denkreis af te leggen, maar hij wees op de in principe ongelimiteerde mogelijkheden van het denken over ideeën, ofwel het denken over het denken:

'Hoe meer de geest derhalve kent, des te beter hij ook zijn krachten en de orde van de Natuur begrijpt. Hoe beter hij evenwel zijn krachten begrijpt, des te gemakkelijker kan hij zichzelf sturen en zich reguleren; en naarmate hij beter de orde van de Natuur begrijpt, kan hij zich gemakkelijker van nutteloze zaken onthouden. En daarin bestaat de gehele Methode, zoals we zeiden.'

Het was de vraag of Hoffman zich kon onthouden van nutteloze zaken, of het niet zijn aard en persoonlijke natuur was om zich aan nutteloze zaken te wijden, en hij betwijfelde of hij door begrip van de Natuur in staat was zichzelf te beteugelen (hij wist dat het mateloze zwelgen waaraan hij zich had overgegeven een vroege dood waarschijnlijk maakte – toch ging hij ermee door; ofwel: a. hij was niet bang voor de dood, b: hij hield niet van zijn leven).

Hoffman was onder de indruk van de gedachtensprong die Spinoza in zijn volgende alinea's maakte: Spinoza meende dat in het juiste begrip van de orde van de Natuur – een begrip dat in ideeën vervat was – God zelf doorschemerde! Spinoza vond dat 'onze geest, om een exacte weergave van de Natuur te zijn, al zijn ideeën moet produceren uit die idee, die de oorsprong en bron van de gehele Natuur presenteert'.

Hoffman, na de pannekoek druk in de weer met een warme wafel met poedersuiker, in een badje van gesmolten boter, zag in die gedachte een eigen schoonheid, alsof dat soort denken een vorm van kunstbedrijven was. Echte kennis, echt weten, zo begreep Hoffman, had altijd een directe, rechtstreekse band met de werkelijkheid, want daar was de tastbare en zichtbare vorm van die kennis of dat weten aanwezig. Hij gaf toe dat er een wezenlijk verschil bestond tussen de idee van de wafel en de wafel die hij nu snoepte (een bros, knapperig netwerk dat snel boterzacht werd als het in zijn mond belandde), maar hij begreep wel dat Spinoza in eerste aanleg niet over wafels en pannekoeken had geschreven.

Dit derde hoofdstuk bevatte veel zinnen die Hoffman verscheidene keren moest lezen. Spinoza jongleerde hier met begrippen en abstracties die in Hoffman's leven geen schaduwen wierpen, en genietend van de wafel en een kop geurende thee probeerde hij samen met de filosoof, die hetzelfde aan het einde van dit hoofdstuk deed, het betoog samen te vatten.

Allereerst: deze Spinoza was onmiskenbaar op zoek naar de Waarheid. In zijn omgeving kende Hoffman niemand die daar actief mee bezig was. Marian had zich enige tijd met de waarheid beziggehouden, maar dat was een al geopenbaarde waarheid, die van de Katholieke Kerk.

Esther's dood had Marian in de armen van pastoor Emilio Schuster van een armenkerk in Lima gedreven. Net als Vondel bekeerde zij zich. Ze had nooit blijk gegeven van enig religieus leven, maar het graf van Esther lag ver weg in Nederland en ze uitte haar behoefte aan troost door twee jaar lang dagelijks te bidden voor het zieleheil van haar gestorven kind. Hoffman betwijfelde of ze ook echt gelovig was geworden, ze leek hem te nuchter voor het geloof in de wederopstanding en de onbevlekte ontvangenis, maar hij begreep haar verlangen naar een vorm voor haar verdriet, waarvoor sinds de secularisering geen substituut bestond. Ze had missen laten houden, was een financier van de parochie geworden. Schuster had hij vaak bij hem thuis aangetroffen, in een verhitte discussie met Marian gewikkeld, met gloeiende ogen en dwingende gebaren. Altijd had Hoffman's binnenkomst het gesprek gebroken.

Schuster's ouders waren Duitse immigranten, communisten die in de jaren dertig naar Zuid-Amerika gevlucht waren, en hun zoon had zich ontwikkeld tot een aanhanger van de bevrijdingstheologie. Schuster had zijn Liturgie en Deze troostte Marian toen Hoffman het had laten afweten.

Spinoza was ervan overtuigd dat menselijke volmaaktheid (dat stond er toch echt, hij was blijkbaar echt de mening toegedaan dat die bereikbaar was) besloten lag in een complete en volledige Kennis van de Natuur. Daarvoor moest het verstand verbeterd worden. Maar hoe deed je dat?

Je moest je ontdoen van vooroordelen en incomplete ideeën, zo begon hij, maar dat was slechts het begin: van het hoogste belang was dat je moest vertrouwen op de intuïtie die dank zij de Natuur in een ontwikkeld mens tot bloei kon komen; hierdoor kon zijn geest zich voeden met ideeën – niet zo maar een handvol ideeën maar ideeën die de oorsprong en de bron van de Natuur onthulden.

Spinoza stelde dat al die ideeën bij elkaar, als dat ooit mogelijk zou zijn, de essentie van de Natuur zouden representeren. De Natuur was volgens bepaalde ideeën gestructureerd, meende hij, dus waren die ideeën zèlf ook deel van de Natuur en als je erin slaagde die ideeën te doorgronden zou de Hoogste Kennis je ten deel vallen. En de Hoogste Kennis, zo dacht Hoffman, kon niemand minder dan Good Old God Himself zijn.

Het duizelde Hoffman. Hij wist niet of hij ontwikkeld genoeg was voor het volgen van dergelijke redeneringen, maar hij dacht: ach ik vermaak me ermee, wat maakt het uit?

Hij veegde met een wijsvinger de gesmolten boter met poedersuiker van het bord en likte de vinger af.

Hij rekende af en liep terug naar het pension. De wind had zich teruggetrokken, de zee was kalm, alsof de natuur even haar adem inhield om op krachten te komen voor de avond. Door de zomertijd was het nog volop dag en onder een brandende hemel sjokte Hoffman door het rulle zand de duinen over.

Het verraste hem dat hij de natuur hier kon waarderen, want de liefde daarvoor had hem tegelijk met Esther verlaten. Hij leefde in steden, was gewend aan uitlaatgassen en parkeermeters. De natuur was iets dat je in parken en dierentuinen kon bezoeken. Leven achter hekken dat met moeite werd gekweekt en het favoriete uitstapje van de tweeling was geweest. Jarenlang had hij bij de aanblik van zieke zeehonden en door olie besmeurde eenden de liefde voor zijn kinderen gevoeld. Maar ze waren net zo zeer verdwenen als het Amazonebos dat door boeren werd platgebrand, zo had hij vanochtend in het vliegtuig in de krant gelezen, en hij kon niet anders denken dan: 'alles verdwijnt'. Wat zich niet kon redden werd vermorzeld, wat zwak was werd weggevaagd, dat waren de onverschillige wetten van de eeuwigheid. Een koe, een schaap, een dolfijn, bijna elk dier vertederde hem, maar toen hij een keer in Japan de kans had gekregen om walvissevlees te eten, bestelde hij een driedubbele portie en rolden zijn met sake gevulde Japanse *counterparts* over de grond van het lachen om hun mateloze collega uit Holland.

Als het niet om eten ging had Hoffman nu geen boodschap meer aan de natuur. Maar deze duinen en de zon die in de smerige zee zakte riepen een vreemd soort bevrediging bij hem op – hij constateerde een tintelende rust.

Toen hij het pension betrad was hij doorweekt. Hij trok zijn kleren uit, sloot de gordijnen (grote, kleurrijke bloemen) om de werknemers van de sloperij niet te verontrusten en zette een schemerlamp (waarvan de glazen kap de vorm van een bloem had) naast zijn fauteuil. Hij verheugde zich op de komende uren met Spinoza en poedelnaakt begon hij aan het volgende hoofdstuk, 'De fictie'.

'Laten wij derhalve beginnen met het eerste deel van de methode, dat, zoals ik gezegd heb, bestaat in het onderscheiden, en wel in het afscheiden van de ware idee van de overige waarnemingen en het behoeden van de geest voor het verwarren van ware ideeën met onware, fictieve en twijfelachtige ideeën.'

Spinoza behandelde in dit hoofdstuk de vraag hoe je met hypotheses en veronderstellingen moest omgaan, hoe je zinvolle ideeën kon onderscheiden van zinloze. Hij gaf definities voor termen als:

a. '*onmogelijk* als het contradictoir is dat zijn natuur bestaat';

b. '*noodzakelijk* als het contradictoir is dat zijn natuur niet bestaat';

c. '*mogelijk* als het bestaan of niet-bestaan in relatie tot zijn natuur niet contradictoir is'.

Hoffman begreep a) in de zin van: neef Jan is onsterfelijk. Zo'n uitspraak was in tegenspraak met het ervaringsfeit dat mensen geboren werden en later stierven. Onsterfelijkheid en Jan's menselijkheid waren met elkaar in tegenspraak, dus de uitspraak suggereerde een onmogelijke situatie (ook al liet de taal zulke uitspraken toe).

b) betekende zoiets als: de aarde draait om de zon. Dit was noodzakelijk omdat de ontkenning van deze uitspraak tot tegenspraken met de ervaring zou leiden.

Met c) was het lastiger gesteld. Hoffman zocht naar een voorbeeld. Hij vond het in: naast de mens komt er in het universum nog ander intelligent leven voor. Zo'n uitspraak viel te bewijzen noch te ontkennen, hij hing aan onbekende factoren die hun waarde pas konden tonen als ze bekend werden.

Het drong tot Hoffman door dat hij de *Verhandeling* in zijn eigen tijd moest blijven zien: Spinoza had in de zeventiende eeuw geleefd, een tijd die zinderde van ontdekkingen, Descartes had al gedacht, Newton had de appel zien vallen, en Spinoza had een systeem proberen te ontvouwen waarmee een steeds gecompliceerder ogende werkelijkheid (gecompliceerd in haar verschijningsvormen, maar naar ze toen hoopten helder en bevattelijk in haar grondslagen) kon worden beschreven, en daarmee: kon worden begrepen in haar essenties.

Het hele prachtige hoofdstuk ging over de houding waarmee iemand hypotheses kon onderzoeken. Wanneer iemand aandacht schonk aan 'de gefingeerde en van nature onware zaak om die te overwegen en te begrijpen en daaruit in de goede orde conclusies te trekken, die eruit te deduceren zijn, zal hij gemakkelijk de onwaarheid ervan aan het licht brengen; en indien de geest aandacht schenkt aan de gefingeerde zaak die evenwel van nature waar is, om die te begrijpen en in goede orde daaruit begint te deduceren wat eruit volgt, zal hij gelukkig en zonder onderbreking voortgaan...' En hij kalmeerde de angstigen door op te merken dat 'wij op geen enkele wijze hoeven te vrezen dat wij iets zullen fingeren als wij de zaak maar klaar en duidelijk waarnemen'. Hij bood drie conclusies aan:

1. een idee kon pas op zijn waarde geschat worden als het 'de idee van een volkomen eenvoudige zaak is';

2. een gecompliceerde zaak moest tot heldere, kleine delen worden teruggebracht zodat elk afzonderlijk op zijn essentie kon worden bekeken;

3. fictie (daarmee scheen Spinoza niet alleen een hypothese, maar woorden als onwaarheid, lucht, onzinnigheid te bedoelen) woekerde op gecompliceerde ideeën, want als zij 'enkelvoudig was, zou zij helder en onderscheiden zijn en bijgevolg waar'.

De telefoon bracht hem terug naar de bloemenkamer.

'Waar hebben ze je nou gezet?' hoorde hij Wim Scheffers vragen.

'Ach 't valt wel mee.'

'Ik verzeker je dat ik morgen een goed hotel voor je heb.'

'Laat maar, Wim, ik zit hier eigenlijk wel goed.'

'Die Van Galen is een ettertje.'

'Ik wil hier niet weg. Echt niet.'

'Nou, zoals je wil. Doe je iets met eten?'

'Ik was van plan hier wat te happen. Hoe laat is 't eigenlijk?'

'Acht uur.'

Er werd op de deur geklopt.

'Eén moment, Wim.'

Hij stond op, sloeg een handdoek om en opende de deur op een kier. Mevrouw Paardekoper wachtte daar op hem. Ze keek bezorgd naar het oog dat hij liet zien.

'Meneer Hoffman, gaat 't wel met u?'

'Ik ga heel lekker, mevrouw. Ik heb me net uitgekleed om een bad te nemen.'

'Wij dachten dat u ziek was. We zitten al een halfuur beneden op u te wachten.'

'Waarom dan?'

'Om halfacht wordt 't avondeten geserveerd.'

'O dat wist ik niet.'

'Daar.' Ze tikte op de deur. Hij zag een in cellofaan verpakte mededeling aan de binnenkant van zijn deur. 'Daar staat 't.'

''t Spijt me, ik heb 't niet gelezen... en ik moet weg.'

De vrouw keek hem treurend aan.

'Ik heb speciaal voor u gekookt, meneer Hoffman. Allemaal Surinaamse specialiteiten. Alleen voor u. Er is niemand anders.'

'Ik kom er zo aan,' beloofde hij om gewetenswroeging te voorkomen.

'Ik hou 't warm!' riep ze opgewekt bij het weglopen.

'Wim?' vroeg hij.

'Ja.'

'Kwart over negen?'

'Goed.'

'Waar?'

'Ken je nog dat Italiaanse restaurant om de hoek bij het oude Ministerie?' vroeg Scheffers.

'Pergola, bij 't Plein?'

'Precies. Kwart over negen.'

Beneden nam hij tussen de Paardekopers plaats. Ze had zich uitgesloofd. Ze noemde de namen van de gerechten en Hoffman at in grote vaart de schotels leeg, rijke, pikante gerechten met deeg en vlees en kip en vis en zware sauzen. Roti's, pitjel, rijst met kouseband en zout vlees, risol, batjauw, pastei, heri heri, moksi metti, kip tjim tjim, gevulde kopropo.

De kokkin keek hem gelukkig aan en schepte drie keer voor hem op. Haar man zat zwijgend te eten, voorovergebogen en met een arm om zijn bord heen, alsof hij het moest beschermen tegen mogelijke diefstal door Hoffman.

Om vijf over halfnegen kon hij aan haar ontsnappen. In zijn wc stak hij een vinger in zijn keel en kotste de hele maaltijd in de pot. De hoogtepunten van de rijke Surinaamse keuken vloeiden in één diepe, hevige golf uit zijn maag. Hij trok door en veegde zijn mond schoon.

Een halfuur later zat hij tegenover Wim Scheffers in La Pergola, een druk Italiaans restaurant dat favoriet was bij leden van het diplomatieke corps en ambtenaren van BZ, die ook na de verhuizing van het Departement bleven komen. Hoffman had in de snikhete zaak zijn colbert uitgetrokken.

'Hoe gaat 't in Praag?'

'Perfect,' zei Hoffman. 'Geen graffiti op de muren, de straten zijn schoon, geen bedelaars, de ideale staat voor de gewone conservatieve burgerman zoals jij en ik.'

Wim glimlachte. Hij zag er behouden uit. In leeftijd scheelden ze slechts drie weken maar hij oogde tien jaar jonger dan Hoffman. Wim deed aan golf en squash, droeg Italiaanse kostuums, had een gebit dat elke lach stralend wit begeleidde. Hij was vaste klant bij een dure kapper en lette erop dat zijn huid altijd een bronzen teint had. Zijn colbert hield hij aan want hij had te veel stijl om last te hebben van de warmte. Hij trok de manchetten uit de mouwen van zijn colbert en hij liet zijn dure manchetknopen zien, gouden knoppen met zijn initialen erop.

'En hier?'

''t Zelfde,' antwoordde Wim, 'gevechten om de mooie

plaatsen, veel papierwerk, maar we houden 't wel.'

Hoffman nam een slok wijn, Barolo '83, geen topwijn maar voor een Italiaan had hij klasse.

'Marian?'

Hoffman haalde zijn schouders op.

'Ze is druk bezig met 'r boek.'

'Nog steeds?'

'Ja.'

Wim wist dat Felix' huwelijk al jaren geleden was verdord, ook al had Hoffman er nooit één woord aan gewijd (misschien was dat juist de reden dat Wim ervan wist). Een ober dook aan hun tafel op en allebei bestelden ze ham met meloen en pasta alla vongole.

'Hoe is die jonge jongen, Sonnema?' vroeg Wim.

'Bijdehante jongen,' zei Hoffman, 'hij is bij de pinken en hij weet zich te verkopen. Die gaat zeker hard naar boven?'

'Hij is een van de jonge sterren. Concurrent van Van Galen.'

'Van Galen is een afrukkertje. Moet je van af.'

'Ik zal 't doorgeven.' Wim glimlachte, zei toen: 'En hoe gaat 't met jou, Felix? Red je 't daar met jezelf?'

'Ik kom de uren wel door. Ik heb een... een filosofisch boek gevonden... en dat boek dat trekt me de nachten door.'

'Filosofie? Felix,' vroeg hij nadrukkelijk bezorgd, 'is er iets met je?'

'Wie weet... 't gekke is dat 't me nog interesseert ook... maar goed ik hou 't wel uit in Praag.'

'Mooi,' zei Wim, daarmee niets bedoelend. Hij haalde merkbaar diep adem. Hij begon aan een roddel, en ze aten en lachten en twee flessen later stonden ze buiten in de broeierige nacht.

Hoffman had zijn oude Burberry bij zich, zijn metgezel die alle continenten had gezien, maar de regenjas diende geen enkel nut. Het had al weken niet geregend. Wim wilde weten of Hoffman een auto bij zich had en hij vroeg om een lift.

'Ik moet je iets vertellen,' zei Wim toen ze naar Hoffman's huurauto liepen, een zwarte Nissan. Hoffman had weinig sympathie voor de manier waarop Japanners hun produkten over de wereld uitstortten, maar het was de goedkoopste auto bij Hertz. Als hij niet in een Mercedes kon worden vervoerd, koos hij voor het eenvoudigste.

'Ja?'

Hoffman vroeg zich af of Wim op de hoogte was van andere streken van Van Galen.

Wim liep na te denken, alsof hij zijn verhaal in gedachten repeteerde, maar hij zei nog niets. Ze stapten in. De auto startte meteen en Hoffman reed weg.

'Waar moet je heen?'

'Ik wijs je de weg wel,' antwoordde Wim.

Hij gaf Hoffman aanwijzingen over de te volgen route.

''t Gaat over Mirjam,' zei hij.

Hoffman, hees opeens, vroeg: 'Mijn Mirjam?'

Hij ging verzitten en kneep in het stuur.

Wim knikte. 'Ja.'

'Mirjam is al vijf jaar dood, Wim.'

'Dat weet ik, Felix. Ze is dood, maar ik ben toevallig iets tegengekomen dat met haar... dat met haar te maken heeft, ook al is ze dood.'

Hoffman staarde door de voorruit naar de straat, maar hij zag niets.

'Wat is 't? Je kunt alles tegen me zeggen, Wim.'

'Verdomme, Felix, ik heb hier echt over nagedacht, of je dit moest weten, maar ik dacht...'

'Zit niet te zeiken. Vertel 't me.'

Hij wierp een blik opzij en zag dat Wim knikte. Hij wreef ruw over zijn gezicht. Opeens zei hij:

'Okee. Luister. Twee weken geleden had ik een afspraak met een... een vrouw die ik ontmoet had en...'

'Waar?' vuurde Hoffman.

'Waar? Bij de opening van een tentoonstelling. Heeft er niets mee te maken,' legde Wim uit. 'Met haar ben ik gaan eten en toen... toen zijn we samen... ergens naar toe gegaan...'

Hij viel weer stil. Hij gaf de aanwijzing dat Hoffman een bepaalde straat moest inslaan.

'En toen? Waar ben je toen heen gegaan? Hou me niet in spanning.'

'Hier! Stop hier even.' Hoffman bracht de wagen tot stilstand in een straat die baadde in het licht van de neonreclames van cafés, bars, restaurants, sexshops.

'De vrouw met wie ik daar was...'

'Hoe heet ze?' wilde Hoffman weten.

'Felix, dat doet er niet toe.'

'Ik wil dat weten.'

Wim schudde zijn hoofd, zuchtte.

'Geloof me nou, zij heeft er niks mee te maken!'

'Ik wil weten over welke vrouw jij 't hebt!'

'Ria Voeten.'

'De vrouw van Jef?'

'De vrouw van Jef...'

'Moet je zelf weten, Wim, ze ziet eruit als een hete meloen, je moet 't zelf weten...'

'Luister nou!' riep Wim. 'Ik wil je iets vertellen!'

'Vertel 't me godverdomme dan!'

'Hou je mond, luister...'

Hoffman draaide zich naar hem toe en legde zijn arm op de rugleuning. 'Ik luister...'

'Ik had een afspraak met Ria Voeten. We gingen eten. Het gesprek kwam daar om de een of andere reden op en ze vertelde dat ze nog nooit een porno had gezien...'

''n Pornofilm?'

'Ja...'

Wim haalde adem, ging verder.

'Nou... we gingen naar een... pornobioscoop en daarin speelde...'

De consequentie van het bezoek aan de pornofilm werd Hoffman in een fractie van een seconde duidelijk.

Hij trok wit weg. Pijn trok uit zijn buik naar zijn borst, alsof hij op de plee zat en iets onmogelijks van zichzelf wilde, en luid, alsof ze in alle cafés in de hele straat tegelijk de volumeknop van de versterkers opendraaiden, hoorde Hoffman opeens de radeloze kakofonie daar, het favoriete deuntje van de waanzin.

Hij wilde niet weten wat Wim ging zeggen, hij wilde de smerigheid niet uit diens mond horen. Paniek sloeg door hem heen.

'Waar!' schreeuwde hij.

Hij draaide zich naar Wim en wist dat deze hem niet gehoord had. 'Waar!' brulde hij opnieuw.

Met een trillende vinger wees Wim naar de overkant van de straat. Een klein pand tussen twee kroegen. Neon boven de ingang: ADULT MOVIES, PRIVATE CABINS.

'Blijf hier zitten!' schreeuwde Hoffman.

Hij stapte uit en stak de straat over.

Het was vreemd dat hij zoveel moeite met lopen had, alsof zijn knieën los zaten en geen steun meer boden. Maar hij haalde de ingang, duwde de deur open en kwam in een donkere hal.

In een hoek brandde rood licht. Er stond een tafel waarachter een puistige jongen in een tijdschrift zat te bladeren. Het was er heet als in een Turks bad.

'Hoeveel!' riep Hoffman tegen het meisje achter het dikke glas van het loket.

'Tientje.'

Hij legde het geld neer en het meisje trok het biljet door de gleuf van de geldla.

'Om hoe laat begint 't!'

'Doorlopende voorstelling.'

'Hoe heet 't?'

Loom wees ze op een affiche, verderop in de donkere hal. Hoffman had het niet gezien, las nu: ARDENNER HAM. Hij hoorde het zichzelf zeggen.

'Komische porno,' legde de jongen achter de tafel uit, rechtop zittend en argwanend naar de luidruchtige Hoffman kijkend. 'Made in Holland.'

'Hoe kom ik binnen!'

De jongen stond op en liep naar een brede deur. Hij had de gestalte van een worstelaar. Onder zijn oksels zaten grote zweetplekken.

'Wilt u rekening houden met andere bezoekers?' vroeg hij.

Hoffman zag niets toen hij de nacht van de zaal betrad. Hij hield zich vast aan de deur en zag bij een flikkering van het beeld een grote, lege zaal met rijen stoelen. Hier en daar een eenzame toeschouwer. Hij schuifelde naar de dichtstbijzijnde stoel en ging zitten zoals een blinde gaat zitten.

Toen hij drie minuten later buitenkwam stond Scheffers naast de auto. Langzaam liep Hoffman naar hem toe, naar zijn voeten kijkend, alsof hij moest leren lopen.

Wim zei: "t Spijt me, Felix. Ik dacht, toen ik 't ontdekte... ik mag 't je niet zeggen, 't is te erg, maar... ik heb er verdomme mee geworsteld, maar ik dacht... je *moet* 't weten. Anderen kunnen 't weten, dus jij ook.'

Hoffman sloeg hem krachtig met de vuist tegen zijn kin. Scheffers wankelde, zwijgend en gelaten, en Hoffman greep hem bij zijn jasje en stootte zijn zware vuist in Scheffers' volle maag. Scheffers kromp ineen en Hoffman liet hem los. Zijn vriend boog zich over de motorkap van de auto en vond daar steun. Hij kreunde en Hoffman zag dat zijn geopende mond naar lucht hapte.

Hoffman liet hem achter toen omstanders dichterbij kwamen en vond in een zijstraat een geschikt café. Op een hoog aan de muur bevestigde plank stond een televisietoestel. TL boven de bar, een smerige vloer, kale formica tafels, verweerde gezichten van gastarbeiders. Dwars door het TV-geluid klonk klagende, monotone Arabische muziek. Hij dronk Algerijnse wijn, gulzig en dorstig. Maar hij bleef helder, denkend en malend en de gevangene van de nachtmerrie in zijn hoofd; hij kon zichzelf geen vergiffenis schenken.

Toen de zaak sloot, reed hij terug naar het pension. Hij voelde de alcohol in zijn bloed en wist dat hij de auto niet onder controle had. Hij moest iets doen, de bioscoop in brand steken of de film uit de projector stelen. De auto slingerde over de straat, raakte een paar keer vast in de Haagse tramrails. Hij haalde het verlaten pand achter de duinen zonder schade.

Met de sleutel die ze hem na het eten hadden meegegeven, opende hij de voordeur. Toen hij de deur achter zich sloot, zocht hij uitgeput steun tegen een muur. Hij was bang dat hij geen kracht had om naar zijn kamer te lopen.

'Goeienacht,' hoorde hij.

Hij keek om. In de donkere hal zat Paardekoper in zijn schommelstoel.

'Goedenacht,' prevelde hij.

'Fris buiten?'

''t Gaat.'

'Je weet 't nooit met 't weer,' zei de man.

'Nee,' fluisterde Hoffman.

'Wind?'

'Wind?'

'Ja. Buiten wind?'

'Ik weet niet. 'n Beetje wel, geloof ik.'

'Vaak wind hier aan de kust,' zei de man.

Hoffman knikte uitbundig, alsof hij verrukt was die waarheid te omhelzen.

'Welterusten,' zei de man.

In zijn kamer liet Hoffman zich op de gebloemde sprei van zijn bed vallen. Geen stem om de storm in zijn oren te doven, geen hand om de pijn uit zijn gezicht te strelen.

Een weerzinwekkende honger beving hem. Hij stond op en wankelde naar beneden.

'Gaat u weer uit?' vroeg de man.

'Ja. U kunt me helpen. Weet u een snackbar of een restaurant, iets dat nu nog open is?'

'Om deze tijd? Mijn vrouw wil wel wat voor u maken...'

'Nee, nee, doet u geen moeite...'

'De snackbar bij het Kurhaus, op het plein. Die is open, all night...'

Hoffman reed in zijn Nissan naar de friettent. Door het open raam waaide warme wind. Zware jongens in strakke T-shirts stonden er naast hun motoren, hun stugge leren jacks hingen aan het stuur. Hij overwoog de mogelijkheid om ruzie met hen te maken zodat ze hem op zijn gezicht zouden slaan. Hij bestelde er patat, kroketten, sate, gehaktballen, frikadellen, blikjes bier en cola. Met twee volle plastic tassen betrad hij het pension.

'Gelukt?'

'Helemaal.'

'Nog wind buiten?'

'Niks van gemerkt.'

''k Denk toch dat ie er is.'

'Misschien wel.'

'Smakelijk.'

In zijn zitkamer plaatste hij alle bakjes op tafel. Hij hield zijn hoofd onder de kraan en spoelde de hitte van de avond weg.

Hij had geen bestek en at met zijn vingers. Met zijn pinken opende hij Spinoza. Terwijl hij allereerst de dubbele portie patatje 'oorlog' (een dikke saus van mayonaise, satesaus, ketchup, piccalilly) verzwolg (de patat koelde immers het snelst af), begon hij aan Hoofdstuk Vijf, 'De onware idee'. Hoffman had alles wat hij aan denkkracht kon ontwikkelen nodig om de filosoof te volgen, en intuïtief wist hij dat hij hierdoor zichzelf redde: Spinoza beschermde hem tegen de panische beelden van de afgelopen avond, als een medicijn dat gevaarlijke bacteriën isoleerde.

Voor zover Hoffman kon begrijpen – hij dwong zichzelf het te begrijpen – maakte Spinoza een onderscheid tussen de 'gefingeerde idee' (zoiets als een hypothese) en een 'onware idee'. De eerste was niet meer dan een veronderstelling waarvan de 'waarheid' nog bewezen moest worden; de tweede echter werd voor 'waar' aangenomen. De 'onwaarheid' kon eenvoudig worden aangetoond als je maar helder en onderscheidend bleef denken.

Verder meende Spinoza dat de 'waarheid' van iets een 'inwendig kenmerk' van dat iets was.

'Indien immers een architect op de gebruikelijke wijze een bouwwerk concipieert en dat gebouw nooit wordt uitgevoerd of zal ontstaan, is zijn gedachte van dat werk desalniettemin waar; zijn concept is hetzelfde gebouw of het gebouw nu wel of niet bestaat.'

Hoffman, met trillende handen een frikadel naar zijn mond brengend, wilde weten of een eventuele fout van de architect kon worden ontdekt als het bouwwerk nooit zou worden voltooid. Als de architect meende dat het ontwerp in orde was en niemand de moeite nam om het als bouwwerk te controleren, dan kon zijn gedachte nooit 'waar' zijn.

Wie beoordeelde dat? zo vroeg hij zich af terwijl beelden van de film om zijn hoofd vochten. Want naast de architect had niemand er kennis van genomen. Is het niet pas dan 'waar', als het ook voor een ander waar was? Stel dat hij ooit het ontwerp van zijn bundel essays had voltooid, was dat dan een Pulitzerprijs waard geweest alleen al als plan voor een bundel?

Nee, dacht hij, de prijs kon alleen worden toegekend aan een echt bestaande bundel. Toch konden gedachtenconstructies 'waar' zijn, ook al bestonden ze niet in de werkelijkheid. Spinoza had gelijk. Maar wat kocht Hoffman hiervoor?

'Hieruit volgt, dat er in ideeën iets reëels is, waardoor de ware van de onware worden onderscheiden.'

Hoffman dacht: ja, maar wat is dat 'iets reëels' dan? Spinoza beweerde dat er een vorm van waarheid was die meteen als zodanig kon worden herkend. Ideeën konden worden onderzocht en door toetsing kon je hun 'waarheid' vaststellen. Maar hoe doe je dat met ideeën die niet te toetsen zijn, zoals 'God kan bedrogen worden'? Zie je direct in dat dat een 'onware idee' is? Spinoza blijkbaar wel.

Later in het hoofdstuk kwam Spinoza weer terug op de kern van zijn betoog: het leren kennen van de Natuur, het doorgronden van Haar fundamenten. Hoffman, wiens kind de hoofdrol in een pornofilm had gespeeld, popelde van ongeduld om de fundamenten van de Natuur te ontbloten. Hij begreep dat Spinoza hier bezig was een methode voor wetenschapsbeoefening te ontwerpen. Die zou een perfecte kennis opleveren en de weg wijzen naar de Hoogste Wijsheid. Maar zijn kinderen, dacht Hoffman, wat kon de wetenschap toevoegen aan Mirjam's rol in Ardenner Ham? En Esther, wat had Esther bedoeld met haar woorden?

Die konden binnen Spinoza's opvattingen toch 'waar' geweest zijn? Esther had met haar 'weten' misschien wel 'de waarheid' gegrepen! En ondanks het feit dat ze gestorven was, een klein, teder meisje dat al bijna eenentwintig jaar lang in de vochtige aarde bij Zwolle lag, ondanks haar verdwijnen van het gezicht van de aarde omdat ze twintig jaar te vroeg was geboren, had ze misschien 'de waarheid' gekend.

Was dat mogelijk voor een kind?

Veronderstelde Spinoza niet een geoefend, gerijpt mens die zijn analytisch en deducerend denkvermogen – Hoffman had gelezen dat Spinoza van het algemene naar het bijzondere wilde denken – naar het Hoogste kon voeren? Was het mogelijk dat iemand de 'waarheid' kon kennen zonder deze Verhandeling te begrijpen, want dat had Esther natuurlijk onmogelijk gekund?

Verzonken in dergelijke gedachten, afgewend van wat Scheffers hem had getoond, bracht Hoffman de nacht door.

HOOFDSTUK ZEVEN

de ochtend van 4 juli 1989

Tegen de ochtend begon Hoffman te boeren en uit zijn kont knalden felle scheten. *Fast food* had vaak een dergelijke uitwerking op hem, alsof zijn spijsverteringskanalen luidruchtig protesteerden tegen de goedkope oliën en grondstoffen van de snacks. Zalm, kaviaar, mooie pâté veroorzaakten nooit een dergelijke chemie. Hij voelde zich opgeblazen en ledigde zijn maag op de beproefde wijze. De kots was scherper dan anders, bitterder en zuurder. Zijn lichaam was ontregeld, maar in zijn hoofd heerste berusting.

Na een douche verliet hij zijn suite en nadat hij mevrouw Paardekoper ervan overtuigd had dat hij nu geen tijd had om te ontbijten stapte hij in zijn auto en reed hij de stad weer in.

De pornobioscoop was nog gesloten. Hij bleef in zijn auto wachten tot er iemand verscheen. Hij had de tijd, de minuten tikten pijnloos uit zijn horloge. De zon had de smalle straat nog niet bereikt. Vrachtwagens bevoorraadden de cafés. Gerinkel van flessen stuiterde tussen de huizen. Uit de broodjeszaak waarvoor hij geparkeerd stond dreef de geur van verse koffie. Mannen met tuinspuiten riepen elkaar toe, de trottoirs glommen door het water. Een meisje in een paars rokje stak de straat over en zijn hart miste een slag. Direct sprak hij zichzelf toe: dat meisje leek niet eens op haar.

Bij hun laatste ontmoeting had ze een paarse minirok aan die nauwelijks haar billen had bedekt. Met zwarte netkousen, een strak paars truitje van goedkoop nylon en zwaar opgemaakte ogen had ze eruitgezien als een hoer. Ze had hem toen voor de zoveelste keer bezworen dat ze zou afkicken. Ze had om geld gevraagd, duizend gulden, zodat ze haar schulden kon betalen en aan een nieuw leven beginnen. Ze belde wel eens *collect* en dan hoorde hij haar beschadigde stem. Als puber schuilde ze achter een muur van stilte, als adolescent achter een muur van woorden.

Twee vrouwen in onwezenlijk dikke jassen en met doekjes rond het hoofd openden de deur van de pornobioscoop en hij verliet de auto. Toen hij de hal binnenkwam trokken de vrouwen hun jas uit. Een tl-buis flikkerde aan het plafond, het rode licht was blijkbaar alleen voor de avond.

'De baas, is die d'r?' vroeg hij.

Onder hun jassen droegen de vrouwen schorten.

'Baas niet hier,' maakte een van de twee hem duidelijk. Gastarbeiders, kleine, donkere vrouwen met dikke handen en zware wenkbrauwen.

'Om hoe laat komt hij, weet u dat?'

'Niet komen hier. Dáár winkel,' zei de vrouw. Ze wees naar de straat.

'Weet u de naam van de winkel?'

De vrouw overlegde met haar collega, die uit een kast emmers en lange schrobbers pakte.

'Winkel slecht,' legde ze uit.

'Slecht? U bedoelt... zoals dit?'

Ze knikte. De andere vrouw zei, weglopend met haar gereedschap: 'Venus.'

De winkel lag vijftig meter verder in de straat. De etalage lag vol met dildo's, pikant ondergoed en hulpmiddelen waarvoor hij geen bestemming kende. Hij hoorde bij het passeren van de drempel een zoemtoon.

Links achter de toonbank zat een vrouw koffie te drinken, naast de kassa. Onder het glas van de toonbank waren de dildo's in slagorde opgesteld, een regiment kunstpikken. De kleine winkelruimte stond vol met tijdschriftrekken, op de covers grote borsten en vochtige lippen met een wellustige tong.

De vrouw stond meteen op bij Hoffman's binnenkomst.

'U bent de eigenaar van de bioscoop verderop?' vroeg Hoffman.

De vrouw schudde haar hoofd. Ze was een jaar of veertig, om haar hals hing een bril aan een ketting. Op de toonbank, boven de dildo's, lag een roman van Márquez. Door de wind uit een ventilator sloegen een paar bladzijden om. De vrouw legde een hand op het boek.

'Nee. Dat is meneer Van der Wiel. Die is er niet.'

Ze sprak beschaafd en zuiver Nederlands. Hij zag het voor zich: een Haagse dame die dringend geld nodig had en dit baantje had aangegrepen.

Hoffman trok een briefje van vijfentwintig uit zijn portefeuille.

'Misschien kunt u me helpen. Ik zag gisteravond daar in die bioscoop een film. Ardenner Ham. Vreemde film. Ik zou graag willen weten... hoe u daaraan komt.'

De vrouw keek met spijt naar het biljet in zijn hand. 'Ik weet niet of ik dat...'

Hij trok nog een biljet te voorschijn en legde ze allebei op de toonbank.

De vrouw stak de biljetten weg voordat de ventilator ze kon wegblazen.

'Ik geloof dat ze Triple X heten.'

'Waar zit dat?'

'Amsterdam.'

'Heeft u een telefoonnummer?'

'Nee, 't spijt me. Maar 008 heeft 't vast wel.'

In een telefooncel belde hij inlichtingen. Hij kreeg het nummer en draaide Triple X.

Hij vroeg naar de baas. Meneer Polak was er nu niet, maar hij werd in de loop van de ochtend verwacht.

Hoffman reed naar Amsterdam, over kokend asfalt.

Het bedrijf zat op de Geldersekade, vlak achter de Zeedijk, en Hoffman parkeerde zijn auto op de Nieuwmarkt, die onbeschermd onder de zon lag. Hij was hier jaren niet geweest, stelde vast dat het plein was verbouwd tot een chaotisch parkeerterrein.

Het pand waarin Triple X kantoor hield werd met balken gestut.

Een vervallen gang bracht hem naar de toegang tot het bedrijf, een deur die volgeplakt was met stickers van filmtitels als: De grote Fluit van Jan Schavuit, en: De Roos van Tante Toos.

Achter de deur trof hij een vlezig meisje aan. Ze zat er in een kantoor dat volgepropt was met manshoge stapels paperassen en tientallen vierkante dozen die filmblikken bevatten. Haar ronde hoofd was vervat in een krans van dik, krullend haar. Op de hoek van haar bureau draaide een ouderwetse *fan*.

'Dit is Triple X?'

'Ja. Kan ik iets voor u doen?'

'De heer Polak? Is die er?'

'Heeft u een afspraak met hem?'

'Nee. Ik probeer 't op goed geluk.'

'Nou u heeft mazzel want hij heeft 't erg druk.'

Ze drukte op een knop van een intercom.

'Pap, d'r is hier 'n meneer voor je.'

"Wie?' hoorde Hoffman hem vragen.

'Wat is uw naam?'

'De Vries.'

'De Vries,' herhaalde ze.

'Welke De Vries?' vroeg de man.

'De echte,' zei Hoffman.

'De echte, pap.'

'De echte? Wat *de echte*?'

Hoffman boog zich over de stapels papieren op het bureau en sprak in de richting van het apparaat.

'Als ik u even kan spreken dan leg ik 't allemaal wel uit, meneer Polak.'

'Gaat 't over een rol? Dan kan ik je meteen uit je dromen verlossen want ik heb dekhengsten genoeg.'

'Nee 't gaat niet over een rol.'

'Waar dan wel over?'

'Ardenner Ham.'

'Wat is daarmee?'

'Geld. Kan ik u even zien?'

'Nou... stuur 'm maar door, Judy.'

Het meisje stond op. Hij volgde haar. Ze droeg een strakke spijkerbroek die een massale kont toonde en een zo mogelijk nog strakker T-shirt waaronder een borstomvang van *Hustler*-afmetingen schuilging.

Ze nam Hoffman mee terug naar de gang en wees hem een

deur. Hij las: WAILING WALL PRODUCTIONS.

'Triple X doet de distributie, de Wall is de produktie,' lichtte het meisje toe.

'Dank je wel.'

Hoffman opende de deur en keek in een grote kamer. Deze was modieus leeg. Een kleine man met een grijzend baardje stond op en kwam hem tegemoet.

'Ben jij De Vries?'

'Helemaal,' zei Hoffman.

'Nooit eerder gezien... Joop Polak.'

Ze schudden elkaar de hand.

'Ga zitten, De Vries.'

Hoffman liep over dik grijs tapijt naar het zwarte bureau. Drie leren stoelen stonden ervoor. Polak's stoel was een fauteuil met een hoge rug van zacht leer. Frêle halogeenlampen. Een design-interieur.

'Ik zit net midden in een nieuwe film. We zijn bezig met opnamen hier om de hoek in een schattig appartementje, leuke mensen, eersteklas meisje, maar ze is nieuw en dan kan er wel es 'n probleempje ontstaan.'

Hoffman ging zitten.

Polak bekeek hem met een ingesleten lachje. Hij had perfecte tanden, zijn baardje was door een geoefende hand getrimd. Rond zijn harige polsen zaten dikke gouden armbanden. De lucht hier werd gefilterd en gekoeld. Hoffman hoorde zacht de airconditioning zoemen. Hij was een vreemdeling in deze wereld.

'Zo De Vries, wat kan ik voor je doen? Jij lijkt me niet iemand die om 'n baantje verlegen zit. Maar misschien heb je geld en wil je investeren. Dan ben je welkom.' De man lachte luid.

'Ik wil kopen,' zei Hoffman met trillende stem.

'Kopen? Voor 'n goeie prijs krijg je zelfs m'n dochter. Nee gekkigheid. Okee, wat wil je kopen?'

Polak keek hem breed lachend aan.

'Alle kopieën van Ardenner Ham.'

Polak schudde zijn hoofd, zich verbazend over zoveel onnozelheid. De glimlach loste op.

'Je weet niet hoe duur dat is, De Vries.'

'Vijf ton.'

Opnieuw begon Polak te lachen.

'Eén kopie kost me tien miel om te maken. D'r zijn er vijfentwintig dus tweeëneenhalve ton kostte dat. En dan hebben we 't nog niet eens over de produktiekosten van de film... De Vries, jij weet niet waar je 't over hebt.'

Hij keek nog eens goed naar Hoffman.

Ook Hoffman probeerde nu te glimlachen.

'Okee De Vries... jij bent ook 'n jiddejongen hè?'

Hoffman knikte, nog steeds glimlachend. 'Ja.'

'Wat moet 'n jiddeman als jij met vijfentwintig kopieën van Ardenner Ham? Jij hebt geen bioscoop, jij bent geen sicko, wat ben je dan?'

'Collectioneur,' zei hij zoals hij het in de auto had geoefend.

'Ja an me reet collectioneur. Ik heb ze hier gehad, waar jij nou zit, en geloof me: de jongens waar jij 't over hebt zijn anders. Jij bent een keurige heer, goeie kleren. Stijl, dat heb je De Vries, *stijl*!'

Hoffman glimlachte beleefd.

'Zeveneneenhalve ton,' zei hij, zichzelf niet gelovend. Hij moest Mirjam redden.

Polak schudde zuchtend zijn hoofd. 'Wat wil je nou precies?'

'Ik wil die film. De kopieën, het negatief.'

'Wat wil je d'r mee?'

'Ik wil de enige zijn die ernaar kan kijken.'

'Een van de meisjes die d'r in zitten?'

Hoffman bloosde. 'Nee. De hele film interesseert me,' zei hij.

'Welk meisje?'

Hoffman schudde zijn hoofd.

'Hee, je hoeft je voor mij niet te schamen hoor!' Polak lachte luid. 'Kom op, wie wil je? Ik regel wel wat voor je. Dat kost je wat mezommen, maar geen tonnen. Nou, wie van de meisjes?'

Hij trok de onderste la van het bureau open en viste een kaart uit een archiefsysteem.

'Ik heb hier de namen van Ardenner. Ik weet niet of de adressen nog kloppen, 't is al 'n paar jaar geleden, hè.'

Maar Hoffman wilde geen confrontatie met de namen. Hij schoof naar het puntje van zijn stoel.

''t Gaat me om de film, Polak. Ik wil het negatief hebben. Noem een prijs.'

'Twee miljoen.'

Hoffman hield zich in de plooi bij het horen van dat bedrag, hij zei: 'Een miljoen.'

Polak zuchtte.

'Luister, De Vries: Ardenner mag je van mij hebben voor 't juiste bedrag, okee? Maar misschien kun je 't goedkoper houden voor jezelf, okee, want jij bent geen verzamelaar. Nou?'

'Eén en een kwart.'

'Welk meisje, De Vries? Op wie kom je klaar?'

'Eén en een kwart, zei ik.'

'Nee. Ardenner kost twee miljoen. Weet je waarom twee miljoen? Omdat die grap *mij* twee miljoen heeft gekost. Ik heb alleen de kosten van de kopieën eruit kunnen krijgen. Komische porno? Vergeet 't. Twee miljoen. Anders heeft 't geen zin voor mij om 'm van de hand te doen. Echt niet. Dan melk ik 'm liever nog 'n paar jaar uit, weet je, en dan vergeet ik nog de rentekosten.'

'Ik heb geen twee miljoen. Eén punt drie. Dat is alles wat ik heb.'

'Ga d'r iets gezelligs mee doen, jongen.'

'Verkoop me die film, Polak.'

Hoffman hoorde zichzelf smeken. Als het moest zou hij voor hem in het stof knielen. Een jood die knielt.

'Ik *moet* de film hebben... ik kan 't je niet uitleggen, maar die film mag niet meer gedraaid worden, begrijp je? Eén punt drie miljoen, da's een hoop geld, Polak.'

'Cash?'

'Nou cash... in schilderijen. Getaxeerd.'

'Wie?'

'Cobra.'

Polak pakte een potlood van het glimmende bureau en tikte ermee op een geel notitieblok, een Amerikaanse *legal pad*, het kleurde mooi bij het zwarte tafelblad. Hij keek op de archiefkaart.

'Een van je dochters, De Vries?'

Hij wierp een blik op Hoffman.

Deze trok wit weg. Hij voelde dat de tranen in zijn ogen sprongen, beet op zijn lip.

'Een dochter van je, hè De Vries?'

Hoffman kon niet reageren, maar Polak schudde geërgerd zijn hoofd.

'Altijd 't zelfde met die meiden... altijd. Wie was 't? Vertel 't me nou maar, je bent de eerste niet.'

Hoffman reageerde niet.

Polak las de kaart.

'Suzy Jean? Nee. Linda Hammer? Rosetta Jones? Nee. Shit. Mevrouw de hoofdrol zelf. Esther Kaplan. Godverdomme.'

De tranen stroomden opeens over Hoffman's wangen. Hij huilde niet, maar de tranen bleven gaan ook al wilde hij geen emotie tonen.

Polak legde zijn ellebogen op tafel en schudde zijn hoofd.

'Shit, man... had je niet beter op 'r kunnen letten?'

Hij veranderde opeens van toon, een andere tactiek proberend. 'En *so what*? Nou, dan laat ze maar d'r poesje zien, lig jij daarvan wakker?'

'Ze is dood, Polak. Ze heeft alle foto's van zichzelf vernietigd. Die film mag niet meer...'

Polak keek hem ontsteld aan. 'Attenoje,' mompelde hij.

Hoffman veegde zijn wangen droog.

'Hee, Kaplan – jij heet niet De Vries hè? – maar Kaplan heette zij ook niet. Hoe heet je?'

'Hoffman.'

'Okee, Hoffman, wil je wat van me drinken?'

'Nee, dank je.'

'Hoeveel heb je?'

'Een miljoen drie honderd duizend in schilderijen.'

'Beleggingen?'

''t Is alles wat ik heb.'

'Alles wat je hebt?'

'Ik heb 't ervoor over.'

'Geef me die één punt drie in Cobra, Hoffman. Maar ik wil wel de taxatierapporten zien, okee? Overmorgen kun je de kopieën krijgen. Ik zal tegen het lab zeggen dat je 't negatief komt halen. Hier, drink wat.'

Hoffman liet het negatief en de kopieën vernietigen, op één exemplaar na, en dat bewaarde hij in de brandvrije kluis bij een bank in Den Bosch, Lentjes & Drossaerts. De doeken van Cobra waren geruild tegen de film van Mirjam.

Vijfentwintighonderd meter filmmateriaal, vierentwintig beelden per seconde, negentig minuten porno.

Polak had hem ook een doosje met folders gegeven. Kleurenfoto's op glad papier van Mirjam met balken over haar borsten en buik. Hij las dat Ardenner Ham over de echtgenote van een oudere Belgische professor ging die met zijn hoofd in de wolken leefde en zijn echtelijke plichten verzaakte; zijn jonge vrouw zocht troost elders, zowel mannelijke als vrouwelijke troost. Uiteindelijk bleek de slimme professor alles te hebben uitgelokt: hij kwam aan zijn gerief door te kijken en hij keek vanuit een geheime plek toe als zijn vrouw het deed. De film was opgenomen in het zomerhuis van Hoffman bij Vught. De vrouw werd gespeeld door Mirjam. Hij bracht het doosje naar een papierverwerkingsbedrijf en keek toe hoe het werd versnipperd.

HOOFDSTUK ACHT

de middag van 4 juli 1989

Freddy Mancini verbleef nu een week in het *safe house*. Het verwonderde John Marks dat Mancini niet één keer gevraagd had om een einde aan de beperking van zijn vrijheid. Mancini had verscheidene keren met zijn vrouw gebeld, die haar reis door Europa verlengd had, en hij had zich naar het scheen geheel geschikt in zijn lot als verdachte.

Marks had dat vaker waargenomen: de getuige ging zich schuldig voelen omdat hij slechts gebrekkige informatie leverde. Mancini identificeerde zich met de mogelijke slachtoffers van het incident dat hij had gadegeslagen en hij verweet zichzelf dat hij niet beter had opgelet.

Marks had hem twee keer laten aansluiten op de polygraph, de leugendetector waarin hele stammen bij de Firma heilig vertrouwen hadden (Marks zag er een Middeleeuws folterapparaat in), en Mancini had zichzelf steeds meer tegengesproken. Toch was Mancini niet meer dan het slachtoffer van zijn eigen vraatzucht.

Hij had een van de sessies met Mancini op tape laten opnemen en deze met zijn assistenten bekeken. Ze hadden besloten dat ze niets meer uit Mancini konden halen dan wat ze nu wisten en ze zouden hem straks op het vliegtuig naar zijn woonplaats San Diego zetten.

Marks was nu op weg naar het huis. Hij reed in zijn oude Buick. Zijn dealer had hem zijn oude auto meegegeven. Hij wist niet of hij in een auto kon rijden die beschadigd was geweest en misschien moest hij op zoek naar een taxateur die de auto total loss kon verklaren, ook al stuitte zoiets hem tegen de borst. Hij voelde zich vertrouwd in de oude Buick maar de wagen was aangetast door het onafwisbare vuil van monteurs. Hij droeg nu handschoenen.

De neus van de nieuwe had tweeëneenhalf duizend dollar schade geleden. De eigenaar van de Chevy die hij had geraakt, moest met vijfhonderd genoegen nemen. Marks' advocaat had hem gerustgesteld, de man kon geen zaak aanhangig maken, maar Marks had geleerd advocaten te wantrouwen.

Het huis lag bij Potomac, een dorp dat naar de rivier was genoemd, een paar mijl ten noordwesten van Langley, aan de andere kant van de rivier. Vlak voor het dorp draaide hij de geasfalteerde weg af en hij volgde een bosweg die naar het afgelegen huis voerde. Links en rechts bomen en gesloten struiken, een paradijs voor eekhoorns en vossen. Na een scherpe bocht die hij stapvoets nam, werd hij tot stilstand gedwongen door twee mannen die achter een bestelwagen vandaan stapten. Ze droegen zonnebrillen met spiegelende glazen, maar ze waren jong en Marks vergaf het ze meteen.

Ook al herkenden ze hem, ze waren verplicht zijn papieren te controleren.

'Uw papieren, meneer Marks.'

John stak ze zijn ID van de Firma toe.

Ze bekeken de kaart met grote interesse, zoals ze de afgelopen week elke dag hadden gedaan.

'Gaat uw gang, meneer.'

Bij het huis werd hij opgewacht door Robert Maclaughlin.

'Mancini herinnert zich opeens iets,' zei Maclaughlin toen Marks de deur van de Buick opende. Zijn ogen stonden groot van de opwinding.

'Wat herinnert hij zich?'

'Hij zegt dat hij zich een armband herinnert.'

Freddy Mancini zat beneden in de woonkamer voor de televisie. Zijn handen lagen op de brede leuningen van de fauteuil, in zijn linkervuist stond een blikje Cola Light. Mancini glimlachte breed toen hij Marks zag.

'Ha John.'

Marks gaf hem een hand zonder zijn handschoen uit te trekken.

'Klaar voor de terugreis, Freddy?'

'Ja...' Een schaduw schoot over Freddy's ogen.

'Je zult wel blij zijn weer naar huis te gaan,' zei Marks.

'Natuurlijk, maar... d'r schoot me vannacht iets te binnen.'

'O, dat verandert de zaak,' zei Marks zonder overtuiging.

Hij ging tegenover hem op de bank zitten en keek hem zo geïnteresseerd mogelijk aan. 'Vertel maar, Freddy, ik ben één en al oor.'

Freddy oogde nog zwaarder dan een week geleden. Carolyn Bachman had een lijst gemaakt van alles wat ze voor hem had bereid.

'Ik zweer 't,' had ze Marks gezegd, 'ik zweer je dat er heel wat restaurants zijn die verguld zouden zijn met zo'n klant. Die man is één grote vreetfabriek.'

''t Schoot me vannacht te binnen,' zei Freddy, 'in een droom. Normaal vergeet ik dromen meteen, maar ik werd wakker en toen herinnerde ik me alles.'

Hij nam een slok, hield het blikje lang boven zijn mond. Toen het leeg was zette hij het naast zich op de vloer. Daar stonden twee andere lege blikjes, naast drie volle die nog in het plastic bandje van een *sixpack* gevangen zaten. Voor zover mogelijk boog Freddy opzij en hij trok een blikje uit het plastic.

Marks stak een sigaret op. Uit de aansteker sloeg een lange vlam. Hij inhaleerde diep. Buiten de stilte van de natuur. Hij vroeg zich af of hij het huis zou kopen als het als safe house werd afgedankt. De Firma had het sinds een jaar in gebruik. Het was te koop aangeboden door een ouder echtpaar dat naar Palm Springs vertrok, en de Firma had het aangeschaft via een makelaar die voor haar als stroman fungeerde. Het huis zou een jaar of twee worden gebruikt en daarna weer door de makelaar worden aangeboden.

'Ik dacht: betekent die droom wel iets,' ging Freddy verder, 'want het was een droom, nietwaar? Maar opeens wist ik dat die droom niet zomaar een droom was maar een herinnering!'

Hij trok aan het lipje, duwde het daarna in het blikje.

'Deze nieuwe blikjes drinken niet zo lekker,' zei hij, 'iedereen gooide die lipjes overal weg en nu kun je ze er niet af krijgen.'

Hij nam een verse slok.

''t Gaat om 't laatste moment, om 't moment dat Browning in de auto wordt getrokken. Ik herinnerde 't me opeens zo helder, zo precies, alsof ik 'n film zag. Ik zweer 't je, John.'

Marks knikte. Hij zat ontspannen achterover, strak naar Freddy kijkend.

'Die naakte armen waren de armen van een vrouw. Ik weet 't nu zeker. Weet je waarom? Omdat ik nu weet dat er een armband omheen zat, John, en die armband herinner ik me doordat ik 'm in die droom zag! In die auto zat een vrouw. Vind je dat niet gek?'

'Dat vermoeden hadden we al langer, Freddy.'

'Maar nu weten we 't zeker! Een vrouw! Vind je 't niet gek dat ze een vrouw meesturen om Browning te arresteren? Nou ik wel. 't Was 'n vrouw daar in die auto.'

''t Is 'n interessant detail, Freddy.'

'Dat weet ik niet, dat is aan jullie...'

'Ik zal 't vermelden in het rapport, Freddy.'

'Goed... ik vraag me alleen af... misschien droom ik nog wel meer dat soort dingen, je weet maar nooit, misschien hebben jullie wel middelen die die dromen versterken...'

Mancini nam een slok. Marks keek hem afwachtend aan.

'Dus...?'

Freddy zette het blikje op de houten leuning van zijn fauteuil.

'Ik weet niet of 't verstandig is om mij nu al weg te sturen,' zei hij zelfverzekerd. 'Niet dat ik 't hier zo fantastisch vind, maar ik wil jullie helpen. En dat kan ik beter hier.'

'Doe maar 'n voorstel,' zei Marks.

Freddy keek hem verrast aan.

'Meen je dat?'

'Wat wil je, Freddy?'

'Wat ik wil?' Hij klonk opeens somber.

'Denk je dat je nog iets kunt toevoegen aan het onderzoek?'

'Ja, ik denk 't wel.'

'Die armband heb je gedroomd?'

'Ja.'

'Je was diep in slaap?'

'Ja, ik dacht 't wel.'

'Dàcht je?'

'Ik was misschien nog niet echt diep aan 't slapen... maar 't was wel slapen, ja.'

'Freddy, je kent die momenten toch dat je niet slaapt en niet wakker bent en dat alles dat je je voorstelt precies zo eruitziet als in een droom? 't Was niet echt dromen dat je deed, althans dat denk ik.'

''t Was een herinnering, John.'

'Ik betwijfel 't.'

'Wie was daar nou, jij of ik?'

'Daarover hoeven we niet te redetwisten.'

''t Was een vrouw daar, John. Daar kun je toch wat mee doen?'

'Ik weet niet of ik je kan geloven.'

Mancini knipperde geschrokken met zijn ogen toen hij die woorden hoorde. Hij nam een slok om zich een houding te geven.

'Wij waarderen 't wat je voor ons gedaan hebt, Freddy, we zijn je dankbaar dat je zoveel tijd aan ons hebt gegeven. Je hebt ons zo goed mogelijk verteld wat er toen gebeurd is, maar ik denk dat we die mededeling over die armband maar moeten vergeten.'

Freddy sloeg zijn ogen neer, staarde naar zijn gigantische buik. Hij zat rechtop, alsof het vet als een korset fungeerde.

'Ik denk wel dat ik nog meer te weten kom,' zei hij aarzelend, 'als ik maar wat tijd krijg.'

'Wanneer komt je vrouw terug?'

'Morgen.'

'Wil je haar niet graag zien?'

Hij bleef zijn ogen verbergen, staarde nu naar het blikje in zijn rechterhand. Hij streek met een vinger over de rand.

'Natuurlijk wel.'

'Morgen is zij thuis. Jij ook.'

'Ik kan jullie helpen hier. Echt waar.'

'Ga naar huis, Freddy. 't Is beter voor je.'

Mancini hield het blikje boven zijn mond en goot het leeg.

Twee uur later zat Marks in zijn werkkamer op zolder. Achter het grote raam stonden in de hete, trillende lucht de oude bomen van Virginia. Tegen de wand met de rookkanalen had hij een prikbord gehangen en hij hield nu een verse viltstift boven een stapeltje gele archiefkaarten.

Hij had geen vertrouwen in werksters en hield zelf zijn huis schoon, besteedde er elke dag zeker drie uur aan. Hij had een water- en luchtzuiveringsinstallatie laten aanleggen, alle wanden waren geïsoleerd en de ruiten waren van geluidwerend glas.

Hij werkte aan een rapport voor Chris Moakley, hoofd van SE-PC, de afdeling binnen de Firma die Polen en Tsjechoslowakije beklopte en betastte. Moakley had net als Marks een verleden als regionaal controleur en dank zij zijn bureaucratische vaardigheden (hij was een geboren boekhouder) had hij zijn afdeling gekregen. Moakley's bureau lag bezaaid met hulpmiddelen waarmee hij zijn pijp stopte en weer schoonschraapte. Marks kende hem al twintig jaar en had hem er niet op kunnen betrappen de pijp langer dan dertig seconden brandend te houden.

Marks schreef op het kaartje: BROWNING GEARRESTEERD. Hij prikte dit met een speld in het midden van het bord. De Firma-employés die onder bescherming van een diplomatiek paspoort in Tsjechoslowakije werkten, hadden geprobeerd duidelijkheid te krijgen over wat er in de nacht van 21 juni was voorgevallen, maar dat had geen splinter informatie opgeleverd.

Een van de belangrijkste bronnen waarover de Firma in Tsjechoslowakije beschikte werd 'Carla' genoemd. Ze was agent van de Tsjechische veiligheidsdienst en acht jaar geleden door een Firma-employé als dubbelagent geworven. Ze kreeg de codenaam Carla. Het bestaan van Carla was slechts aan een kleine kring bekend; alleen de lokale controleur in Praag, de hoofden van SE en de top van de Firma, in totaal veertien mensen, kenden de identiteit van Carla.

De post die Michael Browning in Praag had moeten ophalen, was afkomstig van Carla.

Carla was er na de arrestatie van Browning in geslaagd een

bericht aan de lokale controleur in Praag door te geven en Marks beschikte over een kopie van haar bericht. Hij had van Moakley toestemming gekregen om het mee naar huis te nemen.

Gisteren had Moakley verteld dat Carla naar het Westen wilde komen.

'Ze wil niet verder gaan. Geef 'r eens ongelijk. We hebben lang plezier van haar gehad. Ze wil naar ons toe en eindelijk es beloond worden.'

Marks had hem erop gewezen dat ze niet wisten of Carla nog te vertrouwen was. Als Carla gepakt was vóórdat ze Browning grepen, dan had Carla vermoedelijk Browning verlinkt.

'Toeval,' zei Moakley. 'Ze hebben Carla niet.'

Marks schreef op een kaart: TOEVAL. Hij prikte die links onder de eerste kaart. Vervolgens schreef hij: CARLA HEEFT BROWNING VERRADEN. Deze kaart prikte hij rechts van TOEVAL, een driehoek vormend met de kaarten.

Als de Tsjechen, om welke reden dan ook, Carla hadden gearresteerd, dan had zij zonder twijfel alle informatie waarover zij beschikte doorgegeven. Carla was een dubbelagent, maar hij kon niet uitsluiten dat zij nu een drie-dubbelagent was, want de lokale controleur in Praag had bericht dat Carla op vrije voeten was.

'Wat zouden *wij* doen?' had hij Moakley gevraagd. 'Stel dat we iemand als Carla hadden kunnen grijpen. Dan zouden we haar draaien en haar weer vrij laten. De andere kant denkt dat zij een dubbelagent is maar in werkelijkheid zou ze weer voor ons werken.'

'Browning kan niet verlinkt zijn,' zei Moakley. 'Toeval. Niemand, maar dan ook niemand wist dat hij zou komen.'

'Carla wist 't,' had Marks gemompeld.

Moakley had een methode uitgedacht die ze bij de Firma 'het reisbureau' hadden gedoopt.

De lastige kant van informatievergaring was met het aanwerven van een bron niet geheel overwonnen. De aanwerving veroorzaakte een nieuwe last: hoe kwam de Firma veilig in het bezit van de berichten die de bron wilde versturen?

Bij de normale procedure kreeg een employé van de Firma in een bepaald land de zorg voor een bron. De bron kende de codes om in contact te komen met zijn 'controleur'. Bij voorbeeld: op een vooraf afgesproken dag (deze afspraken werden bij de aanwerving gemaakt, gewoonlijk onder lastige omstandigheden), laten we zeggen de derde dinsdag van de maand, stond een geranium niet meer midden voor het raam, maar links, wat betekende: ik wil over drie dagen een ontmoeting. Zo waren er met de bron allerlei codes voor boodschappen afgesproken.

In de regel kon de contraspionagedienst van het gastland snel vaststellen welke nieuwe diplomaten verborgen employés van de Firma waren. Voortdurend werden zij geschaduwd, hun woningen werden afgeluisterd, en alles werd gedaan om te voorkomen dat zij in contact kwamen met de bevolking. Het contact met de bron was het gevaarlijke moment.

De letterlijke overhandiging van een bericht, van hand tot hand, kwam zelden voor (ook al gebeurde het wel, in een warenhuis bij voorbeeld). De normale gang van zaken luidde: de bron bracht een bericht naar een bepaalde plek (bij voorbeeld: een holte achter een steen in een of andere muur) en de employé werd geacht zonder schaduwen of andere volgelingen het bericht op te halen en zo snel mogelijk binnen de veilige muren van de ambassade te brengen. Het was een methode voor padvinders, maar een betere was er niet.

Moakley had een variant ontwikkeld: stuur iemand die niet binnen de structuur van een diplomatieke post werkzaam is en laat hem optreden als eenmalige koerier. De koerier had geen diplomatieke status. Dit kon bij een arrestatie ernstige gevolgen hebben, maar hij hoefde een bericht slechts van A naar B te brengen. Hij kende geen namen, geen geheimen, geen codes, en als hij de gewone veiligheidsmaatregelen had getroffen was het zo goed als uitgesloten dat de koerier zou worden ontdekt.

Het massatoerisme, dat tegenwoordig ook het Oostblok aandeed, had de variant mogelijk gemaakt. De oude methode bleef bestaan, maar het reisbureau kreeg zijn aanhangers onder de afdelingshoofden.

Op een aparte basis in New Mexico had de Firma hiervoor employés opgeleid, ver van de andere opleidingscentra van de Firma. De koeriers werden constant door het reisbureau met vakantie gestuurd. Voor sommige lastige landen, zoals Tsjechoslowakije, Albanië, Bulgarije, werden ze extra geprepareerd en op eigen verzoek kregen ze pillen mee die binnen vijf seconden het definitieve einde betekenden, de beruchte L-pil. De pil was al jaren onderwerp van discussie. Marks was er een tegenstander van dat koeriers – per slot van rekening niet meer dan boodschappers in het grote spel – over de pillen beschikten, maar anderen, onder wie Moakley, stelden zich op het standpunt dat arrestatie, door welke oorzaak dan ook, marteling zou includeren en dat niemand verplicht kon worden iets dergelijks te doorstaan. En verder: marteling bracht bekentenissen en de structuur van het reisbureau zou dan worden prijsgegeven. Voor- en tegenstanders hadden een compromis gesloten: de koerier mocht zelf beslissen of hij de L-pil zou meenemen.

Niet eerder was er iemand gegrepen die voor het reisbureau werkte. Browning was het eerste bedrijfsongeval. Moakley had Marks gevraagd het onderzoek te begeleiden.

'Browning heeft niet opgelet. Vermoedelijk gewone bewaking van toeristen en ze hebben hem gevolgd, tenminste, dat hoop ik,' had Moakley gezegd.

'In ons vak is hoop een ongewone gemoedsaandoening, Chris.'

De punt van de dikke viltstift piepte op het droge papier van de kaart. Marks schreef: CARLA WERKT VOOR DE CSSR. De kaart prikte hij onder CARLA HEEFT BROWNING VERRADEN.

Dit alles was hypothetisch, hij beschikte niet over informatie die de vermoedens bevestigde, maar hij moest zijn daden baseren op risicobeheersing. Hij kon niet anders dan een mogelijke arrestatie van Carla als uitgangspunt nemen, want alleen zo kon hij Browning's arrestatie verklaren. Met toeval viel niet te rekenen.

CARLA WIL NAAR HET WESTEN, schreef hij. En op een andere kaart: CARLA IS BIJ ONS EEN PLANT VAN DE CSSR.

Hij keek weer terug naar het eenzame TOEVAL. Als hij bij de Tsjechen werkte en een bron als Carla te pakken kreeg, dan had hij Browning geen strobreed in de weg gelegd. Hij had Carla voor hem laten werken en de andere kant had boodschappenjongens als Browning gestuurd, die met stripverhalen (informatie die pas na uitgebreid onderzoek – maar meestal nooit – haar verzonnen karakter prijsgaf) naar huis terugkeerden. Hij nam het kaartje van de muur en schreef erbij: WANT HET IS ZINLOOS OM B. TE ARRESTEREN ALS JE CARLA AL HEBT.

Hij dacht hier verder over na. Stel dat hij iemand als Carla zou arresteren, ze was onvoorzichtig geweest, had bij voorbeeld materiaal in het archief gefotografeerd en werd betrapt. Hij zou haar ondervragen en de technieken waarover hij beschikte leidden onherroepelijk naar haar bekentenis: ze werkte al jaren als dubbelagent voor de Amerikanen. Hij zou proberen om haar te 'draaien', opnieuw voor zijn kant te laten werken, en hij zou haar vrijlaten maar onder streng toezicht houden. En de bekroning zou zijn dat hij haar vals materiaal gaf dat zij aan haar koerier kon doorspelen. Desinformatie.

Het probleem bij 'draaien' was echter dat je nooit zeker wist of je arrestant wel echt gedraaid was. Er bestonden codes die een agent in staat stelden om zijn controleur of koerier te waarschuwen dat het materiaal besmet was en dat hij geen betrouwbare bron meer was. En als de koerier kwam, nam deze informatie mee terug die gefabriceerd was en Marks zelf zou geloven dat hij de Amerikanen een loer draaide, terwijl zijn 'gedraaide dubbel' in feite nog steeds voor hen werkte.

Nee, als hij iemand als Carla had gearresteerd (liever zou hij haar niet arresteren, zodat zij niet wist dat zij was ontdekt, maar haar slechts onder observatie houden) dan zou hij proberen haar hele lijn op te rollen om in zo kort mogelijke tijd zo veel mogelijk schade aan te richten.

Maar Carla liep nog vrij door Praag. Toeval dus?

Misschien had Browning wel degelijk een fout gemaakt. De hotels daar werden scherp in het oog gehouden en ondanks zijn training had Browning misschien toch de aandacht getrokken bij het verlaten van het hotel. Om de hotels wemelde het van mannen in auto's, met geen andere opdracht dan de observatie van buitenlanders. Browning was de stad ingegaan en ze hadden hem gevolgd. Hij had dat ontdekt en was gevlucht, met de gevolgen die Freddy Mancini had waargenomen.

In dit scenario was Carla nog steeds een betrouwbare bron en stond Moakley's reisbureau borg voor strikt gelimiteerde schade.

Michael Browning had een 'legende' als autodealer in Green Bay, Wisconsin, en als de Tsjechen hem natrokken zouden ze bewijzen vinden dat hij daar al vijf jaar woonde en werkte, zorgvuldig geprepareerd door de Firma. Familie betekende in deze gevallen een risicofactor, maar gelukkig had Browning alleen een broer, die inmiddels bezoek had gekregen van de condoléanceploeg van de Firma. Ze verwachtten van die kant geen problemen.

Marks had deelgenomen aan het beraad over het forceren van een diplomatieke rel. Als het State Department luidkeels ging protesteren dat in Praag een onschuldige Amerikaanse burger gekidnapt was, konden ze via 'bronnen die niet nader genoemd willen worden' de pers voeden met stemmingmakerij. Maar ze hadden besloten de affaire stil te houden omdat je nooit kon voorzien welke onbedoelde effecten daarmee teweeggebracht werden.

Het reisgezelschap waarvan Browning deel had uitgemaakt, had de mededeling geslikt dat hij plotseling naar Wenen was teruggekeerd in verband met een sterfgeval in zijn familie. Niemand had navraag gedaan.

Vermoedelijk was Browning dood, had zijn pil genomen of was bezweken in een Tsjechische cel. Het was onmogelijk om in het labyrint van de Tsjechische *gulag* de sporen van Browning te vinden. De Firma bezat satellieten waarmee de plek van zo ongeveer elke Oosteuropese kogel kon worden vastgesteld, maar het was niet mogelijk om een mens op te sporen.

'Toeval,' had Moakley beweerd. 'Dat is 't enige antwoord.

't Kan niet anders. Laten we 't hopen want anders zijn we Carla kwijt, John. Ik denk niet dat de bovenste verdieping dat wil horen.'

Marks had begrepen dat de top al een besluit genomen had.

'Carla moet eruit?' vroeg hij.

'Ik ben bang van wel,' mompelde Moakley. Hij trok aan de pijp, vlammen sloegen uit de kop. 'Ik hoop dat ze die jongen niet te erg toetakelen. De bovenste verdieping wil Carla hierheen halen. Een bron die zoiets vraagt mag je niet in de kou laten staan, vinden ze. Carla heeft jarenlang haar best gedaan. Ze willen 't met stripverhalen doen. Geef Carla stripverhalen. De allerbeste. Ze kan er haar positie mee verbeteren. Geef 'r stripverhalen waardoor ze het land uit moet. De Tsjechen zullen haar toestemming geven. Zo gauw ze de grens over komt vangen we haar op.'

Marks had geantwoord: 'Misschien naaien ze ons, Chris. Als ze Carla gedraaid hebben en toch Browning hebben gegrepen, wat tegen elke logica in gaat – en daarom doen ze 't ook, begrijp je? – dan hebben ze ons waar ze ons hebben willen.'

'Waar dan?'

'In het Huis van Verwarring, Chris.'

Marks schreef op: VERGEET DE LOGICA. Hij prikte het onder CARLA IS BIJ ONS EEN PLANT VAN DE CSSR.

Ze konden niet meer op Carla vertrouwen. Alles was mogelijk. Misschien had Browning door toeval de dood gevonden, misschien was hij door Carla verraden, misschien werkte Carla al veel langer voor de andere kant. Hij zou laten natrekken wat ze had opgeleverd aan echt geclassificeerd materiaal. Niets was onmogelijk.

Behalve dan dat ze haar naar het Westen konden brengen.

De Britten waren er ooit in geslaagd een bron uit Oost-Europa te halen. In 1985 werd Oleg Gordievski, hoofd van de KGB in Londen, teruggeroepen naar Moskou. Hij werd er door collega's van verdacht een dubbelagent te zijn voor MI6, wat hij ook was, maar de Britten smokkelden hem vanuit Moskou naar Finland.

Het Oostblok had solide grenzen, hekken, elektronische

verklikkers, mijnenvelden, radar, honden, infrarood, dit alles onder het controlerend oog van speciale grenstroepen. Alleen al de KGB had tweehonderdvijftigduizend man aan de grenzen staan, en daar kwamen de militaire grensbewaking en de bewaking van de satellietlanden nog bij.

De top van de Firma had besloten dat Carla recht had op een beloning in het Westen. Met stripverhalen moest Marks haar naar Langley lokken. Ze hadden het op deze manier eerder gedaan: geef aan een dubbel sterk materiaal, verbeter zijn positie, zorg dat hij nog meer materiaal kan krijgen als hij een reisje naar het Westen kan maken, zijn chefs geven toestemming voor het reisje als het echt iets waardevols kan opleveren, en zorg dat hij verdwijnt zodra hij hier is. Het waren langdurige, gecompliceerde operaties. Het was het werk waarin hij excelleerde.

Marks moest Carla naar het Westen brengen. Als zij een 'gedraaide dubbel' was, dan zou het probleemloos verlopen, want de Tsjechen hadden er belang bij dat ze in Langley terechtkwam (hij zou voorkomen dat zij inzicht kreeg in het functioneren van de Firma), maar als ze nog steeds betrouwbaar was dan zou hij perfecte stripverhalen moeten laten maken en die subtiel op Carla's pad plaatsen. De Tsjechische analisten mochten niet ontdekken dat de documenten – gewoonlijk een *mix* van echte en fictieve informatie – geconstrueerd waren. Carla's positie bij haar chefs moest langzaam en geloofwaardig worden versterkt en de reis naar het Westen moest een enorme doorbraak beloven, alsof een mogelijke schat kon worden binnengehaald, de schat van supercomputers en geavanceerde militaire apparatuur.

Hij schreef: DE LOGICA IS: VERTROUW CARLA NOOIT.

En op een volgend kaartje: DE STRIPVERHALEN MOETEN PERFECT ZIJN. Als Carla nog voor de Firma werkte, waren ze verplicht om haar te helpen, zonder schade te berokkenen, en daartoe zouden ze over de stripverhalen kleine geheimpjes strooien, de lokkers voor de Tsjechen. Maar als ze een 'gedraaide dubbel' was, mochten de stripverhalen geen waarde van belang bevatten. Marks besloot dat hij zich moest baseren op deze laatste veronderstelling.

Op een onopvallende manier moest Carla in staat gesteld worden de lege stripverhalen te verwerven.

Hij had hier hulp voor gekregen. Van Carla zelf.

Hij schreef: HOFFMAN.

Gisteren had Moakley hem de kopie van Carla's bericht gegeven: 'Onze lokale man heeft 't opgehaald op de afgesproken plek.'

'Dus het lag er nog?'

'Ja,' zei Moakley.

'Vreemd,' zei Marks. 'Wat is 't?'

'Niet echt belangrijk. Ze geeft de namen van drie nieuwe diplomaten in Praag die de Tsjechen geschikt achten voor een werving.'

'Drie diplomaten: Amerikanen?'

'Nee,' antwoordde Moakley, die een blik wierp op een papier. Hij schudde zijn hoofd. 'Hier.'

Hij overhandigde Marks een papier. Carla waarschuwde dat de Tsjechen drie nieuwe buitenlandse diplomaten nader gingen onderzoeken voor eventuele werving. Een Canadees, een Italiaan en een Hollander. Marks had het niet laten merken, Moakley wist van niets, maar hij kende de Hollander.

Marks stond op en ging zijn handen wassen.

Toen hij terugkwam keek hij naar de kaartjes op het prikbord en hij genoot van het esthetische patroon dat ze vormden. Zijn werk deed niet onder voor dat van een componist of auteur. Hij herschikte de werkelijkheid. Hij verzon verhalen die absurder waren dan die van Irving en realistischer dan die van Updike. Hij was de beste scenarioschrijver in de Verenigde Staten, maar alleen de twaalf chefs van de Firma waren daarvan op de hoogte.

Hij duwde de arm van de grammofoon boven de plaat en de naald daalde in de groeven van het zwarte vinyl. De Tweede van Brahms. Hij nam de kaartjes van de muur en begon zijn draaiboek uit te werken.

HOOFDSTUK NEGEN

de avond van 4 augustus 1989

Hoffman nam zijn lichtste smoking uit de kast. Hij had er drie. De aanschaf van de smokings mocht hij doorberekenen aan BZ want de pakken vormden zijn werkkleding. Soms moest hij enkele keren per week ingaan op een uitnodiging voor een receptie of party en gewoonlijk stond er op de kaart: *black tie*.

Vanavond bezocht hij een formele receptie ter ere van de accreditering van de nieuwe Italiaanse ambassadeur. Jana had zijn nieuwe lakschoenen opgewreven, ze wachtten op zijn voeten voor de grote kleedspiegel in de slaapkamer.

Zelden was hij er langer dan een uur. Hij maakte er gebruik van de luxueuze badkamer, zocht er zijn kleren uit. Een enkele keer ging hij er op bed liggen om een boek te lezen of om een videocassette te bekijken die de *Auvi*, de audiovisuele afdeling van de Voorlichtingsdienst Buitenland, door de wereld stuurde. Maar hij bleef liever in de keuken.

De arrestatie van de drie journalisten was in Nederland voorpaginanieuws. De minister legde verklaringen af, uitte de 'bezorgdheid' van de regering en wees op het belang van een 'dialoog'. Elk actualiteitenprogramma en elk weekblad vroeg om een interview met hem, maar BZ hield alles af. Na twee weken was Hoffman weer naar Praag gestuurd. Op dat moment zaten de drie nog in een hete Praagse cel, zodat de terugkeer van de ambassadeur geen andere betekenis had dan die van deemoedige acceptatie van het gedrag van de communistische politie. Ondanks de commentaren in de NRC en *de Volkskrant* had het kabinet zich in zijn wijsheid blijkbaar bedacht en was het opeens van mening dat een behoorlijk contact met de Tsjechische regering boven het individuele lot van drie geborneerde Hollandse journalisten ging. Dat was

Hoffman in principe met hen eens, maar ze hadden het eerder kunnen bedenken. Nu had de trip naar Den Haag hem dank zij zijn vriend Wim Scheffers de schaamte om zijn dochter gebracht. Politiek werd altijd persoonlijk.

Hoffman had de Cobra's, zijn persoonlijke oudedagvoorziening, in de film gestoken. Hij had recht op AOW en een pensioenuitkering van BZ, waarvoor hij dertig jaar premie had betaald, maar de appel voor de dorst (nou ja, een fortuin) was hij nu kwijt. Hij was er echter van overtuigd dat hij de zeventig niet zou halen, misschien de vijfenzestig niet eens. Het geld zou hij dus toch nooit kunnen uitgeven.

Een paar maanden voor haar dood, vijf jaar geleden, had Mirjam om de fotoalbums gevraagd die in Khartoum in de kast stonden. Ze wilde van de foto's kopietjes laten maken. Hij had geaarzeld en was gaan informeren of ze dat in Khartoum konden doen, maar hij had de stand van de techniek daar niet vertrouwd en toen hij toch naar Nederland moest had hij de albums meegenomen. Hij betwijfelde of zij over de albums zou waken, maar zij zou diep beledigd zijn geweest als hij haar het tijdelijke beheer over de albums had ontzegd, zij was per slot van rekening zijn enige kind.

Hij had met haar in Amsterdam gegeten, op een van de verdiepingen van een groot Chinees restaurant op de hoek van de Dam en de Damstraat, en daar had hij haar de twee plastic tassen met de albums gegeven.

Zwarte netkousen, een minimale minirok, kort strak truitje dat bij elke beweging haar zacht gewelfde buik onthulde. Ze leek blij te zijn met de albums.

'Te gek, ik had die foto's al zo lang willen hebben. Ik heb zo weinig foto's van jullie.'

'Wij hebben zo weinig foto's van *jou*. Je moet eens wat meer sturen.'

'Ach je weet toch dat ik niet goed fotografeer? Nee, *jullie* moeten meer sturen.'

'Je staat prachtig op foto's,' had hij geantwoord.

'Nee, ik ben 'n heks.'

'Je bent prachtig.'

'Hou op, meneer Hoffman...'

Ze was even stil. Lachte opeens luid.

'Wat vind je ervan als ik 'n winkel begin?'

'Lijkt me leuk,' antwoordde hij zonder dat hij precies wist wat zij wilde.

'Tweedehands kleren. Die winkeltjes zie je tegenwoordig overal. Daar wordt veel geld mee verdiend hoor!'

'Je hoort mij niet zeggen dat dat niet gebeurt.'

'Je kunt er echt rijk mee worden.'

'Nou, rijk...'

'Meneer Hoffman, je weet niet waar je 't over hebt! Die mensen verdienen echt goed, dat geloof je niet als je dat hoort, echt niet. En tweedehands kleren die kun je altijd vinden, goeie kleren dan hè. Die kun je hier genoeg krijgen maar de meesten die halen ze in Amerika, dan laten ze een hele container komen met alles d'r in en dan sorteren ze dat en verkopen ze de beste kleren die d'r tussen zitten. Ik ken er zo wel vijf die echt veel geld verdienen.'

''t Lijkt me een goed idee, schat.'

'Ja echt?'

'Als je 't echt wil...'

'Ik wil 't echt!'

'Nou dan juich ik 't toe als jij 't wil.'

'Meen je dat echt of zeg je dat alleen maar om mij 'n beetje aan 't lijntje te houden?'

'Ik meen dat echt, Mirjam. Ik vind 't een goed idee. Als jij zo'n winkel wil beginnen dan steun ik je. En niet alleen met woorden, geloof me. Maar eerst...'

'Wat nou: eerst...?'

Hij fluisterde nu omdat hij niet wilde dat ze door anderen werden gehoord: 'Je weet wat ik bedoel, Mirjam.'

'Waarom fluister je nou?' zei ze uitdagend.

'Kom nou Mirjam, hou je 'n beetje in.'

Ze zei, te luid naar zijn mening: 'Okee, ik gebruik, *so what*? Ik stop er wel mee, heus wel, want ik wil er zelf ook van af. Ik moet gewoon op 'n dag tegen mezelf zeggen, nou vandaag is 't over en dan is 't ook echt over, maar het is gewoon niet makkelijk hier in dit land als ze zo met dope blijven omspringen. Nou, ik gebruik dus en ik wil 'n winkel beginnen, that's all...'

'Ik wil je h lpen, Mirjam.'
'Ja maar *hoe* wil je natuurlijk niet zeggen.'
'Zeg 't maar hoe...'
'Ik heb 'n winkel nodig, daar begint 't mee.'
'Zoek er een. Ga bij 'n makelaar langs.'
'Dat is heel lastig makelaars hoor...'
'Als je wilt ga ik met je mee.'
'Echt?'
'Natuurlijk.'
'Gaan we morgen kijken?'
'Morgen zit ik de hele dag in Den Haag, schat. Overmorgen kan ik wel, de hele dag.'
'Overmorgen kan ik niet. Kun je morgen?'
Hij schudde zijn hoofd: 'Kun je dat niet verzetten?'
'Jij verzet morgen toch ook niet?' antwoordde ze.
'Liefje, 't is al negen uur 's avonds, ik kan niemand meer bereiken!'
'Hee meneer Hoffman, wil je me helpen? Als ik belangrijk voor je ben dan bel je je relaties morgenochtend maar op en dan zeg je dat je wat anders te doen hebt. Met je dochter naar de makelaar namelijk.'
Hij knikte, met een brandend hart, en ze gaf hem een telefoonnummer waar hij haar de volgende ochtend kon bereiken. Toen hij haar daar belde, nam niemand op. Elk kwartier draaide hij het nummer en de ochtend verstreek. Hij wachtte in zijn Haagse appartement, jammerde om zijn onmacht en de dag verdween zonder dat hij haar had kunnen spreken.
De rest van de week vocht hij tegen zijn onrust. Met een uitgestreken smoel vergaderde hij met bestuurders van stichtingen die ontwikkelingsgelden beheerden, deed verslag van de Kassala Flood Protection en de Khartoum Central Foundry, dineerde, werkte zijn agenda af, bladerde 's nachts in detectives, en treurde tegelijk om het lot van Mirjam. Hun onvermogen om Esther in hun gezin te houden was afgestraft met een levenslange marteling. Ze waren niet meer de familie Hoffman, maar ze waren Mirjam Schuld, Felix Schuld. Elk dagdeel – die week hoorde hij dit vreemde kantoorwoord

voor de eerste keer – draaide hij het nummer. Na acht dagen kreeg hij een mannenstem aan de lijn.

'Is Mirjam daar?'

'Nee.'

Het was duidelijk te horen dat Hoffman de Stem had gewekt. Het was halfvier 's middags.

'Kunt u me zeggen hoe laat ze thuis is?'

'Hee man ik ben geen waarzegger.'

'Zeg haar dat haar vader gebeld heeft. Ze heeft m'n nummer.'

'O ben jij dat?'

'Zeg haar dat ik met haar naar de makelaar wil gaan.'

'O man,' grinnikte de Stem, 'jij bent wel 't laatste dat ze nodig heeft.'

En de Stem verbrak de verbinding.

Twee dagen later, vlak voor zijn terugkeer naar Khartoum, kwam ze hem in Den Haag in zijn BZ-appartementje bezoeken.

'Waarom heb je niks van je laten horen, Mirjam?'

'Altijd die verwijtende toon! Waarom kun je niet 'es gewoon blij zijn dat je me überhaupt te zien krijgt! Ik heb wel wat anders aan m'n kop dan de hele tijd jou bellen weet je wel. Ik heb ook zo m'n zaken, ik heb ook gewoon m'n afspraken en dan staat m'n kop echt niet naar m'n vader die ook zo nodig iets van me wil.'

''t Spijt me, Mirjam. Misschien begrijp ik 't allemaal niet goed. Ik moet overmorgen weg, dus morgen kunnen we naar de makelaar.'

'Man hou toch op met de makelaar.'

Ze lachte schor. Ze droeg goedkope ringen aan elke vinger van beide handen en ze drukte een hand tegen haar mond toen ze begon te hoesten. Ze rookte Gauloise en inhaleerde de staalblauwe rook. Ze zat voorovergebogen op een stoel die bij de eettafel stond. Ze had haar slanke benen over elkaar geslagen en steunde met een elleboog op een knie.

Haar kleding liet geen vragen onbeantwoord over haar figuur, ze zou een man gelukkig maken. Ze richtte zich op toen de hoest niet verdween en ze liep naar de keuken. Hij hoorde dat ze wat water dronk. Daarna hoorde hij:

'Hee heb je hier geen vanillevla of zo?'

Het enige dat ze at was vla en elke twee dagen had hij een pak vla gekocht en weer weggegooid, want hij wilde dat er iets te eten voor haar was als ze plotseling voor de deur stond. Maar hij had het opgegeven en had nu niks in huis.

'Nee dat heb ik niet. Zullen we wat gaan eten samen?'

Ze kwam de kamer in, bleef tegen de keukendeur staan, één hand onder een oksel, de andere met de sigaret voor haar mond.

'Hee, vertel 'ns eerlijk... die makelaar, wil je daar echt naar toe?' vroeg ze.

'Ik wil met jou naar een makelaar, naar een advocaat, naar de bank, je zegt 't maar.'

'De bank ook?'

'Voor 'n winkel? Ja.'

'Ik wil geen winkel. Je wordt hartstikke gek van 'n winkel weet je dat?'

'Wat zeg je nou? Ik dacht dat...'

'Ach man, ik zei maar wat...'

Ze grijnsde. 'Jij geloofde 't echt, hè?'

'Ja, ik geloofde 't echt...'

'Je begrijpt er ook niks van, hè?'

'Waarvan?'

'Van mij. De wereld.'

Opnieuw lachte ze. Ze duwde de sigaret tussen haar dikgelakte lippen en inhaleerde diep.

'Nee,' mompelde hij.

'Man... ik wil helemaal geen winkel. Ik wil helemaal niks.'

'Niks? Op den duur zul je toch iets moeten, lijkt me.'

'Nee. Op den duur wil ik helemaal niks.'

'Schat, je bent net vierentwintig geworden!'

'*So what?* Denk je nou echt dat ik me zorgen maak over "op den duur"? Dertig word ik toch nooit... o ja, nog bedankt voor 't geld.'

'Zeg dat nou niet, Mirjam...'

Ze morste as op de vloer. Ze keek ernaar, veegde de as weg met de scherpe neus van haar laarsje. Ze leunde nog steeds tegen de deurpost.

'Meneer Hoffman... heb je wat geld voor me?'

''t Is op?'

'Ja hee man denk je nou echt dat je van vijftienhonderd gulden kunt bestaan hier?'

Hij had haar voor haar verjaardag een cheque gestuurd met dat bedrag, ruim een maand geleden, en ze had het blijkbaar al weggespoten.

'Hoeveel heb je nodig?'

'Duizend?'

Ze beet op een nagel, keek hem niet aan.

'Mirjam, je hebt net vijftienhonderd van ons gehad.'

'Voor m'n verjaardag, ja.'

'Wat wil je ermee doen?'

'Gewoon... de huur betalen.'

'Waarom ga je niet werken?'

'Er is geen werk.' Ze bleef naar haar nagels turen.

'En jij betaalt geen huur.'

Ze keek met felle ogen op, zei: 'Moet ik soms gaan tippelen of zo? Heb je liever dat ik dat doe?'

Ze gingen eten, althans, hij at en zij nam een paar lepels soep. De volgende dag gaf hij haar het geld, op het Centraal Station in Amsterdam. Bij die laatste ontmoeting was ze gejaagd, zenuwachtig, ongeduldig. Ze trok de envelop uit zijn handen, telde snel het geld. Ze rookte met diepe halen de sigaret op en vertrok, na een vluchtige kus op zijn wang. Ze had haar uniform aan.

Hoffman knoopte nu het overhemd dicht dat onder de smoking gedragen moest worden, een hemd waarvan de knopen onder een frontje waren weggewerkt. De manchetten van het hemd moesten dubbelgevouwen worden en het kostte hem altijd moeite de gouden manchetknopen erin te krijgen omdat de palletjes door twee gaten tegelijk gestoken moesten worden. Zijn vingers waren oud en dik.

De fotoalbums had hij in het huis in Vught teruggevonden. Na de begrafenis was hij er met Marian naar toe gegaan. Hun dochter had zichzelf overal uitgesneden. Marian wilde niet in het huis blijven en ze namen een kamer in Hotel Central in Den Bosch.

Hij had in het leegverkochte huis transparante stukken plastic gevonden. Hij wist niet wat het was, dacht dat het iets te maken had met de spullen die ze spoot en rookte en hij had de stukjes blauw en oranje plastic weggegooid. Hij begreep nu dat het filters waren, restanten van de filmopnamen die in het huis hadden plaatsgevonden voor Ardenner Ham. Hij mocht er Marian niets over zeggen.

Polak had hij naar de loods van Hein Daamen in Den Bosch laten komen. Ze hadden de drieënveertig doeken in een bestelwagen geladen, hij had gezweet als een rund, en Polak had hem de doos met vijf filmblikken gegeven.

'Alles blijft buiten de boeken, hè Hoffman?' had Polak gezegd.

Natuurlijk, hoe zou zijn boekhouder in Den Haag deze uitgave moeten boeken? 'Aankoop negatief pornofilm waarin de dochter zaliger van de heer F. Hoffman zich tussen haar benen laat kijken.'

Nadat hij in Den Bosch was geweest en de laatste kopie van de film had ontvangen, een doos vol schaamte, had hij nog even Wim Scheffers gebeld op het Departement.

'Vergeef 't me, Wim.'

'Ik vergeef 't je. Vergeef 't mij ook, alsjeblieft.'

'Ik vergeef 't je.'

''t Spijt me, Felix. Ik had 't niet moeten vertellen.'

'Of ik 't nou wist of niet, die film bestond.'

'Ik kan me wel voor m'n kop slaan.'

'Ik weet 't nu. Als je 't eenmaal weet, dan kun je niet meer niet-weten. Wat doe je vanavond?'

'Ik nodig je uit, Felix.'

'Probeer je 't goed te maken soms?'

'Lijkt 't daarop dan?'

'Als twee druppels water. Maar laat mij 't goedmaken. Heb ik je pijn gedaan, Wim?'

'Gaat wel. Ik had gewoon een pak slaag nodig.'

Hoffman opende de kast op zoek naar een strik. Hij had een hele doos van die dingen. Een paar jaar geleden had hij bij Saks in New York een donkerblauw dasje gekocht, een gewaagd ding met gele noppen. Hij kreeg er veel complimenten over. Vanavond zou hij het weer dragen.

Deze Italiaanse receptie was het eerste grote feest dat hij hier bezocht, op zijn eigen feestje na dan, maar dat was op z'n Hollands bescheiden geweest.

Er was nu een maand verstreken sinds hij de film had gekocht en de paar beelden die hij ervan had gezien schemerden de hele dag achter zijn ogen. Hij had geprobeerd om zich bewusteloos te drinken. Elke nacht van de eerste week na zijn terugkeer had hij zich met wodka volgegoten. Elke nacht had hij het moment bereikt dat de drank zijn slokdarm irriteerde en de wc opeens te ver weg was. Zijn maag had zich op de keukenvloer geleegd.

Hoe kon je vergeten zonder te slapen? Je vergat alleen als je jezelf kon vergeten. Kon hij die machine in zijn kop maar stilzetten. Continu hoorde hij tussen zijn oren een rusteloze stem. Die domme stem herinnerde hem aan Esther en Mirjam en aan alles dat zijn leven in een labyrint had veranderd. Het was zijn eigen stem, dat wist hij wel, en zonder stem was er geen leven, alleen: deze stem hield z'n mond maar niet, *altijd* zeurde die over *alles* wat hij *niet* wilde horen.

De film die hij in de Haagse pornobioscoop had gezien had zijn vermogen om zichzelf weerzinwekkend te vinden tot universele proporties vergroot. Want hij had niet alleen zitten huilen bij het zien van Mirjam – hij had gevoeld hoe een gruwelijke opwinding zich binnen honderd seconden van zijn schoot meester maakte en hem als een ziekelijke voyeur naar zijn dochter deed kijken. Hij was opgestaan, had wankelend de straat gezocht. Walgend.

De afschuw voor wat hij had gezien was niet zuiver. Mirjam onthulde zichzelf in haar intiemste naaktheid en hij had zijn handen voor zijn ogen gedrukt en tussen zijn vingers door gekeken.

Verboden beelden die hij toch wilde zien.

Ze brachten een rauwe, beestachtige geilheid teweeg. Maar het taboe sprong woest op en strafte hem met zweepslagen die dwars door zijn ziel sidderden. Een vader mocht zijn dochter zo niet zien. Hij voelde een Bijbelse Schaamte.

Hij moest zichzelf zuiveren. Zijn verstand, zijn ziel, zijn lichaam. Maar hij wist dat hij er de kracht niet voor had. Liever vergiftigde hij zichzelf. Als zijn kinderen geen recht hadden op het leven dan had hij het zeker niet. Zijn hart echter bleef kloppen en zijn longen zogen zuurstof en hij kon horen en zien en zijn lichaam bleef maar functioneren terwijl de botten van zijn kinderen in de grond van Zwolle vergruisden. Hij had geen recht op het leven, maar hij kon er evenmin een einde aan maken. Wat zijn kinderen was ontnomen mocht hij niet als iets waardeloos wegwerpen.

Hij durfde de confrontatie met Spinoza niet meer aan. Hij had zich met de *Verhandeling* vermaakt en tegelijk bespeurde hij ergens in zijn achterhoofd het verlangen de denkbeelden van de filosoof heel precies te kennen en in zijn hart te sluiten. Maar ook het recht om ergens van te houden had hij verspeeld.

Hij ging op bed zitten om met behulp van een lepel zijn lakschoenen aan te trekken. Zijn voeten waren gezwollen en het leer spande strak om zijn tenen. Hij moest de schoenen inlopen anders kon hij ze nooit normaal dragen. Hij had ze samen met een nieuwe smoking voor zijn plaatsing naar Praag gekocht. Nieuwe schoenen voor een nieuwe baan. Hij had ze in Waalwijk besteld, bij Greve, waar ze de beste schoenen in de wereld maakten. Hij vertegenwoordigde Het Koninkrijk. Hij was de man die de Eer van het sluwe handelsvolkje aan de zee moest verdedigen. En hij dacht dat hij dat het beste deed door vanavond zijn nieuwe Nederlandse schoenen te dragen.

Hij herinnerde zich de les van zijn moeder: 'Let altijd op je haar en op je schoenen, Felix, want dat zijn de tekenen van beschaving. Je haren zijn schoon en geknipt, weet je waarom? Omdat je daarmee aangeeft dat je je hoofd en je gedachten zindelijk houdt. En je loopt op schoenen omdat je geen dier bent, maar vergeet niet: de schoenen zijn gepoetst omdat je respect hebt voor de aarde.'

Hij had respect voor de aarde, want daarin lagen zijn kinderen. Hij had ook respect voor de lucht, want daarin zweefde het stof van zijn vergaste ouders.

Met moeite strikte hij zijn veters. Hij was zwaar en de jaren begonnen zich aan zijn spieren kenbaar te maken.

Zijn ouders had hij voor het laatst gezien toen hij in het voorjaar van '42 met de varkensfokker vertrok naar de boerderij bij Boxtel.

De boer was klant bij 'de jodenbank'. De familie van de boer, Van de Pas, had een voornaam Brabants verleden, maar de rijkdom was opgezopen en de landerijen verpatst. Boer Eduard van de Pas was de laatste telg, een in zichzelf gekeerde man, een zonderling die met zijn beesten sprak en nieuwe foktechnieken op ze toepaste maar ze zonder mededogen slachtte als hij vlees nodig had. Hij las Rilke en stookte zijn eigen jenever waarmee hij zich bedronk tot hij scheel zag.

Hoffman's vader kende hem al jaren en stelde een ruil voor: verberg mijn zoon en ik streep jouw lening weg. Van de Pas hield zich aan de afspraak. Hij gaf de jongen te eten, bood hem een slaapplaats en hield hem warm.

Tweeëneenhalf jaar werd Felix verborgen gehouden. Hij las de boeken van de boer zonder ze te begrijpen. 's Nachts lag hij huilend op een matras van stro.

Zijn ouders hadden hem verstoten. Ze hadden hem naar een boer verbannen en zouden zelf ergens anders een schuilplaats zoeken. Ook al legden ze hem tientallen keren uit dat het veiliger was als hij in zijn eentje ergens ondergedoken zat (hij stelde zich een kelder voor, diep onder de grond, vochtig en donker), toch begreep hij niet waarom hij niet met hen mee mocht. Hij werd dertien bij de boer, maar hij kon daar tussen de varkens geen barmitswah worden.

Niet zijn moeder maar zijn vader had gehuild toen hij door Van de Pas werd meegenomen. Ze namen afscheid bij de keukendeur. Zijn moeder zei: ''t Duurt niet lang, Felix. Misschien maar een paar weken. Dan kom je weer naar huis.'

'Waar gaan jullie naar toe?' vroeg hij angstig.

''t Is beter dat je dat niet weet,' zei ze.

'Maar ik ben jullie kind!' riep hij verontwaardigd.

'Toch is 't veiliger dat je 't niet weet.'
Hij hijgde van de emotie.
'Wanneer zie ik jullie weer?' vroeg hij.
'Heel snel,' zei ze. Ze kuste hem.
Zijn vader gaf hem zijn koffer aan.
'Hier.'
Felix probeerde met beide handen het handvat fijn te knijpen.
'Pap, ik wil niet...'
'Je moet, jongen, geloof me. Je zult wel heimwee krijgen deze week, maar later... ik denk dat je dan beseft dat 't beter was zo.'
Van de Pas nam de koffer uit zijn handen.
'Kom, die koffer is te zwaar voor jou,' zei hij.
Allebei tegelijk kusten zijn ouders hem, links en rechts op zijn wangen.
'Ga nou maar, Felix,' zei zijn moeder.
Van de Pas zei: 'Wat er ook gebeurt, ik breng de jongen terug, gezond en wel.'
En toen zag Felix dat zijn vader zich niet meer hield en begon te huilen. Zijn moeder sloeg beschermend haar armen om zijn vader, gekweld zei ze tegen haar zoon: 'Ga nou maar Felix, ga maar. Neemt u 'm maar mee, meneer Van de Pas.'
De varkensfokker duwde hem met zijn vuile handen de deur uit en het laatste wat hij van zijn ouders had gezien was de troost die zijn moeder aan zijn vader had gegeven, haar armen om zijn lichaam, zijn hoofd op haar schouder.
Bij Van de Pas had hij tussen de onreine beesten geleefd. Na verloop van een paar weken verschoonde hij zich niet meer, net als de gekke boer die hem daar voedde. De man zoop zijn giftige jenever en sprak tegen zijn beesten. 's Avonds, achter het verduisteringspapier, zat hij in het gele licht van een petroleumlamp te lezen, Rilke, Morgenstern, Hölderlin, literatuur uit de schemering van de waanzin. Hij gaf de boeken aan de jonge jood en Felix las tussen de zwarte vingerafdrukken van Van de Pas de donkere woorden die hij niet begreep:

Der Tod ist gross
Wir sind die Seinen
Lachenden Munds.
Wenn wir uns mitten im Leben meinen,
Wagt er zu weinen
Mitten in uns.

Tot het einde van '44 leefde Felix in de schaduw van die lange vervuilde man die over iets treurde waarvoor hij een gedicht zocht.

Felix was verdoemd. Hij wist niet waar zijn ouders waren en hij las woorden die te groot waren voor zijn ogen. Hij sliep op een matras gevuld met stro en overdag hielp hij de boer, was erbij als hij een krijsend varken de keuken injoeg en de strot doorsneed. De ingewanden lagen schoon en dampend in de buikholte, de schedel werd met een bijl gekliefd en alles werd gegeten, tot aan de poten toe.

Zijn ouders hadden hem verstoten en zelfs toen de Canadezen waren gekomen kon hij zich niet verlossen van het gevoel dat hij veroordeeld was. Zijn ouders zouden hem komen halen, beweerde Van de Pas, maar niemand verscheen op het erf en de maanden verstreken. Hij wachtte en wachtte, vroeg zich af of hij de redding door zijn ouders, hun vergiffenis en zorg, eigenlijk wel verdiend had, en diep in zijn hart wist hij dat hij, ook al begreep hij niet hoe, te kort geschoten moest zijn toen Van de Pas hem had meegenomen naar een wereld van stervende varkens en angstige gedichten. Toen hij in een opwelling in Den Bosch ging kijken, ziek van hoop en schaamte, ontdekte hij dat de ijzige wind door hun huis op de Hekellaan speelde. Hein Daamen redde hem.

Felix had het overleefd, was teruggekeerd uit de verbanning en kon zo uit het hoofd Stefan George en von Hofmannsthal citeren, maar hij wist dat het niet *beter was zo*.

Hij trok het jasje van de smoking aan en bekeek zichzelf in de spiegel. Een wat gezette, arrogant ogende vertegenwoordiger van het establishment. Het glimmende omhulsel van een zwarte ziel.

Ook Sonnema, de jonge tweede man op de ambassade, zou de receptie bezoeken. Sonnema zou eerst bij de kanselarij langsgaan om te kijken of Den Haag geantwoord had. De Tsjechen wilden bij Philips computers kopen, de Tri-z, die nog niet onder het embargo geplaatst waren dat de Nato had ingesteld op instrumenten en apparaten die ook voor militaire doelen konden worden gebruikt.

Hij liep naar beneden en toen hij de laatste treden bereikte, kwam Marian uit de salon, gekleed in haar lange, zwarte avondjurk. Jana wachtte in de hal.

'Ik doe 't wel,' zei hij tegen Jana.

Marian draaide haar rug naar hem toe en zwijgend hielp hij haar in een ragfijn zomerjasje.

Haar haar had nog zijn oorspronkelijke donkerbruine kleur, op één grijze lok na, een witte streep die dwars over haar hoofd liep, een signaal dat ze ouder was dan ze leek. Ze was zichzelf blijven verzorgen en alleen van dichtbij toonde haar gezicht een vaag netwerk van rimpels. Ze was wat zwaarder dan tien jaar geleden, de huid onder haar kin was losser geworden, maar haar ogen stonden nog groot en helder en ze bewoog zich sierlijk en kleedde zich met smaak. Het was jaren geleden dat hij haar naakt had gezien, en hij vroeg zich af of hij in slaap zou vallen als hij in haar armen in bed zou liggen.

Hij streelde even haar zachte schouder toen ze de jas aan had en hij schudde de vraag uit zijn hoofd. Ze wierp hem een glimlach toe, alsof ze op een receptie een vage bekende toeknikte.

De chauffeur stond in de vestibule te wachten. Hij noemde zich Boris, een schrale man met ingevallen wangen en dunne handen. Ondanks de warmte droeg hij zijn pet-met-klep. Die droeg hij altijd ook al hing de pet op zijn grote oren, daarbij zijn dode ogen in eeuwige duisternis hullend. Volgens Sonnema stond ook deze man op de loonlijst van de Tsjechische Staatspolitie want elke lokaal die bij een ambassade de telefoon aannam of voor een diplomaat de auto bestuurde was een werknemer van de geheime politie. Hoffman kon hier niet over oordelen en eerlijk gezegd was het een zaak waarover hij zich niet opwond.

Sonnema had hem *gebriefd* over het HSR, het Hlavni Sprava Rozvedsky, het Hoofd Directoraat Informatievergaring, een afdeling binnen het Ministerie van Binnenlandse Zaken die zich wijdde aan spionage en contraspionage. Het HSR hield een wakend oog over het Corps Diplomatique en zijn werkzaamheden overlapten die van een andere afdeling van het Ministerie, het Federale Directoraat van Informatievergarende Diensten, het FSZS, onder welks vleugels de interne veiligheid van het land en de politieke politie georganiseerd waren. Sonnema beweerde dat deze chauffeur, een woordeloze man met ijle gebaren, een FSZS-agent was. Hoffman en Boris zwegen met overgave in elkaars gezelschap en het zag er niet naar uit dat de chauffeur spoedig de geheimen van het koninkrijk aan de ambassadeur zou ontfutselen.

Hoffman zat naast Marian op de achterbank van de Mercedes en ondanks de airconditioning rook hij haar parfum.

'Wat heb je op?' vroeg hij.

'Estée Lauder. Vind je 't niet lekker?'

'Jawel. Juist wel.'

Ze glimlachte. De banden van hun auto bromden over de kinderkopjes. Het schemerde, maar de straatverlichting was nog niet ontstoken om elektriciteit te sparen. Skoda's, Lada's en Trabanten vulden de straten, volle trams schommelden over ongelijke rails, oude motorfietsen van het merk Jawa kreunden onder het gewicht van bestuurders in dunne hemdjes.

Hoffman keek naar Marian's gezicht, dat oplichtte in de koplampen van tegenliggers, en hij voelde de schuld die als een strakke jutezak zijn hart omhulde.

'Je haar zit mooi,' zei hij.

Ze knikte ongemakkelijk, hem niet aankijkend. Het was eeuwen geleden dat hij een dergelijke opmerking had gemaakt, sinds Mirjam's dood eigenlijk niet meer.

'Hoe komt 't dat ik grijs ben en dat jij je eigen kleur nog hebt?' vroeg hij.

Ze schudde haar hoofd nu, wierp een verbaasde blik op hem.

'Dat komt omdat jij zorgen hebt en ik niet.'

'Ja?' zei hij.

'Nee, natuurlijk niet. Denk je echt dat dit m'n eigen kleur is? Zo mooi op mijn leeftijd?'

''t Zou toch kunnen?'

'Kom nou Felix, doe nou niet zo onnozel.'

'Is 't geverfd dan?'

'Natuurlijk.'

'Sinds wanneer doe je dat dan?'

'Sinds... sinds ik weet niet wanneer.'

'En die witte lok?'

'Dat is m'n echte kleur. Net als jij.'

Wat wist hij nog meer van zijn vrouw? Ze vertelde wel eens iets over Vondel en de vele jaren studie die nog steeds op haar lagen te wachten, ze maakte korte reizen naar Nederland om het Rijksarchief en de Koninklijke Bibliotheek in Den Haag te raadplegen, ze had kennissen, in vele landen, bij wie ze soms ging logeren of die kwamen logeren, ze nam deel aan het circuit van diplomatenvrouwen dat op elke post een eilandje Westerse beschaving in stand hield (met elkaar golf spelen, tennissen, recepten uitwisselen, de nationale feestdagen van tientallen landen vieren, overspel plegen), en verder wist hij het niet.

Marian en Felix waren door hun kinderen aan elkaar gesmeed. De kinderen waren weliswaar dood, maar dat had de keten gehard. De dood had hen tot elkaar veroordeeld en er was niets dat dat kon overwinnen. Hij wist niets van zijn vrouw. En hij bekende zichzelf dat hij geen moed had om meer van haar te weten te komen dan dat zij haar haar verfde.

De Italiaanse ambassade bevond zich vlak achter de Nederlandse, in een neobarok paleis. Hij schudde de hand van de ambassadeur, een flikker met een zijden handdruk, hij schudde de hand van diens vrouw, een lelijke koe met uitgelopen eyeliner, en over glanzend parket leidde hij Marian naar een drukke zaal. Het was er snikheet.

Zwetende heren in zwarte smokings en zwetende dames in het lang, beschaafd converserend met een glas in de hand, stonden schouder aan schouder onder wulpse kroonluchters. Een versteend strijkje in de hoek bracht klassiek voort, maar het geruis van de gesprekken overstemde de snaren.

Links stond een lange tafel met schalen en borden. Een *forkbuffet*, zag Hoffman meteen, het eten kon met alleen een vork genuttigd worden, salades, pâtés, stoofvlees, puree, pasta's. Maar hij had net gegeten. Donkere mannen in nauw sluitende buizen met koperen knoppen toonden breed glimlachend hun witte tanden en waren behulpzaam bij de tafel. Opgewonden trippelden de opgepoetste diplomatenvrouwen op hoge hakken heen en weer.

Hoffman gaf Marian een glas champagne aan en hij nam zelf een glas wodka. *Freddo*.

'Hoe vind je 't hier?' vroeg ze.

'Ach...' zei hij. Hij had hier geen mening over. De Italianen deden maar.

De wodka stroomde in zijn mond en stak daar alles in brand. Dit was de sterkste wodka die hij ooit had gedronken. Hij nam meteen een tweede glas.

'Let je 'n beetje op, Felix?' zei ze bezorgd.

'Altijd,' zei hij. 'Hoe vind *jij* 't hier?'

'Mooi. Italianen hebben smaak.'

'De ambassadeur is een flikker.'

'Ja? Hoe weet je dat?'

'Dat zie je,' zei hij. Hij goot het glaasje leeg.

'Als je zo doorgaat ga ik over vijf minuten weg,' dreigde Marian.

'Je moet maar doen wat je niet kan laten,' zei hij, en hij wenkte de barman voor een *refill*.

'Encora,' wees hij.

In protest draaide Marian haar rug naar hem toe.

Johan Sonnema, de ster van de post, een boomlange jongen met een groot blond hoofd en een dienstbril, dook op aan zijn zijde. Sonnema was historicus en publiceerde zo nu en dan in het NRC-*Handelsblad* 'op persoonlijke titel'.

In de brede palm van zijn rechterhand lagen de vingers van een meisje van een jaar of acht. Ze keek met koortsige ogen naar de smokings en avondjurken. Ze had lang blond haar dat tot haar middel reikte, twee rode strikken prijkten boven haar oren. Onder haar ogen glansde de transpiratie.

'Hee baas,' klonk de diepe stem van Sonnema.
'Ze hebben hier eersteklas wodka, jongen.'
'Geef me d'r dan maar één, baas. Gewaagd strikje.'
'Amerikaans', verklaarde Hoffman.
Sonnema zag Marian en gaf een voorzichtig tikje op haar schouder.
'Mevrouw...'
Ze glimlachte en ontdekte het meisje.
'Is dat 'n dochter van u, meneer Sonnema?'
'Jorinde, geef mevrouw 'ns 'n hand,' zei hij. Koket bood het meisje haar hand aan.
'Heet jij Jorinde?' vroeg Marian.
Hoffman herkende de blik in haar ogen en hij draaide zich naar de bar terwijl een bitter verdriet in zijn ogen prikte. De Italiaanse barman nam direct de fles Stolichnaya ter hand en vulde zijn glas. Hoffman wees naar Sonnema en de Italiaan nam er een tweede glas bij. Hoffman slikte en wierp een blik over zijn schouder.
'Wat wil je dochter, Sonnema?'
'Jorinde?'
'Cola,' zei ze, verlegen wegkijkend.
'Cola,' herhaalde Hoffman voor de barman.
Achter zijn rug sprak Marian met het kind. Hij hoorde het meisje antwoorden. Ze was op bezoek bij papa hier, zei ze met een heldere, prille stem, haar moeder woonde in Nederland met een andere heer. Sonnema baste: 'We zijn vier jaar geleden gescheiden. Jorinde woont bij haar moeder. Maar als 't even kan dan zijn we bij mekaar, hè schat?'
Het drong tot Hoffman door dat hij nooit met kinderen sprak. Zijn werk bracht hem zelden in contact met mensen die jonger waren dan vijfendertig en hij wist dat hij in een melodramatische clown veranderde als hij een meisje van acht ontmoette.
'Hier,' zei hij terwijl hij het glas cola aan het meisje gaf. Zijn hand trilde en hij morste.
'O sorry', zei hij.
Het meisje zag de tremor en omklemde met beide handen het glas. Argwanend keek ze naar hem op.

Sonnema maakte de barman attent op de druppels op het parket en Hoffman voelde de kille blik van Marian. Vragend draaide hij zich naar haar om, alsof hij niet begreep dat haar stille agressie was opgewekt door zijn drankgebruik, en hij overhandigde Sonnema zijn glas wodka.

'U nog iets, mevrouw?' vroeg Sonnema.

'Nee, dank u, ik heb nog,' antwoordde ze afstandelijk.

'Wat gehoord van de Apen?' vroeg Hoffman aan Sonnema.

Bij wijze van toost tilde deze zijn glas op en nipte van de wodka. Hij knikte.

Marian begreep de wenk en nam afstand. Een vrouw die Hoffman niet kende sprak haar aan, een prachtige vrouw van een jaar of dertig. Een van de Italianen boende snel de druppels weg.

'Twee uur geleden kwam er 'n codetje. Néé dus. Duidelijk. De afwijzing is natuurlijk hartstikke voorspelbaar. De machines schijnen onderdelen te bevatten die wèl op de lijst staan.'

'Denk je dat de Tsjechen zullen reageren?'

'Deze afwijzingen krijgen ze bijna elke dag en als ze straf zouden willen uitdelen dan kunnen ze bezig blijven.'

'Waarom vragen ze 't dan?' vroeg Hoffman, naar Sonnema's dochter kijkend, die met grote ogen naar hem opkeek.

'Probéren. 't Komt regelmatig voor dat er toch een bestelling doorheen komt. Ze wéten dat we geen sluitende bureaucratie hebben en zo nu en dan pakken ze een computertje mee.'

Sonnema tilde opeens een vinger op en boog zich naar zijn dochter.

'Hoor je dit?' vroeg hij met een glimlach.

Het meisje knikte, de zijden rozen boven haar oorschelpen schommelden.

'Wat is 't dan?'

'Mozart,' zei ze beslist.

'Jorinde speelt viool,' zei Sonnema, 'ze heeft 'm meegenomen want ze wil elke dag oefenen.'

In zijn gezicht gloeide de liefde voor zijn kind. Hij kon zijn gevoel niet intomen, boog zich voorover en kuste het meisje met overgave op haar voorhoofd.

Terwijl het bloed door zijn slapen suisde wendde Hoffman zijn blik af. Hij zag dat Marian in gesprek was met de vrouw. De vrouw wierp een vluchtige blik op hem en glimlachte. Hij glimlachte terug.

'Wie is die vrouw, Johan?'

'Wie?'

'Met wie m'n vrouw daar staat.'

Met afgewogen nonchalance keek Sonnema om zich heen. Hoffman volgde zijn blik en daaraan viel niet te meten dat hij in het bijzonder de gesprekspartner van Marian op het oog had.

'Wat een mooie vrouw,' zei Sonnema bewonderend.

'Ken je d'r?'

'Is dat niet die dame van Rude Pravo?'

'Journaliste?'

'Ja, ik geloof 't wel. Ik ken d'r niet hoor, maar ik heb wel eens ergens haar handje geschud.'

'D'r komt nou een man bij,' zei Hoffman, die vrij zicht had op de vrouw.

Nogmaals draaide Sonnema zich om.

'Jiri Hladky. Redacteur van Rude Pravo. Dat is dus die dame.'

'Hoe heet ze?'

'Weet ik niet meer. Ik zoek even de wc op. Let jij even op Jorinde, baas?'

Hoffman knikte. Het meisje hield het glas stevig vast en keek haar vader na, wiens warme rode hoofd boven de gasten danste. Hoffman kon haar niet negeren. Hij kreeg van de barman een nieuwe wodka aangereikt en zocht er de kracht voor, veegde de hitte van zijn voorhoofd. Hij vroeg aan Sonnema's dochter waar zij woonde, haar ogen ontwijkend.

'Deventer,' zei het meisje.

'In welke klas zit je?'

'Ik ga naar de vierde.'

Hoffman was op zoek naar een vraag die maar niet verscheen. Ook al zag hij het halfvolle glas in haar handen, hij vroeg haar: 'Wil je nog iets drinken?'

'Ik heb nog,' zei ze, het glas optillend om het hem te laten zien. Hij knikte.

'Zit er nog genoeg prik in?' vroeg hij.
'Jawel.'
Hij meende nu een vraag te hebben: 'Wat voor snoep lust jij?' vroeg hij.
Het meisje begon nerveus te lachen.
'Waarom lach je?'
Ze haalde haar schouders op.
''t Is zo'n gekke vraag.'
'Ja?'
'Wie vraagt dat nou? Grote mensen vragen dat nooit.'
'Maar ik wel. Wat snoep jij 't liefst?'
'M & M's. En drop en negerzoenen maar ook gewoon avondeten hoor. En u?'
'Ik? Ik hou van bereoortjes en slangepootjes...'
'Slangen hebben geen poten.'
'Nee? Dat koop ik toch altijd bij de slager. Zou de slager me dan bedotten?'
'U weet best wel dat slangen geen poten hebben.'
Ze keek hem met ironische ogen aan, volwassen en intelligent.
'Ik maakte maar een grapje,' zei hij. 'Ik hou van alles.'
'Echt alles?'
'Ik geloof 't wel, ja.'
'Ook van... van krokodil?'
'Ja. Heb ik wel eens gegeten. In Afrika. 't Is heel stevig wit vlees. 't Lijkt op kalkoen. Heb je dat wel eens gegeten?'
'Met Kerstmis,' zei ze. 'En mensenvlees?'
'Dat heb ik wel eens gegeten in... ik geloof dat het Timboektoe was.'
'Néé,' zei ze met een vies gezicht, 'dat geloof ik niet!'
''t Was maar 'n grapje.'
'Heeft u ook kinderen?'
Hij schudde krampachtig zijn hoofd.
De barman kwam uit zichzelf met de *refill*. Hoffman vroeg zich af hoeveel glazen hij gedronken had, hij was de tel kwijt.
'Nee, nee, ik heb geen kinderen, nee, nee,' zei hij.
Ze keek hem onderzoekend aan.
'Waarom doet u zo raar?' vroeg ze.

'Doe ik raar?' zei hij.

'Ja. U doet raar,' herhaalde ze met een afkeurende blik.

'Ja? Misschien wel,' mompelde hij. Hij zette het glas op de tafel. Hij wist dat hij dronken was. Sonnema naderde, twee hoofden boven de rest van het gezelschap uittorenend. Het meisje keek opgelucht naar haar vader, die gemoedelijk een hand op haar schouder legde.

'Heeft ze zich goed gedragen, baas?'

'Ja, ja,' antwoordde Hoffman schuchter.

'Gaan we nou rondkijken, pap?' vroeg het meisje.

'Natuurlijk, meid.'

Hoffman's maag ontlaadde zich en door zijn slokdarm rolde een zure bal naar zijn strot. Hij spande zijn keel, hield gespannen zijn mond dicht.

'Excuseer me,' siste hij tussen zijn tanden.

Hij knikte hier en daar naar een gezicht dat hij op zijn eigen receptie had gezien. Met een strakke mond vroeg hij een van de Italiaanse obers naar de wc en hij zocht in een helverlichte gang naar de juiste deur. *Lavabo*, las hij.

Hij kwam in een vertrek dat helemaal wit was, op twee zwarte leren banken na. 'Heren' was rechts. Achter de deur lag een ruimte met spiegels en wastafels en drie wc's. Hij trok aan de klink van de middelste deur, maar deze was gesloten. De linkerdeur gaf mee. Nog voor hij het smokingjasje had kunnen uittrekken spoot de avondmaaltijd uit zijn mond.

Hij liet zich op het witte marmer zakken en voelde dat zijn knieën in iets vochtigs landdden. Opnieuw gaf hij over en hij zag gele vlekken op de zijden revers van zijn jasje spatten. Hij dacht aan de malse kalfsmedaillons in Marsala en de puree met gestoofd witlof die hij vanavond had gegeten – half verteerd en onherkenbaar verminkt, zoals zijn leven. Hij grijnsde om zoveel beeldspraak in zijn gedachten en uit de grijns van zijn geopende mond spoot opnieuw een lading maagpap.

Hij hijgde en veegde met een mouw de viezigheid van zijn kin. Zijn jasje was ontoonbaar geworden en hij vroeg zich af of hij in witte hemdsmouwen de zaal kon betreden. Meteen beviel de gedachte hem, een ijsbeer tussen de pinguïns, en hij vocht zich omhoog uit de nauwe ruimte tussen de pot en de deur. Hij hoopte dat het socialisme een behoorlijke stomerij toestond, anders zou hij zijn smoking naar Wenen moeten sturen. Hij duwde zijn kont wat naar achteren om zijn aars ruimte te geven en een dreunende scheet ontsnapte aan zijn darmen.

Hij trok de deur open en betrad de ruimte met de wastafels. Een diplomaat stond er zijn handen te wassen.

De man zag hem via de spiegel dichterbij komen en verstarde toen Hoffman naast hem de kraan opendraaide. Het was een lange man met een grijze snor. Een Engelsman, wist Hoffman meteen, hij had hem eerder ontmoet. De man zweette net zo erg als hij maar hij bleef compleet *in shape*. Hoffman vormde met zijn handen een kom en wierp het water in zijn gezicht. Maar het was niet koel. Zijn jasje werd nat, maar dat deerde niet. De Engelsman stapte echter geschrokken opzij.

'I beg your pardon!' zei hij in voorbeeldig Oxbridge-Engels.

Verbaasd keek Hoffman hem aan. 'Sorry hoor,' zei hij.

De man schudde afkeurend zijn hoofd en liet de zeep van zijn handen spoelen.

'Meneer Hoffman, waarom doet u zichzelf dit aan?' zei hij met zijn bekakte Britse stem.

'Wat bedoelt u meneer eh...?'

'Trevor-Jones. Ambassadeur Trevor-Jones. We hebben elkaar eerder ontmoet, meneer Hoffman.'

'Ambassadeur Hoffman-Jansen,' zei Hoffman met dezelfde accentuering.

'Ze hebben me voor u gewaarschuwd,' zei de Engelsman.

'O ja? Wie dan?'

'Mijn bronnen, meneer Hoffman, u denkt toch niet dat ik mijn bronnen onthul?'

Hoffman zeepte uitvoerig zijn handen in, het zeepje gleed romig tussen zijn vingers. Uitgelaten riep hij in de spiegel: 'Natuurlijk niet, meneer Trevor-Jones! Natuurlijk onthult u uw bronnen niet!'

De man duwde met een elleboog op de knop van een heteluchtapparaat en hield zijn handen in de warmte.

'Meneer Hoffman... ik moet u op uw plichten wijzen.'

'Natuurlijk!' riep Hoffman via de spiegel, 'u wijst maar!'

'U bent een schande voor uw land,' zei de Engelsman.

Hoffman zag de minachting in diens ogen branden. Hij liep naar de Engelsman toe, zwaaide met een ingezeepte wijsvinger. De man deinsde achteruit.

'Luister jij eens, ouwe kippekop. Ik ben toevallig ingehuurd om mijn land te kakken te zetten dus denk nou niet dat ik de regels overtreed want 't is toevallig zo dat ik hier de officiële pias ben want schande dat is m'n vak.'

Trevor-Jones ontweek hem en haastte zich naar de deur. Daar draaide hij zich een ogenblik om.

'Ik zal de deken van het Diplomatieke Corps hierover inlichten,' wierp hij Hoffman hautain toe.

'Ik ook!' riep Hoffman.

Hij stak zijn handen onder de kraan. Hij hoorde de deur dichtslaan. Hij herinnerde zich nu dat Trevor-Jones hem op zijn eigen aankomstparty met een bezoek had vereerd (vanzelfsprekend bezocht de Britse ambassadeur de nieuwe ambassadeur van een buurland) en Hoffman had bij die gelegenheid enkele woorden met hem gewisseld, Britse understatements die in Hoffman's oren als engelengezang klonken, ademende ironie die de dorre rethoriek van Nederlandse diplomaten wegblies. Het verbaasde hem nu dat Trevor-Jones niet tegen een geintje kon en hij wierp een blik in de spiegel en toen zag hij zichzelf zoals Trevor-Jones hem had gezien.

De kots bedekte zijn smoking en favoriete dasje en kleefde rond zijn mond, zijn haren zaten verward en meedogenloos toonden zijn ogen de kleur van zijn ziel. Paniek explodeerde in zijn borst. Hij kon zich zo niet vertonen! Hij kon niet meer de zaal in, hij kon niet eens de gang op! Hij wankelde terug naar de wc en sloot de deur.

In de pot lag nog de koek die zijn keel had uitgescheiden en hij drukte op de knop waarmee modernisten de trekker hadden vervangen. Een golf water spoelde de kots weg. Hij ging op de bril zitten en probeerde zijn situatie rustig onder ogen te zien. Als hij zijn jasje uittrok kon hij min of meer geruisloos het gebouw verlaten, ook al zou hij later de Italiaanse flikker zijn excuses moeten aanbieden voor zijn plotselinge vertrek. Hij was ziek, zou hij zeggen, en hij voelde zich ook ziek, zijn maag kreunde en felle krampen deden hem ineenkrimpen. De plotselinge pijn trilde door zijn ledematen.

Hij had maagkanker, wist hij plotseling, eindelijk dan had hij zijn lijf op de knieën. Omdat hij te laf was voor een kogel of een stevig touw om zijn nek had hij voor deze wijze van afscheidnemen gekozen, begreep hij, en de pijn die zijn maag uitstraalde werd met de zoete zalf van het inzicht verzacht.

Nochtans nam hij zich voor om zonder opzien te baren de ambassade te verlaten. Hij had een schandaal uitgelokt dat zijn broze reputatie definitief zou vermorzelen en zijn lichaam was aan zijn laatste stuiptrekkingen begonnen; voor het moment genoeg. Welke wodka had hij hier gedronken? Tot vanavond was hij er immuun voor, had soms hele flessen in zijn keel gegoten zonder merkbare consequenties voor zijn manier van waarnemen en opeens ging hij zich als een halvegare gedragen. Maar was het wel wodka wat hij had gedronken, bedacht hij opeens. Hij had bij de maaltijd om zes uur een fles Julienas gedronken en was verminderd toerekenbaar aan het bezoek begonnen. Hij herinnerde zich dat hij zich moeizaam in zijn smoking had geperst, beelden van vroeger en doelloze overwegingen hadden hem meegesleurd en die namaakwodka hier had hem van zijn laatste zinnen beroofd.

Mescal – dat hij dat niet direct had geproefd! Zijn handen begonnen te trillen toen hij op de gedachte kwam dat de mescal een val was van het FSZS – het was een raadsel waarom ze uitgerekend Felix Hoffman wilden grijpen, maar als de fles die hij in de handen van de Italiaanse barman had gezien geen wodka bevatte maar mescal dan hadden ze hem tot een schandaal willen aanzetten.

Zijn zenuwachtige vingers betastten zijn gloeiende wangen. Hij besefte dat hij net op tijd naar de wc was gegaan en daarmee had hij een onherstelbaar incident voorkomen, tenminste als Trevor-Jones zijn mond zou houden. Morgenochtend zou hij contact met hem opnemen.

Mescal maakte je gek. In Lima had hij gezien hoe in stinkende hutten waar mescal werd geschonken blinde Indianen elkaar met messen te lijf gingen en hoe door mescal benevelde hoeren zichzelf met honden bevredigden.

Hij hoorde iemand de wasruimte betreden en de wc naast de zijne binnengaan. Hij stond op en opende de deur op een kier. De wasruimte was leeg en met zwaaiende armen deed hij de vijf stappen naar een van de wastafels. Hij greep zich snel vast om niet te vallen. Nadat hij zijn jasje aan een kleerhaak had gehangen pakte hij een van de handdoekjes die naast de wasbak lagen en hij hield het onder de kraan en maakte zijn lippen en kin schoon.

Hij probeerde de vlekken van het hemd te vegen, maar dat haalde niets uit en een vochtige plek groeide op zijn borst. Met zijn vingers ordende hij snel zijn haren en hij bedacht dat hij het jasje voor zijn borst kon houden als hij zich naar de uitgang haastte. Maar zonder jasje kon hij zich niet in de hal ophouden tot Boris de Mercedes voor de deur had gereden, dus hij moest buiten een taxi aanhouden en zich naar de residentie laten rijden.

Hij trok de deur open die toegang gaf tot het tussenvertrek en liep met het jasje over een arm geslagen naar de gang. Hij vroeg zich af waarom Sonnema geen last had van de drank en meteen werd deze gedachte gevolgd door een steek in zijn borst en tegelijk werden zijn enkels gegrepen door onzichtbare handen, die hem omvertrokken.

Hij verloor zijn evenwicht.

Hij graaide naar de muur, vond niets waaraan zijn handen zich konden vastgrijpen en hij zakte door zijn enkels. Zijn lichaam raakte de harde vloer. De pijn in zijn borst sloot zijn keel af en hij zag het witte plafond verdwijnen achter zwarte vlekken, ballonnen die in groten getale werden losgelaten en een dik wolkendek vormden tussen zijn ogen en het licht van de spotjes en het werd zwart, alsof hij zijn bewustzijn ging verliezen. Een angst die hij zich van lang geleden herinnerde, van lang geleden toen boer Van de Pas hem bij het horen van een naderende auto toeschreeuwde dat hij moest vluchten en hij de varkens had weggeduwd en op blote voeten het bos was ingehold en had gerend en gerend, zulke angst verspreidde de messcherpe degen die daar in zijn borstkas zijn pompende hart bekraste. Vreemd, maar opeens rende hij daar, hij voelde de takken onder zijn zwarte voeten, doornen scheurden zijn huid en hij hoopte dat ergens in het bos zijn ouders op hem wachtten en hem zouden meenemen in de zwarte Packard van papa en hem in slaap zouden kussen en lieten luisteren naar dikke mannen aan witte tafels en hij wist zeker dat ze hem zouden troosten en het vuil van zijn handen zouden wassen.

Hij voelde vingers onder zijn kin, zijn keel, en iemand verwijderde zijn strikje en opende het knoopje van zijn overhemd. Hij haalde adem, zoog tintelende lucht uit een airconditioner van Olivetti – Olivetti was het toch en geen Zenith of Goldstar? – en zijn longen vulden zich met een rijk mengsel. Zoete geuren zweefden onder zijn neusvleugels en hij rook parfum en de zware walm van ouderwets poeder waarmee vrouwen hun wangen plachten te kleuren.

Hij opende zijn ogen en hij zag tegen het felle licht van het plafond het silhouet van een vrouw.

'Dank u wel,' zei hij. Hij bevochtigde zijn lippen en stak een hand uit die om houvast vroeg. De vrouw hield hem vast en hij kwam overeind.

Ze sprak hem in het Engels toe: 'Kunt u staan?' vroeg ze.

'Ja, ik geloof 't wel,' zei hij.

Hij ging rechtop zitten, met zijn rug tegen de muur. Er dansten nog steeds vlekken voor zijn ogen en hij kon de vrouw niet goed zien. Hij kneep zijn ogen dicht. Het leek wel of een smeulende sigaret een gaatje in zijn maag brandde, een gloeiende pijn reikte naar zijn hart, en hij voelde zijn lijf zuchten onder de zestig jaren van zijn leven. Hij besefte ten volle dat hij niets meer te verwachten had en de dagen had verbruikt die hem waren gegeven, ook al wist hij niet door Wie.

'Kunt u staan. denkt u dat u kunt staan?' vroeg de vrouw.

Hij knikte. Natuurlijk had hij geen mescal gedronken. Hij leed aan een maagziekte. Geen maag kon de massa's verdragen die hij erin propte.

Hij probeerde rechtop te staan en de vrouw steunde hem onder een oksel, trok hem overeind. De krachtsinspanning verscherpte de pijn. Hij voelde het bloed uit zijn slapen wegtrekken en duizelig hield hij zich aan de muur vast.

'Ik breng u naar een dokter,' zei de vrouw.

Hij schudde zijn hoofd: 'Geen dokter,' mompelde hij, 'ik wil naar huis.'

'Ik help u wel,' zei ze.

Ze leidde hem het vertrek uit. Hij schuifelde met toegeknepen ogen en gebogen hoofd naast haar, het licht van de witte wanden verblindde hem, en hij voelde haar steunende arm. Ze hield een Italiaanse ober aan en sprak Italiaans tegen de man.

Hoffman werd voorzichtig naar de diepten van het gebouw gebracht, ze schoven hem door gangen die steeds donkerder werden, ze moesten treden afdalen, treden bestijgen, en een deur zwaaide open en de lauwe buitenlucht sloeg tegen zijn gezicht en hij haalde diep adem.

De vrouw vroeg de ober om Hoffman's chauffeur te waarschuwen en de man liet hem los. Hoffman hoorde zijn leren zolen op de straatstenen tikken toen hij wegholde.

'U bent erg vriendelijk,' zei hij tegen de vrouw, 'dank u wel.'

Hij hield nog steeds zijn ogen dicht, alsof hij ook hier in het halfduister bang was van het licht. Krekels dreunden in zijn oren. Hij wist niet wie zij was, hoe zij eruitzag, kende alleen haar zachte stem en de steun van haar hand.

'U hoeft mij niet te bedanken,' hoorde hij haar antwoorden, 'denkt u dat u 't verder wel redt?'

'Ja, ja, dank u wel,' zei hij.

'U moet wel een dokter raadplegen, meneer Hoffman,' zei ze.

'Ja... ja, ik zal 't doen,' antwoordde hij, 'dank u wel voor het advies.'

'Ik geloof dat daar uw auto aankomt.'

Hij hoorde de Mercedes stoppen, rook de uitlaatgassen. Boris stapte uit. Hij kwam gehaast op Hoffman af en de vrouw sprak hem in rap Tsjechisch toe. Boris nam hem van haar over. Toen hij de ijzeren greep van zijn chauffeur voelde en naar de auto werd getild, hief Hoffman zijn hoofd en opende voorzichtig zijn ogen. In het licht van de auto herkende hij de vrouw. Zij was de journaliste met wie Marian had staan praten. Op haar gezicht reflecteerde het interieurlicht van de Mercedes, bezorgd keek ze hem met grote, grijsblauwe ogen aan, haar lippen glansden, uitbundig blond haar danste om haar hoofd en ze probeerde te glimlachen toen ze merkte dat hij haar eindelijk aankeek.

'Gaat 't echt, meneer Hoffman?'

'Ja, ja, dank u wel. Hebben wij elkaar eerder ontmoet?'

'Ik geloof 't niet,' zei ze.

'U kent mijn naam...'

'Ja...' antwoordde ze vaag. Ze gaf Boris het jasje van de smoking, zei snel enkele woorden tot hem en verdween in de donkere gang van het ambassadegebouw.

Hoffman liet zich door zijn chauffeur naar de auto leiden. Uitgeput zakte hij op de achterbank.

'Hoe heet die vrouw, Boris?' vroeg hij met zwakke stem.

'Ik weet 't niet, meneer,' zei de man.

'Ze is journaliste, hoorde ik.'

''t Zou kunnen. Nooit gezien. Moet ik u naar een dokter brengen, meneer?'

'Nee, we gaan terug naar de residentie. Zet de airconditioning hoog, wil je?'

'Er is hier een heel goed ziekenhuis voor diplomaten, meneer. Als ik u was zou ik me daar toch maar even laten nakijken.'

'Nee,' antwoordde Hoffman, fluisterend omdat hij aan het einde van zijn krachten was. Hij was nooit ziek, had nooit een operatie gehad, maar hij had evenmin van zijn gezondheid genoten. De ziekten die hij had kunnen krijgen hadden zich in zijn kinderen ontladen, en via hen hadden ze hun sporen nagelaten.

'Ga even naar de ingang en laat tegen mijn vrouw zeggen dat ik ben weggegaan. Zij moet maar even de honneurs waarnemen...'

Boris draaide de auto in de smalle straat. Ze stonden hier opzij van het gebouw, er was niemand te zien, en Boris reed de Mercedes terug naar de theatrale poort en stapte uit.

Onder de Italiaanse en Tsjechische vlaggen stonden op het bordes huisknechten in rode livrei. Zwarte limousines wachtten in rijen, chauffeurs stonden in groepjes bij elkaar, sigaretterook wervelde boven hun hoofden. Hoffman kneep in de armleuning toen zijn maag leek te scheuren.

Hij zag Boris tussen de huisknechten verschijnen, gevolgd door Marian, die zoekend naar de auto's keek. Boris wees en Marian haastte zich naar de Mercedes.

Ze liet zich naast hem op de achterbank vallen.

'Wat is er, Felix?' Ze wreef over zijn hoofd, hij zag het vet op haar vingers.

'D'r is niks.'

'Je ziet eruit als een...' Ze slikte het woord in.

'Een lijk? Fijn, dank je...'

'Je moet naar een dokter.'

'Ik ga niet naar een dokter.'

'Wat is er gebeurd? Ik hoorde dat je op de grond lag in de wc! Felix, wat is er met je?'

'Niks! D'r is niks met me aan de hand. Ik heb 'n beetje last van m'n maag, dat is alles.'

'Hoe bedoel je, *last*?'

'Maagkrampen...'

'Ben je dan gevallen of zo?'

'Ik werd 'n beetje duizelig, dat is alles. 't Is al lang weer over, geloof me nou. Ga nou maar terug en bied die flikker mijn verontschuldigingen aan en dan stuur ik Boris terug om je later op te halen.'

'Wil je dood, Felix?'

'Hoe bedoel je?' reageerde hij onnozel.

'Wil je dood?'

'Hou alsjeblieft op, Marian.'

'Ik kan je niet vasthouden,' zei ze, 'ik kan je niet beletten om zo door te gaan.'

Zonder genegenheid zei hij: 'Ga in hemelsnaam terug, ik ga hier weg.'

Ze verliet de auto. Zonder zich naar hem om te draaien liep Marian terug naar het bordes.

'Wir fahren zurück?' vroeg Boris.

De Mercedes zweefde terug naar de residentie. Met tot vuisten gebalde handen zat Hoffman onbeweeglijk op het zwarte leer.

Jana opende de deur voor hem. Ze schrok van zijn uiterlijk en ze nam meteen deel aan de ondersteuning. Tussen hen in hangend wankelde hij het huis binnen.

'Bent u ziek, meneer?' vroeg ze.

'Nee,' antwoordde hij.

Ze wisselde een blik met Boris.

'Zullen we u naar boven brengen?' drong ze aan.

'Nee, ik wil naar de keuken.'

'U kunt echt beter gaan liggen, meneer,' zei Boris, 'dan bel ik 'n dokter en dan rust u even wat uit.'

'Ik wil naar de keuken,' herhaalde hij zo beslist mogelijk, met trillende stem. 'Als ik daar even zit dan kom ik wel bij.'

Toen hij aan de keukentafel zat, bleef hij uitgeblust naar het lege aanrecht staren. Het smokinghemd plakte aan zijn rug en borst. Jana bood hem thee aan, bouillon, een bad, maar niets kon de stille woede van zijn hart bezweren en hij verzocht haar naar boven te gaan.

Hij hoorde het opgewonden gefluister tussen Boris en Jana in de hal en hij schreeuwde dat ze hem met rust moesten laten.

De voordeur sloeg dicht, wat betekende dat Boris terugging naar de receptie. Hoffman wist niet of hij in Marian's aanwezigheid wilde sterven. Liever bleef hij vannacht alleen, hier aan de tafel, en hij stond op en schuifelde op zijn nieuwe krakende lakschoenen naar de hal.

'Jana! Jana!'

Ze kwam naar beneden, met zware stappen. Hij zag haar dikke handen over het gepolitoerde hout van de trapleuning glijden. Ze bleef op de onderste tree staan en bekeek hem met onverholen afschuw.

'Jana, kun je iets voor me pakken?' Hij wachtte niet op antwoord: 'In het medicijnkastje in mijn badkamer staat een fluwelen doosje. Rood fluweel. Dat wil ik graag hebben. Ja?'

Ze knikte en liep terug naar boven. Haar brede heupen hadden nooit kinderen gedragen, ze had haar vruchtbare leven aan Nederlandse diplomaten geofferd.

Hij hield zich vast aan de gedraaide piëdestal waarin de trapleuning eindigde. Vanavond was hij definitief een oude man geworden. Zijn sterfelijkheid had zich van zijn lichaam meester gemaakt en lag geduldig op de drempel van zijn bewustzijn te wachten. Hij wist dat hij vannacht zou sterven. Halverwege de nacht, om een uur of vijf, zou hij creperen.

Door Esther's lijdensweg had hij heel wat dagen in ziekenhuizen doorgebracht en hij had daar gehoord dat vijf uur 's ochtends de kritische tijd was. In het grensgebied tussen de nacht en de dag werd er het meest gestorven. Ze zouden hem morgenochtend vinden, vooroverliggend op de keukentafel, of misschien was hij van zijn stoel gegleden. Zijn blaas zou zich legen, maar de chronische verstopping waaraan hij leed zou voorkomen dat hij met stront tussen de benen gevonden werd. De schande van het sterven werd er niet minder door.

Ook al kon hij niet beweren dat hij enthousiast was over zijn naderende einde, hij constateerde wel een zekere nieuwsgierigheid naar wat er met zijn vervagende identiteit, zijn *ik*, zou gebeuren als zijn hart zou stoppen en zijn hersenen van verse zuurstof werden afgesneden. En Esther's woorden, zo lichtte opeens die herinnering als vuurwerk in zijn hoofd op, Esther's *weten* zou hij zelf leren kennen. Hij voelde de woede over zijn domme dood in deze verwachting oplossen en hij zoog lucht in zijn longen en weerstond de pijn in zijn middenrif terwijl hij naar de huishoudster riep:

'Jana! Neem ook dat boek mee dat op m'n werktafel ligt. *Spinoza*, staat erop!'

Jana had hem naar de keukentafel geholpen en toen hij geen geluiden van boven meer opving had hij zijn zwarte broek met de volmaakt geperste vouw op zijn enkels laten zakken en het roodfluwelen doosje geopend. Toen de artsen een langdurige lijdensweg verwachtten en de ouders een korte cursus thuisverpleging hadden geadviseerd, had hij Esther wel eens geïnjecteerd.

In het doosje lagen op een bedje van witte zijde een verzilverde injectiespuit en een ongebroken capsule morfine. Hij had het in Lima gekocht, na de dood van Esther, en het al die jaren bewaard.

De pijn die hij voelde was verstikkend en ofschoon hij de

gevaren van het toedienen van morfine zonder begeleiding van een arts onderkende, prikte hij de naald door het aluminium vliesje van de capsule en trok hij de morfine in de spuit. Hij duwde de lucht eruit, zocht een ader van zijn dijbeen, vlak bij de knie, stak de scherpe naald door zijn bleke huid – hij kneep even zijn ogen dicht omdat hij de aanblik niet verdroeg – en spoot de verdoving in zijn bloed. Door de spanning klopte zijn hart hoog in zijn keel.

Hij legde de spuit terug in het doosje en het was alsof een grote hand de pijn en hitte uit zijn lichaam wegnam. Hij wist dat dit de daad van een krankzinnige was, maar de pijn was onverdraaglijk en het bewaren van de spuit werd er na twintig jaar mee gerechtvaardigd.

Hij wilde niet met pijn sterven. Misschien was dat laf en weinig mannelijk, maar de schoonheid van heldendom had hij nooit kunnen waarderen. De pijn vertroebelde zijn geest en de laatste uren waarover hij mocht beschikken wilde hij aan Spinoza besteden, want de filosoof van het zuivere weten kon hem de weg naar zijn dochter wijzen. Misschien ben ik gek, dacht Hoffman, maar als dat zo is dan ben ik dat niet uit vrije wil.

De morfine zweefde door zijn aderen en het duurde minuten voordat hij de kracht had zijn broek op te hijsen. Hij nam het boek ter hand en las met lome concentratie de veertien paragrafen van dit hoofdstuk.

'Ik spreek hier over de werkelijke twijfel in de geest,' zo schreef Spinoza aan het begin van het zesde hoofdstuk, 'en niet over die welke wij overal bedreven zien, waar men namelijk met woorden zegt te twijfelen, terwijl de ziel niet in twijfel verkeert.'

Dit hoofdstuk ging over de 'twijfel en enkele andere onderwerpen als het geheugen, de verbeelding, de taal'.

De Twijfel.

Twijfel ontstond uit meerdere, onduidelijke ideeën, zo beweerde Spinoza, want 'indien er in de ziel slechts een enkele idee is, onverschillig of die nu waar of onwaar is, (dan is) er geen enkele twijfel, ook geen zekerheid mogelijk'.

Hoffman begreep dat die ene idee een hypothetisch geval was, en als je slechts over één enkel idee beschikte dan wist je dat die waar of onwaar was, twijfel was dan uitgesloten. Hij begreep ook dat de filosoof bedoelde dat twijfel ontstond wanneer het ene idee het andere in de weg zat.

'De idee die in ons de twijfel veroorzaakt, is niet klaar en duidelijk. Indien iemand bij voorbeeld nooit op grond van zijn ervaring of hoe dan ook gedacht heeft aan de feilbaarheid der zintuigen, zal hij zich nooit in twijfel afvragen of de zon groter dan wel kleiner is als hij verschijnt.'

Natuurlijk, de zon was slechts een schijfje aan de hemel en zonder kennis omtrent planeten en sterren en over de manier waarop je objecten op afstand zag kwam het niet in je op om in de zon een gigantische bal te vermoeden, groter dan alles wat je had aangeraakt en waargenomen.

'Uit de gedachte aan het falen der zintuigen ontspringt de twijfel.'

Hoffman kende dit uit ervaring. Soms wist je niet wat je zag, soms wist je niet wat je hoorde. 'Ik weet 't,' had zijn dochter gezegd, maar hoe meer jaren er verstreken des te helderder hoorde hij haar woorden en des te scherper zag hij haar gezicht. De tijd bracht haar dichterbij, een omgekeerde beweging dus, en hij was bang dat zijn fantasie de kaalgesleten herinneringen had aangekleed.

Toen hij hierover nadacht, traag en zwaar maar met vederlichte woorden, besefte hij dat hij twee onderwerpen door elkaar had gehaald: hij had in gedachten de sprong van 'zintuigen' naar 'geheugen' gemaakt, en de titel van het hoofdstuk vertelde dat Spinoza dat ook zou doen, zodat het beter was dat zijn gedachtengang als een kwispelend hondje de filosoof volgde. Hoffman voelde zich de mindere en zijn eigen leeservaringen waren uitsluitend persoonlijke associaties, desalniettemin liet hij zich niet afhouden van de *Verhandeling* en wilde hij vannacht het slot van het boek bereiken.

Gloeiend van verwachting probeerde hij de vorige hoofdstukken voor zijn geestesoog terug te halen. Spinoza wees een methode aan waarmee de waarheid van de onwaarheid te onderscheiden was, en met waarheid bedoelde hij kennis van de Natuur. Waarheid was een innerlijke kwaliteit van een heldere gedachte, het behoorde tot het 'intieme wezen' van die gedachte. Onwaarheid daarentegen werd uitgescheiden door verwarring en gebrek aan kennis. Met zijn laatste zin, over twijfel die uit het falen der zintuigen werd geboren, bedoelde Spinoza in feite hetzelfde: je manier van kijken werd gevoed en gericht door je kennis van ware ideeën, en gebrek daaraan baarde twijfel en drogbeelden.

De volgende alinea bracht een vergelijking die schitterde in Hoffman's ogen en die hem, zo dacht hij, het heilvolle pad van Spinoza's denken wees.

Spinoza vertelde daarin dat de kennis van God te vergelijken was met de kennis omtrent de hoeken van een driehoek, die gelijk zijn aan de som van twee rechte. Hoffman begreep: de som van de hoeken van een driehoek was honderdtachtig graden en dit was een onomstotelijk, onweerlegbaar *weten*, het was een vorm van kennis waarin de logische aard van de Natuur tastbaar werd en waarin de logica van God zichzelf majesteitelijk onthulde.

De zinnen bewogen in een tijdloze dans over het papier en Hoffman, verlost van pijn en met ogen die zelfs de dikte van het papier en de diepte van de letters konden meten, liet een kreet van bewondering ontsnappen – als de keuken had kunnen praten dan had zij haar verbazing geuit over het stralende gezicht van deze lezende man. Hoffman zag boven het boek een lichtgevende driehoek, als een Teken, speciaal voor Fee van Hem Daarboven.

Nadat Spinoza voor de zoveelste keer gewezen had op het belang van geordend onderzoek en de overwinning van de twijfel door klare en duidelijke ideeën, 'zal ik ook een weinig ingaan op het Geheugen en het Vergeten'. Ja graag! dacht Hoffman. De filosoof merkte op: 'Hoe meer iets begrepen wordt, des te gemakkelijker wordt het vastgehouden.'

Hoffman knikte in bewondering en verwantschap, ook al

wist hij uit ervaring dat iets dat in het geheel niet begrepen werd ook onthouden kon worden. Het geheugen 'was niets anders dan het bemerken van de indrukken van de hersenen, tegelijk met de gedachte aan een bepaalde duur van deze gewaarwording'. Ofwel: als het geheugen werkzaam was dan dwaalde je door een soort opslagplaats waarin de hersenen hun indrukken stalden, indrukken die via de zintuigen het hoofd binnenkwamen.

Uit de woordkeuze begreep Hoffman dat Spinoza het geheugen wantrouwde: je wist de weg niet in de opslagplaats, je wist niet welke indrukken op welke plaatsen werden bewaard. Alleen heldere, eenvoudige zaken konden zonder problemen worden opgeslagen en teruggevonden, zo zei de filosoof, en de volgende alinea bracht een waarschuwing tegen de verbeelding, die hij blijkbaar als de speeltuin zag waar ook het geheugen naar hartelust schommelde en zandgebakjes kneedde. 'Het maakt immers niet uit hoe wij de verbeelding opvatten,' las Hoffman, Spinoza's verbeelding was 'iets dat de ziel ondergaat', en: 'tevens weten (wij), hoe wij ons met behulp van het verstand van haar kunnen bevrijden'.

De verbeelding en het geheugen waren inderdaad Hoffman's kwelgeesten, hij wilde ze vermorzelen, ze vernietigen, zich van hen bevrijden, en hij las verder, in zijn eigen ritme, met slapende ledematen en wakkere blik, en, ontroerd door de herkenning die Spinoza hem verleende, voelde hij de tranen door de richels van zijn gezicht stromen.

De paragrafen die Hoffman naar het einde van het hoofdstuk leidden verlichtten zijn ziel alsof er in zijn borst, waar hij, zonder aanleiding overigens, zijn ziel situeerde, een lamp werd ontstoken. Hoffman had daar nooit een lamp vermoed en het gouden licht straalde door zijn ogen op de bladzijden van het boek – lantaarns met Goddelijk licht, zo noemde hij het zelf.

Spinoza noemde het verstand 'een soort geestelijke automaat' en daarmee wees hij op het eigen karakter en op de wetmatigheden van het verstand. Dus als we iets ten volle begrepen dan maakten we gebruik van een vermogen waarmee de natuur ons had toegerust, als ware het het hart van onze geest, zo omschreef Hoffman het verstand in Spinoza's betekenis, en kwamen we pas echt tot leven en bereikten het geluk als, net als dat van het lichaam, ook het hart van de geest pompte.

Niet alleen de Verbeelding en het Geheugen konden onware ideeën voortbrengen en twijfel verspreiden, daarmee dus de weg naar rust en geluk met valkuilen ondergravend, ook de omgangstaal leverde dwalingen op, 'wij (zijn) daarvoor ten zeerste op onze hoede':

'Dit blijkt duidelijk hieruit, dat men aan al die dingen, die slechts in het verstand en niet in de verbeelding zijn, dikwijls negatieve namen heeft gegeven, zoals bij voorbeeld: onlichamelijk, oneindig enz. en dat men ook veel dingen die in werkelijkheid positief zijn, negatief uitdrukt, en omgekeerd...'

Ja! dacht Hoffman, terwijl zijn hart versnelde alsof denken een vorm van hardlopen was, hij kon niet uitsluiten dat zijn geheugen zijn herinnering aan Esther vervormd en vergroot had en dat haar opmerking ooit anders had geklonken! Haar *ik weet 't* waren woorden die hij gemeend had te horen, maar zijn zintuigen waren bedrieglijk en zijn geheugen onvolkomen en zijn emoties vertroebelden zijn verstand! Misschien had ze gezegd: 'Ik vergeet 't', of: 'Ik meen 't'.

Mocht hij erop vertrouwen dat Esther dit had gezegd? En stel dat ze het ook echt had gezegd, kon hij er dan zinnig over nadenken? Was het mogelijk om een *methode* te ontwikkelen waarmee hij de inhoud van haar *weten* kon onthullen?

Het duizelde hem. Hij voelde hoe zijn lichaam volliep met vloeibaar lood en hij legde met de grootste moeite het boek op tafel. Hij zag zijn handen vertraagd naar de tafel gaan en het boek daalde op het marmeren blad. Hij wreef over zijn gezicht, voelde de uitputting van deze krachtsinspanning.

Hij was bang dat hij niet eens het einde van de avond zou halen; als dat zo was dan zou het slot van het boek voor hem gesloten blijven.

Hij wilde op zijn horloge kijken, alsof hij daar zou kunnen lezen hoeveel uur hij nog had, en hij stikte bijna in de angst die breed en massief door zijn lijf sloeg. Hij hief zijn arm en voelde het dode gewicht van zijn spieren en huid en botten en hij zag dat het elf uur was. Toen voelde hij zijn hart breken. Het versleten beeld had hij vaak gehoord, maar hij beleefde nu de letterlijkheid ervan en die was nieuw en angstaanjagend. Als een granaat explodeerde de pijn in zijn borst, scherpe fragmenten schoten naar zijn nek en schouders en buik en hij dacht: niets is me nu tot troost.

Hij verloor zijn bewustzijn.

HOOFDSTUK TIEN

de middag van 7 augustus 1989

Johan Sonnema had hem 's ochtends wat werk gebracht en hij las een rapport van de landbouwattaché. Zijn rug werd gesteund door enkele kussens, een smal blad dat over het bed gedraaid kon worden diende als leestafel.

Een groot raam links van het hoge ziekenhuisbed gaf uitzicht op een glooiend landschap van groene velden, zo op het oog ongerept, dat nu en dan verdween achter dichte regensluiers en opeens kon oplichten in intense zonnestralen die een gat in het wolkendek gevonden hadden. De eerste regen sinds maanden. De deur hield de geluiden van de gang op afstand. In stilte las hij de dossiers.

Marian had vanochtend aan zijn bed gezeten toen Sonnema met de stapel mappen binnenkwam en zij had hem op hoge toon gevraagd hoe het in zijn hoofd opkwam om haar man drie dagen na een hartinfarct zo zwaar te belasten. Hoffman had er zelf om gevraagd, maar dat kalmeerde haar niet: 'Dan moet u hem zeggen, meneer Sonnema, dat u niet aan deze waanzin meedoet.'

'Maar mevrouw, ik kan toch niet tegen m'n baas zeggen dat ik hem niet de papieren breng waar hij om vraagt?'

'Dat kunt u wel!'

'Marian,' zei Hoffman, 'hou op met die flauwekul.'

'Je moet rusten,' zei ze.

'Dat doe ik ook.'

'Niet als je gaat werken.'

'Dit is geen werken,' antwoordde hij.

'O nee? Wat is dat dan?'

'Dit noemen wij diplomaten *du travail diplomatique*, ofwel: betaald gezeur.'

Geërgerd stond ze op om in de gang een sigaret te roken.

Na Sonnema's vertrek kwam ze terug.

'Neem nou rust, Felix, doe 't voor mij.'

'Ach, laat me nou maar, dit kan geen kwaad.'

'De dokter zei: *rust*.'

'Dit is voor mij rust.'

Ze kuste hem op een wang en verliet de kamer. Aan het einde van de middag zou ze terugkomen. Hij had een dossier gelezen en Trevor-Jones en de Italiaanse ambassadeur briefjes geschreven (Sonnema had hen gisteren al ingelicht over zijn infarct). Om halfeen bracht een verpleger een lichte lunch. Toen kwam er iemand binnen, een vrouw.

Het eerste dat hij achter het voeteneinde van zijn bed zag waren de gele bloemen die ze voor haar borst hield. De chrysanten waren al aan het verkleuren, armoedige, socialistische flora. Ze werden vastgehouden door een prachtige vrouw en hij vroeg zich af waar hij haar eerder had gezien.

'Meneer Hoffman?' zei ze in het Engels.

Hij herkende de stem. Hij glimlachte.

'Mevrouw Nová?'

Ze kwam dichterbij en gaf hem met een kinderlijk gebaar de bloemen. Ze droeg een geel kapje, een soort zuidwester. Op de schouders van haar regenjas lagen een paar druppels.

'Dank u wel,' zei hij. Hij legde de bloemen op het tafelblad en draaide het weg, zodat niets hen scheidde.

'Ik zal zo meteen om een vaas vragen. Maar eigenlijk moet ik iets aan u geven,' zei hij, 'gaat u zitten.'

Ze knoopte haar jas los en ging zitten. Ze droeg een rok die haar knieën vrij liet, hij keek neer op prachtige benen.

'Dit is een verrassing,' zei hij. 'Wilt u iets drinken? Ik kan om iets vragen.'

Hij greep het schakelaartje dat aan een snoer naast zijn bed hing, maar ze schudde beslist haar hoofd.

'Nee, doet u geen moeite, ik heb net nog iets gedronken.'

'Echt niet?'

Ze schudde opnieuw haar hoofd, beleefd glimlachend. 'Nee.' Ze trok de kap van haar hoofd en schudde haar blonde haar los. Ze legde de kap op haar knieën en keek hem aan, de rug recht als een fatsoenlijk schoolmeisje. Hij zag haar een blik werpen op de pleister en de buis die hem met de plastic zak boven het bed verbond.

'U ziet er goed uit,' zei ze, 'maar u bent hier ook in ons beste ziekenhuis.'

'Prima behandeling,' beaamde hij, in de diepte van haar ogen kijkend. Ze was groot en uitbundig vrouwelijk en elk gebaar van haar riep een intieme associatie bij hem op, alsof ze geschapen was voor erotiek. Ze had volle lippen, licht naar buiten gekruld, onafgebroken in de aanzet tot een kus, hoge jukbeenderen waarin iets Slavisch schemerde, grijsgroene ogen, intelligent en spottend. Dikke lokken verborgen haar oren, maar hij vermoedde elegante oorschelpen die de geheimen van andere, meer geurende huidplooien verraadden.

'Mijn vrouw heeft u verteld dat ik hier was?'

'Nee. Ik belde uw ambassade vanochtend.'

'Het doet me echt genoegen u te zien,' zei hij.

Ze glimlachte beheerst. 'Ik schrok toen ik 't hoorde.'

'U wist 't niet?' vroeg hij.

'Nee.'

'U dacht toen op die avond dat ik dronken was?'

'Nou, dat wil ik niet zeggen,' antwoordde ze ongemakkelijk.

'Geeft u 't maar toe, want ik doe dat ook: ik beken dat ik inderdaad dronken was.'

Opnieuw een glimlach. Hij zag verzorgde tanden, maar niet in de strakke slagorde die in het Westen de hoogte van de tandartsrekening onthulde. Een van haar hoektanden stond een beetje schuin, waardoor haar glimlach iets bloeddorstigs kreeg. Ze werd er nog begeerlijker door.

'Moet u hier lang blijven?'

'Nog een dag of vijf, zes. Waarom ik moet liggen is me een raadsel, maar de dokter wil dat zo. Ik voel me hier eigenlijk te fit voor.'

'Heeft u eerder zoiets gehad?'

'Een hartaanval? Nee.'

''t Lijkt me vreselijk,' zei ze.

'Ik raad 't u niet aan. Ik heb geluk gehad. Mijn vrouw vond

me vlak nadat ik m'n bewustzijn verloor. Ze brachten me hier naartoe. Ze schijnen hier de nieuwste westerse apparatuur te hebben.'

'Dit is het ziekenhuis van de partij,' zei ze met de glimlach van een samenzweerder. 'Moet u nu medicijnen slikken?'

'Bloedverdunnende middelen, heet dat geloof ik.'

Ze knikte.

Hij wist even niet wat hij moest zeggen, slikte het speeksel weg dat door zijn fantasieën werd opgewekt.

Ze sloeg haar ogen neer.

Met gemengde gevoelens had hij het infarct overleefd. Hij ademde en wisselde stof en was benieuwd naar de handvol dagen die hij blijkbaar nog had, maar tegelijkertijd dacht hij vermoeid aan de troosteloze herhaling van hetzelfde.

Drie dagen geleden had hij moeten sterven. Marian was te snel naar huis gegaan. Ze was ongerust geweest en daardoor had ze hem gered. In het ziekenhuis de volgende ochtend had hij haar zwijgend en met trillende handen bedankt, grenzeloos nieuwsgierig naar elk uur dat hij mocht bestaan, maar al op de tweede dag van de rest van zijn leven had hij het haar net zo zwijgend verweten. Hij was hier nu omdat Marian dat wilde. Zijn lichaam, een autonoom ding dat reageerde als een machine, hadden ze hier weer aan de praat gekregen en hij had dat maar te accepteren. Maar hij ademde lucht waar hij geen recht op had.

Ze hadden hem platgespoten met een middel dat zijn hart niet zou belasten. De droomloze leegte van de kunstmatig opgewekte slaap ontbeerde de sensatie van de gelijktijdigheid van dood en leven. In de echte slaap was je er, maar je was er ook niet. Je kon jezelf beter verdragen als je elke dag even kon ontsnappen, maar het gat waarin ze hem spoten bracht geen ontsnapping en dus geen bevrijding; het was slechts zwart.

'U bent journaliste?' vroeg hij.

'Ja.' Ze knikte, opkijkend uit haar gedachten.

'Gespecialiseerd in iets?'

'Algemeen verslaggever.'

'Doet u dat al lang?'

'Zes jaar. Daarvoor heb ik gestudeerd. Italiaans en Engels.'

'Vreemde combinatie.'

'Ik deed eerst alleen Engels. Door de Engelse Romantici ben ik me gaan verdiepen in Italië. Die waren allemaal bezeten van Italië.'

'Bent u er wel eens geweest?'

'Nee.'

Hij dacht dat ze bloosde. Ze schoof heen en weer op haar stoel. Opeens keek ze naar het plafond, naar de muren. Zocht ze naar afluistermicrofoons of ontweek ze alleen maar zijn blikken?

'Bent u in Italië geweest?' vroeg ze.

'Ja. Vaak zelfs.'

'Is het er...'

'... mooi? Ja. Uw schoonheid zou daar het perfecte decor vinden.'

Hij klonk als een valse nicht, maar hij had haar onzekerheid uitgelokt en wilde compensatie betalen. Ze reageerde ervaren op zijn woorden, alsof ze de hele dag zulke opmerkingen moest verdragen.

'U bent te vriendelijk,' zei ze, 'ik denk dat alles mooier wordt in het Italiaanse landschap. Ik wil u iets vragen.'

'Gaat uw gang.'

'Ik wil graag 'n gesprek met u hebben.'

'Wat hebben we dan nu?'

'Een gesprek voor mijn krant. De Rude Pravo.'

'Waarover?'

'Over de betrekkingen tussen onze landen.'

'Ik moet daarvoor toestemming vragen aan mijn chefs.' Dat was niet zo, maar hij zei dit als hij in alle rust een verzoek in overweging wilde nemen.

'Vanzelfsprekend.'

'Maar als 't aan mij zou liggen zou ik u graag nog eens willen ontmoeten,' zei hij plompverloren.

'Als u uw chefs overhaalt dan zou dat kunnen.'

'Kunt u schrijven wat u wilt?'

'Hoe bedoelt u?'

'Mag ik alles zeggen tijdens ons gesprek?'

'U mag alles zeggen, natuurlijk.'

'Maar drukt u 't ook af in uw krant?' Natuurlijk drukte ze niet alles af wat hij te zeggen had, hij wilde alleen maar zien wat ze zou antwoorden.

'Ik schrijf alles op wat u zegt. Ik weet niet of 't wordt gedrukt. Dat is in uw land ook zo.'

'Wie beslist dat?'

'In het Westen noemen ze dat de "eindredactie".'

'En u noemt 't niet de "censor"?'

'Wij hebben onze eigen verantwoordelijkheden, meneer Hoffman.'

'Ik hoop het,' zei hij. 'Ik moet u zeggen... ik heb weinig sympathie voor uw systeem.'

'Dat is uw vrijheid,' antwoordde ze.

'Ja, maar niet die van u,' zei hij.

Ze reageerde niet. Hij zag haar adamsappel opwippen in haar prachtige keel. Hij dacht aan de plooitjes tussen haar oksels en borsten, waar de fluwelen welving wegzakt in een geschoren kom.

'Ik heb ook weinig sympathie voor het systeem in mijn eigen land,' ging hij verder. 'Misschien ben ik wel een oude anarchist, want ik heb nog nooit een behoorlijk systeem gezien.'

'Anarchisten en communisten hebben weinig positieve gemeenschappelijke ervaringen,' zei ze.

'Officieel verdragen wij elkaar niet, hè? Maar ik ben niet een gewone anarchist, geloof ik, ik ben alleen anarchist in emotionele zin.'

'Daarvan heb ik nog nooit gehoord,' zei ze verbaasd.

'Nee? Ik eerlijk gezegd ook niet.'

Ze lachten beiden.

'Uw systeem hier is gebaseerd op een ouderwetse, negentiende-eeuwse filosofie, mevrouw Nová. Die in het Westen is niet moderner, alsof dat een maat zou zijn, nee die is van alle tijden. Wij gaan uit van de honger van de mensen, van onze wolf-mentaliteit, en we proberen die te beheersen. U hier baseert uw ideologie op des mensen goedheid, maar het draait erop uit dat de ergste wolven de machtelozen manipuleren.'

'Ik wil niet met u in discussie treden,' zei ze koel.

'Misschien is dat ook beter,' antwoordde hij geschrokken, bang dat hij de minieme kans om zijn lippen op haar dijen te drukken nu verspeeld had. 'Ik wil u niet beledigen, maar zo denk ik erover. Ik krijg elke dag een rapport van een van mijn medewerkers op mijn bureau over wat er hier in uw land plaatsvindt.'

'Wat heeft u aan mijn bijval, meneer Hoffman?' Hij hoorde irritatie in haar stem.

'Ik ben niet op zoek naar uw bijval. Ik ben geïnteresseerd in uw mening.'

'Die heb ik niet. Ik ben een doorgeefluik.'

'U zou de eerste journalist zijn die ik ben tegengekomen zonder mening. Maar vergeet u niet: ik vind het systeem in 't Westen net zo verderfelijk.'

'Daar heb ik meer oren naar,' zei ze.

'Dat geloof ik best.'

'U bent dus de officiële vertegenwoordiger van een verderfelijk systeem?' vroeg ze uitdagend.

'Ja. Absoluut.'

'En dat gaat u me ook tijdens ons gesprek meedelen?'

'Absoluut niet.'

'Jammer. Kunt u me ook zeggen wat u zo verderfelijk vindt van uw systeem?'

'De overvloed.'

Hij wist zeker dat dit belachelijk klonk, maar op dit moment, liggend in dit bed, het vrijwillige slachtoffer van zijn eigen mateloosheid, met een schorre keel van puberale geilheid, kon hij geen ander woord bedenken.

'De overvloed?'

'Ja.'

'Is dat in kapitalistische ogen niet een... een verworvenheid?'

'Overvloed en schuld,' zei hij, bleek van ernst opeens en met een zekerheid waarmee hij zichzelf verbaasde, alsof dit het laatste gesprek was dat hij voor zijn dood zou voeren. 'Het genieten van de overvloed veroorzaakt een knagend schuldgevoel, mevrouw Nová, we weten niet waarom we er recht op hebben, waarom *wij* de uitverkorenen zijn. Allereerst veroorzaakt overvloed twijfel en verlamming,' zei hij bevlogen, 'zoals: wat kies je? wat laat je liggen? En elke dag kijken we naar een kastje in onze huiskamers en moeten we kiezen tussen beelden van miljoenen doden in verre landen, creperend van de honger, en beelden van een amusementsprogramma. We blijven vasthouden aan onze positie, niet wetend hoe lang we die nog hebben, en terwijl we onze overdadige diners verteren worden we verteerd door een mythisch schuldgevoel...'

Waar wilde hij heen? vroeg hij zich opeens af. Golden deze woorden eigenlijk niet voor hem alléén? Gebruikte hij ten onrechte de *wij*-vorm? Maar hij groef verder en vond weidse gedachten aan de horizon van zijn geest.

'Dit is een monsterachtige tijd,' zei hij, 'de eeuw van vernietiging en overvloed en schuld. Ik was bijna gestorven drie dagen geleden en ik weet in alle oprechtheid niet of ik liever op de keukenvloer was blijven liggen.'

Hij schrok van haar verbijsterde blik.

'Wat klinkt dat decadent,' zei ze verontwaardigd. 'Waarom kunt u niet gewoon genieten van alles wat u heeft?'

'Aan alles hangt een prijskaartje,' zei hij cryptisch, maar hij wist precies wat hij bedoelde.

'U hoeft niks te betalen,' zei ze misprijzend. 'U bent bevoorrecht en weigert te genieten. Dat noem ik decadent.'

'Ik wil juist wel betalen!' riep hij vol verlangen om het haar duidelijk te maken. 'U begrijpt 't niet, mevrouw Nová, ik wil juist wel betalen!'

Ze schudde haar hoofd en wendde haar blik af.

'Het spijt me dat ik u in verwarring breng,' zei hij.

'Dat doet u niet,' antwoordde ze met neergeslagen ogen.

'Ik ben bang dat ik me niet goed uitdruk,' probeerde hij, 'ik wil iets uitleggen dat niet uit te leggen valt, geloof ik. Ik had m'n mond moeten houden.'

Ze keek met intense ogen op: 'Bent u dan niet benieuwd naar de... naar de toekomst?' vroeg ze op de toon van een jong meisje.

'Nee.'

'Het jaar 2000,' zei ze, 'wilt u dat niet meemaken?'

Hij had hier wel eens over nagedacht, maar hij had er nooit met iemand over gesproken.
'Nee. Ik ben dan dood.'
'Hoe oud bent u?'
'Negenenvijftig.'
'Dan bent u nog maar zeventig.'
'Ik heb drie etmalen geleden een hartinfarct gehad.'
'Als u 't rustig aan doet leeft u nog minstens twintig jaar,' zei ze alsof ze hem iets wilde verkopen.
'Ik hoef het einde van deze eeuw niet mee te maken.'
'Ik begrijp u niet,' zei ze, 'ik begrijp u wezenlijk niet.'
Hij sloeg zijn ogen neer en vroeg zich af of hij haar verspeeld had. Alleen adolescenten voerden deze gesprekken vol onbegrip en onnauwkeurigheden.
'Heeft u kinderen?' vroeg ze.
'Nee.'
'Heeft u verder familie?'
'Behalve mijn vrouw, nee.'
'Dus u bent... dus u bent laten we zeggen de laatste Hoffman van de tak van uw vader?'
'Niet alleen van de tak van mijn vader. Ik ben van alle takken de laatste Hoffman. Ik ben het definitieve slot.'
'Wat zegt u dat met een wrede wellust.'
'Daar ben ik me niet van bewust.'
Ze stond op. Vermoedelijk was ze langer dan hij.
'U bent raadselachtig openhartig,' zei ze terwijl ze haar haren onder de kap duwde. 'Ik kijk uit naar onze afspraak.'
'Wilt u dan nog dat dat doorgang vindt?' vroeg hij verrast.
'Ik denk dat u een verfrissende gesprekspartner zult zijn.'
'Ja? O... ik dacht dat ik u... van mij afstootte.'
'Integendeel,' antwoordde ze. Ze knoopte haar jas dicht. Hij volgde de bewegingen van haar vingers met een fascinatie alsof ze zijn gulp openknoopte.
'Ik dacht dat mensen die een infarct hebben gehad blij zijn dat ze nog leven. U blijkbaar niet.'
'Bedoelt u: ik ben een barbaar want ik waardeer het leven niet genoeg?'
'Ja,' zei ze zonder terughouding.

'Nee. Ik waardeer het leven in zulke mate dat ik er mezelf voor afkeur.'

'Ik ben een communiste, meneer Hoffman. Ik geloof in de toekomst, ik geloof in een wereld die te veranderen is.'

'Ik benijd u,' zei hij.

'Als u 't mij vraagt bent u een slachtoffer van uw eigen verwarring, niet van deze eeuw. Wat is deze eeuw? Het is een abstractie die niets zegt. Voor u is deze eeuw iets anders dan voor een boer in Oost-Slowakije of voor een zwarte in Ghana. We moeten de wereld zien in haar eigen dynamiek, in haar wetmatigheden. Niet vanuit subjectieve obsessies.'

'Ik begrijp absoluut niet wat u zegt,' antwoordde hij, gefascineerd naar haar gezicht kijkend.

'U komt uit een andere wereld,' zei ze op de toon van een onderwijzeres.

'Voor mij bent u de andere wereld.'

Ze stak een hand uit en hij greep die met beide handen.

'Ik ben erg dankbaar dat u gekomen bent,' zei hij. 'U heeft mij toen... laten we zeggen... gered.'

Ze trok haar hand terug en hij moest haar laten gaan uit de omhelzing van zijn vingers.

'Ik begrijp dat ik er beter aan gedaan had u aan uw lot over te laten?'

Hij zweeg en keek naar buiten, alsof hij daar een antwoord kon vinden. Donkere regenwolken gleden over de heuvels en legden een waas over het landschap. Hij bedoelde dat hij geen recht had op het leven als zijn kinderen dat ook niet hadden. Esther en Mirjam waren nog niet eens aan zijn fouten toegekomen, ze hadden nog niet gespot en bedrogen en geminacht (Mirjam misschien wel, maar toen was ze al dood ook al was ze nog niet gestorven) en hij vroeg zich af of de dood van zijn kinderen een straf was die God hem had opgelegd.

Maar een God die dergelijke straffen uitdeelde was wreder dan de duivel en hij dacht aan Spinoza's God, Die de kracht was van de Natuur, Die noch strafte noch beloonde, Die vruchtbaarheid en voortgang was, maar Die geen einde kon maken aan leegte en lijden.

Hoffman was een onafgemaakte jood, wel besneden maar

zonder diploma. Hij wist niet of Spinoza ook over de God van Mozes en Abraham geschreven had, de God Die Iemand was en dus brulde als een Hemelse Marktkoopman. Met Spinoza's God kon hij niet in discussie treden, maar de God van Mozes was een Individu dat je kon toespreken en op Zijn verantwoordelijkheden wijzen. Als Hoffman gestraft werd (voor zijn liederlijkheid, die natuurlijk al vóór Esther's ziekte in zijn ziel verborgen lag), dan kon alleen Mozes' God dat op Zijn geweten hebben en zou Spinoza's abstracte godsidee onwaar zijn. Maar als Esther's lijden, en vervolgens dat van Mirjam, zinloos en onverklaarbaar en dientengevolge onacceptabel bleef – en dat bleef het voor eeuwig en altijd – dan vervaagde de individualiteit van Mozes' God en kon hij zich alleen vastgrijpen aan Spinoza's God. Tenminste, als hij zich wilde vastgrijpen.

De God van Mozes riep met straffen als de dood van kinderen slechts woede over zich af, de grenzeloze woede van de vader; de God van Spinoza echter smeekte om vergiffenis omdat Hij de Natuur niet anders had ontworpen dan met geboorte en lijden en sterven.

Als Irena Nová – Marian had hem verteld dat die Tsjechische journaliste hem op de vloer bij de wc's had gevonden – hem aan zijn lot had overgelaten dan was hij vermoedelijk daar al gestorven. Hij wilde niet meer leven. De dierlijkheid van zijn bestaan, met als honden gestorven kinderen, met in zijn borst het dom voortkloppende hart (hetzelfde soort hart als van een varken of een hyena), had hem het einde doen aanvaarden.

'Ja,' antwoordde hij eindelijk, zich weer naar Irena Nová wendend, en hij had willen zeggen: ja, je had me moeten laten liggen. Maar hij slikte zijn woorden in en zweeg toen hij haar zag staan.

Met haar handen gevouwen voor haar buik, groot en sierlijk en stralend van gezondheid, ondanks een vormeloze regenjas en een plompe zuidwester zacht en vrouwelijk, stond ze hem onbevangen te bekijken. Ze had hem stil geobserveerd en haar ogen vertelden hem dat ze bang voor hem was en op afstand bleef – en tegelijkertijd verraadden haar ogen dat ze door hem gefascineerd werd.

Hij probeerde het te voorkomen, maar ongehinderd nam de opwinding bezit van zijn geslacht en hij legde zijn handen op de deken en bedekte zijn buik en het drong tot hem door dat hij nog één doel in zijn leven had voordat hij de pijp mocht uit gaan: hij wilde haar borsten kussen, hij wilde de geuren van haar schoot ruiken.

HOOFDSTUK ELF

de middag van 18 augustus 1989

Hoffman had haar uitgenodigd voor een lunch in een restaurant aan het Namesti Republiky. Als hij een eetafspraak maakte, deed hij dat in een van de grote hotels zoals Ambassador of Europa.

Sonnema had hem een keer naar deze zaak meegenomen en het leek hem de juiste locatie voor zijn gesprek met Irena Nová. Het eten was er net zo slecht als elders maar de inrichting was origineel Jugendstil en een vage hommage aan het vooroorlogse Wenen straalde uit de luchters van vergeeld melkglas.

Ze had zich voor het gesprek niet anders gekleed dan voor het ziekenhuis, wijde kleren, gedekte kleuren. Ze had een Japanse cassetterecorder bij zich, maar hij wilde niet dat het gesprek werd opgenomen, om mogelijke forse uitspraken achteraf te kunnen ontkennen. Tijdens het eten - een onverwacht smakelijk lapje biefstuk met stukgekookte aardappelen en lauwe rode bieten - stelde ze haar vragen.

Ze was afstandelijker dan bij haar bezoek. Ze keek hem nauwelijks aan en maakte met de hand aantekeningen op een notitieblok, waarop ze ook haar neutrale vragen genoteerd had. Hij antwoordde met de lamme frasen van de diplomatieke conversatie.

Hij had een duur linnen pak aangetrokken van Italiaanse snit - opnieuw zweette Europa onder een tropische lucht - en voelde de blikken van Tsjechen aan andere tafels. Hij was er op een foute manier opzichtig in, zoals een gouden schakelarmband of een zware zegelring in zijn milieu *not done* was. Hij droeg het pak misschien één keer per jaar want het was net op de rand van wat een Nederlandse diplomaat zich aan *showing off* kon veroorloven. Het was beter geweest als hij hier in zijn oudste pak aan tafel was geschoven.

De afgelopen dagen en nachten, sinds haar bezoek aan zijn ziekbed, werd hij bezocht door erotische fantasieën. De koortsige voorstellingen van haar lichaam vormden een onuitputtelijke bron van overwegingen en geile ideeën. Sinds Kenia had hij geen sex meer gehad. Vroeger lokte het betreden van een bordeel al voldoende opwinding uit om de daad brandend en snel te verrichten; alleen al de gedachte dat een vrouw voor geld haar benen spreidde geilde hem op en hij was een vaste gast geweest van diplomatieke bordelen in Lima, Dar-es-Salaam, Rio, Houston, de posten waar hij na Esther's dood gestationeerd was geweest. Hij masturbeerde. Een man van zestig die de hand aan zichzelf sloeg.

De sexualiteit veranderde met de jaren, zoals de beharing op je armen of de vorm van een moedervlek. Maar je kon het niet kwijtraken, hoogstens onderdrukken.

Zijn onderdrukkingsmechanisme was gaan haperen bij de aanblik van Irena Nová. Ze keek je aan en meteen wilde je weten wat je nog niet wist, want ze had erotische ogen, en met erotiek bedoelde hij hier de suggestie van een geheim. Door haar ogen wilde je de duistere plekken van haar geest en de duistere plekken van haar lichaam blootleggen.

Hij had aan haar gedacht, 's nachts in zijn slaapkamer, te midden van internationale kranten en tijdschriften, tot de lege slaap van Bayer over hem kwam. Het infarct had tot de nieuwe kennismaking met het bed geleid. Hij was het urenlange liggen ontwend, maar de doktoren hadden onverbiddelijke slaapmiddelen voorgeschreven en hij slikte ze braaf. Hij had nagedacht over Irena's lengte, haar ogen vroegen om ontdekkingstochten, haar figuur riep ademloze geilheid op – tot deze drie factoren bracht hij zijn verwachting terug.

Hij had het ziekenhuis verlaten en de armzalige lijn van zijn leven opgevat met slechts één doel voor ogen, een heroïsche taak die onmogelijk leek en tot de meest absurde plannen leidde. Hoffman had weinig tijd, naderde het einde van de reis. Ze zat nu onaanraakbaar tegenover hem en ze gedroeg zich koel en emotieloos.

Het gesprek sleepte. Toen hij zich in het Italiaanse kostuum had gestoken, hoopte hij dat het hem jonger zou maken en zijn kandidaatschap zou versterken, maar ze had geen belangstelling voor zijn stem, ogen en pak, en ze werkte geroutineerd het interview af.

Toen de koffie geserveerd werd (Turkse, in kleine glazen) bedankte ze hem. Hij zag hele kleine zweetdruppeltjes op haar voorhoofd en op haar bovenlip.

'Graag gedaan. Ik krijg 't nog te zien van u?'

'Dat hebben we afgesproken.'

'Wat gaat u de rest van de middag doen?' vroeg hij.

'Ik moet nog wat andere dingen uitwerken,' antwoordde ze ontwijkend, langs hem heen kijkend naar gasten aan andere tafels.

'Ik heb 't gevoel...' Hij aarzelde en zocht naar woorden. 'Ik heb 't gevoel dat u er niet met uw gedachten bij bent,' zei hij.

Ze wierp kort een blik op hem, bitter en vijandig, schudde toen nerveus haar hoofd.

'Nee. 't Gaat wel,' zei ze.

''t Gaat wel? Dus er is iets?'

Ze reageerde niet maar staarde desolaat naar het kopje koffie dat onaangeroerd tussen haar handen stond.

'Als ik u met iets kan helpen, mevrouw Nová, dan graag, ik kan misschien iets voor u betekenen.'

Ze lachte schamper, keek kort op en liet minachting in haar ogen schemeren. Hij las in haar ogen de scherpe boodschap dat zij zijn fantasieën gezien had en hem veroordeelde.

'Ik hoef niet geholpen te worden, meneer Hoffman,' zei ze, 'ik red mezelf wel.'

'Maar als u toch...' drong hij aan. Hij zag dat hij haar ergerde.

'Ik weet 't,' zei ze fel.

Machteloosheid beving hem. Hij zou nooit dichter bij haar komen dan de breedte van deze tafel toeliet.

Hij bleef neerslachtig achter zijn koffie zitten toen ze vertrokken was. Ze zou hem over een paar dagen bellen zodat hij het uitgeschreven interview kon lezen. Het behoorde tot de standaardregels dat een dergelijk interview nimmer vóór publikatie gelezen werd. De diplomaat kon dan altijd beweren dat hij zoiets niet gezegd had en dat alles ontsproten was aan de fantasie van de journalist, maar hij had er nu in toegestemd teneinde haar opnieuw te ontmoeten en een kans te behouden op de verwerkelijking van zijn fantasieën.

Hij bestelde een fles wijn en begon in gestaag tempo de fles te ledigen. Hij wilde nadenken.

Er lag iets hysterisch besloten in zijn wens om met Irena Nová te slapen. Hij vroeg zich af of Mirjam een rol speelde in deze redeloze obsessie. Mirjam zou dit jaar negenentwintig geworden zijn en Irena Nová leek iets ouder te zijn, begin dertig. Opeens hechtte hij geloof aan de magische symboliek van het onderbewuste. Hij kon zich voorstellen dat hij zich symbolisch wilde verenigen met zijn gestorven dochter en Irena tot haar vervangster had benoemd. Maar toen hij zich serieus over deze gedachten boog, schudde hij in verbazing zijn hoofd over de dwalingen waarin zijn geest zich verloren had en somber en zonder dorst dronk hij de fles leeg.

Het was nog maar halverwege de middag toen hij thuiskwam. Hij was aangeschoten, voelde zijn gezicht gloeien, en hij trok meteen zijn colbert uit. Hij gaf geen donder om het besef dat hij zijn leven riskeerde met zoveel alcohol in zijn bloed. Toen hij in de keuken – zijn veilige haven, zijn zoet toevluchtsoord – een tweede fles ontkurkte, kwam Marian binnen met een zilveren dienblad waarop de resten van haar lunch stonden. Hij zag de schok die zijn aanblik bij haar veroorzaakte. Met trillende handen zette ze het blad op het aanrecht.

'Felix...'

Ze bleef met haar rug naar hem staan, staarde naar de groene tuin en hij hoorde de emotie in haar stem. Ook zij had aan de warmte toegegeven. Ze droeg een jurk met korte mouwen en hij zag de ruime huid van haar bovenarmen. De kurk verliet met een beschaafd plofje de hals van de fles. Elegant klokte de wijn in het kristallen glas.

'Felix...'

Hij nam het glas op en snuffelde. Een edele fles.

'Felix...'

Hij nam een slok en spoelde de wijn tussen zijn tanden,

alle papillen in zijn mond werden gestreeld.

'Ik geef het op, Felix,' hoorde hij Marian zeggen. Hij wierp een blik op de heupen die hun kinderen gedragen hadden. Er was een herinnering aan de jonge vrouw die zij was geweest en aan hun versie van de huwelijkse sex in een verduisterde slaapkamer, tussen gêne en lust. Hij had toen niets anders nagejaagd, hij had Marian en de meisjes en het leven bejegende hem met mildheid. Hij was gelukkig.

'Hoor je wat ik zeg? Ik geef het op.'

Hoffman schoof een stoel achteruit en ging zitten. Marian stond nog steeds met haar rug naar hem toe, niet bij machte hem aan te kijken.

'Je hebt je eigen leven toch?' zei hij schor, 'je hoeft je van mij niks aan te trekken.'

Ze vroeg: 'Wil je zo graag dood?'

Hij hoorde dat ze haar tranen bedwong. Ze zei: 'Wil je d'r echt op deze manier een einde aan maken?'

''t Is warm. Ik heb dorst. Dat mag,' zei hij leugenachtig.

'Je bent dronken. Je was dronken toen je binnenkwam. Heb je ergens geluncht? Ach, ik wil 't ook niet weten.'

Hij zag dat ze haar hoofd schudde, kijkend naar het besproeide gazon en de rijzige bomen.

'Waarom zijn we toen niet meteen gescheiden? Misschien was dat toen ook beter geweest voor Mirjam.'

'Onzin', zei hij.

'Mirjam heeft er nog 't meest onder geleden. Het is onze schuld dat zij er niet meer is.'

'En Esther? Is 't ook onze schuld dat zij kanker heeft gekregen?'

'Ik weet 't niet... soms denk ik dat er een opperwezen is dat straft. Esther is misschien wel voor ons gestorven.'

Hij tilde het glas op en zei: 'Zo'n idee is een restantje van je katholieke periode, schat.'

Hij nam een slok en genoot van de volwassen wijn.

'We hebben het niet goed gedaan, Felix.'

'O nee?'

'Hou op met dat sarcasme!' Ze had haar stem laten dreunen.

Hij wees met een vinger naar haar en hij herinnerde zich

dat dronkemannen in goedkope cafés op deze manier hun ongelijk van zich af zwaaien.

'Spreek me zo niet toe, Marian! Jij hebt 't recht niet om me zo af te bekken!'

Ze reageerde niet, bleef onbewogen voor het aanrecht staan.

Snuivend zat hij aan de marmeren tafel en hij schonk het halfvolle glas bij. Hij gedroeg zich onredelijk, zelfingenomen, wraakzuchtig, en hij bespeurde een woede die zich alleen kon ontladen in zure verwijten, haar tot tranen bewegend.

'Je komt hier opeens binnenvallen en je begint over scheiden!' Hij hoorde zichzelf brallen, een weerzinwekkende man. 'Godverdomme ik zit hier te genezen van een hartinfarct, een HARTINFARCT hoor je!' Hij zat nu echt te schreeuwen, met opengesperde ogen, de rand van de tafel vastgrijpend. 'Denk je dat ik een nieuw infarct krijg als je zo tegen me praat? Is dat 't wat je wil? Wil je me de pijp uit laten gaan? Zit je me op te fokken omdat ik dan de kans loop te stikken in m'n eigen bloed? Je wil me dood hebben, is 't niet? Je wil dat ik kapot ga! Nou schat, ga zo door en ik ga kapot!'

'Ik wil je niet kapot hebben!' gilde ze. Ze sloeg haar handen voor haar gezicht.

Hij nam een volle slok om zijn opwinding te doven, maar zijn ziel lag te roosteren op een rek van schuld en schaamte en in de alcohol laaiden de vlammen op. Hij moest haar vernietigen als hij zich ooit van zijn schuldgevoel wilde bevrijden. Hij wilde haar tranen zien.

'Weet je wat, schat?' zei hij met de meest vleiende stem waartoe hij onder de omstandigheden in staat was, 'misschien wens jij iedereen wel dood. Iedereen.'

'Schoft!'

Ze draaide zich met een ruk naar hem om. 'Schoft,' herhaalde ze. Gebalde vuisten hield ze voor haar borst, alsof ze zich ook fysiek moest verdedigen. Maar haar ogen waren bleek en droog. Ze fluisterde: 'Je bent een beest. Jij bent weerzinwekkend.'

Ze bekeek hem alsof het de laatste keer was, toen verliet ze de keuken.

Meteen schonk hij een nieuw glas in. Hij moest zien te overleven tot de volgende afspraak met Irena. Hij maakte geen kans, maar het was het enige vooruitzicht dat hem kon laten ademen.

Als hij een plastic zak over zijn hoofd trok, zou hij stikken.

In een teil met water kon hij verdrinken.

De lucht die hij ademde was waardevoller dan zijn leven.

Hij rouwde om de man die hij ooit was geweest.

De telefoon ging en iemand in huis nam op. Twintig seconden later opende Jana de keukendeur en ze bleef vierkant op de drempel staan.

'Voor u,' zei ze zonder medelijden.

Hij duwde zich op en wankelde naar de hal, zich aan de muren staande houdend.

Met een klamme hand nam hij de zware, zwarte hoorn op.

'Ja?'

'Irena Nová...'

'Mevrouw Nová!'

Alsof hij het gevaar liep dat ze hem gadesloeg probeerde hij rechtop te staan, zijn dronkenschap verbergend, maar het drong snel tot hem door dat dat geen zin had.

Hij zei haar naam nog een keer, rustiger nu: 'Mevrouw Nová... waarmee kan ik u helpen?'

'Met het interview. Kunnen we alvast afspreken voor volgende week? Woensdag, schikt dat?'

Hij wist absoluut niet of hij woensdag vrij was maar hij kon niet weigeren. Alles zou hij opzij schuiven voor een afspraak met haar.

'Ja natuurlijk, woensdag is uitstekend. Waar?'

'Zelfde plek?'

'Uitstekend.'

''n Uur of zeven?'

''s Avonds?'

'Ja natuurlijk.'

Ze wilde hem 's avonds ontmoeten. Een jeugdige blijdschap sprong op in zijn borst, de verwachting van een verliefde jongen. 'Graag,' zei hij.

Ze hing op.

Hij hield zich vast aan de gedraaide poot van de eikehouten trapleuning en hij keek op. Op de hoogste tree stond Marian, met rode ogen op hem neerkijkend. Ze wachtte op een woord van hem en hij wist dat, als hij opeens sprakeloos zou zijn, een gebaar, iets met een hand of een vinger, ook voldoende was.

Hoffman wankelde terug naar de keuken.

HOOFDSTUK TWAALF

de avond van 23 augustus 1989

Hoffman had de dagen en nachten overleefd. Elke avond wachtte er een onbegaanbare berg die hij met blote handen moest overwinnen. Steile wanden, ruwe rotsen. En elke ochtend bereikte hij het vlakke land van de dag. Hij verbaasde zich, als een lamme na een wandeltocht.

De ambassadeur liet zich door Boris naar het restaurant aan het Namesti Republiky rijden. De zon was achter de heuvels ten westen van de stad verdwenen, een lauwe schemer hing boven de honderden torens en dakkapellen.

Op de motorkap wapperde de vlag van het Koninkrijk. Hoffman had vandaag een rapport gelezen over de mensenrechten in Tsjechoslowakije, onder zijn naam zou het naar Den Haag verzonden worden. Zijn voornaamste opdracht in Praag was het steunen van dissidenten, een door de woordvoerdersclub van BZ bedachte stunt. Niemand in Den Haag gaf een donder om de dissidenten hier, hijzelf incluis. De Minister kon echter in de kamer *scoren* met zijn gedweep met zweverige humanisten of teleurgestelde communisten. De pers in het Westen geilde op dissidenten, want dissidenten waren een variant van de journalist: aan de zijlijn van de politiek en alles beter wetend maar monddood gemaakt door die verdomde politici. De journalist, een treurig soort mens dat zijn haatdragendheid tot beroep had verheven, kon zich daar moeiteloos mee identificeren.

Ook in Nederland had je dissidenten, maar daar werden ze gewoon querulant genoemd. In Oost-Europa lag dat anders. Er waren er een paar die de uitzondering op de regel vormden (zoals Sacharov, de vleesgeworden onschuld) maar meestal waren dissidenten diepgelovige helden die gehinderd werden in hun kerkbezoek en streefden naar een Europa onder leiding van de Paus. Hij dacht hierbij in het bijzonder aan de Polen, die niet meer werkten en hun land tot economische wanhoop hadden gebracht en dus de hele dag in de kerk op hun knieën lagen om de Heilige Maagd betere tijden af te smeken.

Een querulant die in een Oosteuropees land was geboren, werd in het Westen een dissident genoemd. Een halve analfabeet die AAP NOOT MIES kon schrijven en zo gelukkig was om in een werkkamp van de Gulag te worden opgesloten, werd in München of Parijs gepubliceerd als een 'experimentele, dissidente schrijver'.

Hoffman moest contacten onderhouden met lokale dissidenten, zo luidde een van de richtlijnen uit de Apenrots, hij moest de partij en de regering hier duidelijk maken dat het Nederlandse volk hechtte aan de tenuitvoerlegging van de akkoorden van Helsinki. Nog afgezien van Hoffman's in stilte gekoesterde overtuiging dat het Nederlandse volk geen zak gaf om de akkoorden van Helsinki, kon hij er geen voordeel in vinden wanneer Europa weer het slagveld werd van verhitte nationalismen. Naar zijn bescheiden mening verdiende een Sudetenduitser die grenzen wilde verleggen een straf communistisch regime.

Hoffman liet de contacten met de dissidente medemens over aan Johan Sonnema, een katholiek intellectueel uit Franeker die alles van onderdrukking wist en bij een glas wijn graag over existentie en vrijheid in gebondenheid en dergelijke lulde.

Het leek Hoffman dat in Tsjechoslowakije nooit iets zou veranderen. De Polen wilden een Rooms Rijk en de Paus op de troon en hadden bij de verkiezingen in juni – de eerste sinds veertig jaar – de kandidaten van de partij met lege handen naar huis gestuurd. De Oostduitsers waren boven alles Duitsers en wilden allemaal onder één vlag marcheren (ze zaten nu niet alleen in Boedapest en in Oost-Berlijn in de Westduitse ambassade, maar ook hier in Praag, hij had gehoord dat ze in de gangen bivakkeerden, ze sliepen onder de bureaus en tussen de archiefkasten, de wc's raakten verstopt). De Hongaren droomden van iets groots en meeslepends als het Habsburgse imperium (de partij was daar in gesprek met de oppositie; allemaal één pot nat, oordeelde Hoffman), maar wat wilden de Tsjechen?

Vrijheid en democratie hadden de Tsjechen alleen tussen 1918 en 1939 gekend en een nationaal gevoel, zoals de Polen en Hongaren dat hadden, was hun vreemd. Het was het land van *Soldaat Schwejk* en *Franz Kafka*, een beetje een acheneb-bish landje, balancerend tussen paranoia en minderwaardigheidsgevoel. Het land was niet eens een eenheid, er woonden Duitsers, Slowaken en Tsjechen, alle drie met hun eigen taal en cultuur, altijd vermorzeld tussen de echte Duitsers, de Oostenrijkers en de Russen.

Twee dagen geleden was er een verboden betoging gehouden en de politie had honderden arrestaties verricht. In dit soort landen waren er altijd mensen te vinden die verzot waren op arresteren. In 1968, toen de Russen het menselijke gezicht van Dubcek met boksbeugels hadden bewerkt, bleek er een legioen enthousiaste Tsjechen klaar te staan om hun eigen landgenoten te onderdrukken en te martelen. In elk Oosteuropees land bezaten hele hordes het vermogen tot grenzeloze dienstverlening aan de bezetter, met nog grotere inzet, perfectie en meedogenloosheid dan de collaborateurs tijdens de Nazi-Duitse bezetting van Europa.

Overal hadden ze boter op hun hoofd, elk volk onderdrukte zichzelf.

Hoffman was als de dood voor vrije Roemenen, die in de oorlog de Duitsers hadden voorgedaan hoe je het best joden kon vernietigen. Ook de Hongaren hadden er een indrukwekkende eeuw op zitten, met hele rijen antisemieten als premiers. En wat te denken van de Saksen die hun land de DDR hadden genoemd? Hij huiverde bij de gedachte dat de Saksen vrij en onafhankelijk van de Russen werden of – wat God verhoede – een verbond met de Westduitsers sloten, want als je een Duitser een pink gaf hakte hij je hele hand af.

Gelukkig luisterden in Berlijn grijze mannetjes met zuinige mondjes naar missiven uit Moskou. Het communisme van Moskou – niks anders dan een reusachtige oligarchie – hield in dit hele Oosteuropa de deksel op de kokende pannen met nationalisme, rassenwaan, jodenhaat. De Europese deling was het minst slechte dat deze eeuw had voortgebracht.

Vanzelfsprekend had hij in het gesprek met Irena Nová hierover gezwegen. Op haar vragen had hij volstrekt neutraal geantwoord. In feite had hij geen enkele mededeling gedaan, behalve dan dat hij in staat was om te praten zonder iets te zeggen.

De afgelopen nachten had hij weer gegeten, toegevend aan de wrede honger. Hij had tijdschriften en simpele detectives gelezen, en gelaten en opgeblazen op de ochtend gewacht. Het medicijn dat zijn bloed dun hield, Sintrom, slikte hij nog, de slaapmiddelen daarentegen had hij boven in zijn slaapkamer in een la gelegd, naast het boek van Spinoza, dat verwarrende en vermoeiende herinneringen opriep. Het leek wel of de jongensachtige bravoure waarmee hij aan de verbetering van zijn verstand was begonnen nu al om de onvermijdelijke rekening had gevraagd, want de rekening, zo wist hij uit ervaring, bleef nimmer uit; hij was slechts een man op leeftijd met volwassen zelfhaat en een laatste wens die hij niemand kon toevertrouwen.

Hij dacht in termen van 'de rekening'. Voor elke stap vooruit had hij betaald. Zijn overleving in de oorlog had hij afgerekend met de dood van zijn ouders, de teloorgang van zijn kinderen vormde de betaling voor zijn loopbaan – zo ongeveer zag zijn denken in balansen eruit.

Meer dan eens had hij er op de plee of aan de keukentafel over nagedacht en zich afgevraagd of hij er een ander waardenstelsel op na kon houden, maar hij had hierin geen vrijheid, hij voelde de knellende banden van zijn beperkte karakter.

Hij was niet anders dan hij was, stelde hij vast. Hij accepteerde met deze conclusie een soort gemakzucht, want deze ontsloeg hem van verbetering van zijn verstand en moraal. Hij had er zich bij neergelegd. Nadat de tintelende jacht op geluk in Esther's kist was geëindigd, had hij nu ook het streven naar rust en begrip laten glippen. Als een ontsnapte ballon schoot het naar de wolken.

Zijn overbewustzijn, een symptoom van zijn droomloze

bestaan, registreerde elke rimpeling in zijn geestesgesteldheid. Alleen de dood kon hem van zichzelf verlossen.

De Mercedes reed over de brug voor de Tsjechische bijdrage aan de Expo '58. Het strakke gebouw van glas en metaal stond tegen de steile heuvelkam die de linkeroever van de Moldau omzoomde. De brug was bekleed met asfalt, op de rechteroever zetten kinderkopjes het gebrom voort. Ze reden nu door een straat die Revolucni heette, op het einde wachtte het restaurant waar hij Irena zou ontmoeten. Boris opende het portier voor hem. Hij was er zelf niet te lamlendig voor, maar Boris had hem woordeloos duidelijk gemaakt dat hij het openen en sluiten van de portieren van de Mercedes tot zijn werk rekende.

De zomer was nog niet geweken, de avond was zacht en zwaar. Hoffman bedankte Boris en vertelde dat hij over een paar uur een taxi zou nemen, hij kon naar huis.

Het restaurant was stil. Er diende zich geen gerant aan en hij zocht zelf een tafel uit. Het was alsof in de hal van Tuschinski, de Amsterdamse bioscoop die hij gedurende zijn studie vaak had bezocht, tafels en stoelen waren neergezet. Zijn geheugen bood hem een herinnering aan, de tweede of derde afspraak die hij met Marian had: bij een Italiaanse film had hij zijn arm om haar heen geslagen en ze had hem gekust. Hij legde zijn oude Burberry op een stoel en ging zitten. Op het witte tafelkleed voelde de zijkant van zijn rechterhand broodkruimels liggen, verloren in verre herinneringen streek hij ze bij elkaar.

Toen keek hij op, gewaarschuwd door magische zintuigen, en onwillekeurig ging hij staan toen hij haar uit de gang zag komen die de eetzaal met de toiletten verbond. Haar aanblik verzachtte de pijn van zijn ziel. Ze ging aan een andere tafel zitten en bij toeval zag ze hem. Zonder te ademen, alsof door de geringste beweging haar verschijning zou vervagen, had hij haar gadegeslagen. Hij stond er met rechte rug en de vinger op de naad, strak in het gelid, wachtend op het bevel dat haar glimlach zou uitstralen.

Ze glimlachte.

Hij liep naar haar toe.

Ze stond op en wachtte in volle glorie op zijn komst. Gracieus stak ze een hand uit.

'Meneer Hoffman...'

'Mevrouw Nová...'

Hij kuste haar hand.

'Vindt u 't hier ook zo leeg?' vroeg ze terwijl hij verdronk in haar ogen, haar hand vasthoudend.

'U gaat liever ergens anders heen?'

'Eigenlijk wel,' zei ze.

'Ik ben helaas een vreemdeling hier,' zei hij.

'Maar ik niet.' Nu pas trok ze haar hand terug uit zijn hunkerende klem.

Ze stelde een restaurant voor met een onduidelijke status. Gefluisterd werd dat partijbonzen tot de clientèle behoorden. Irena beweerde dat het de beste keuken van de stad had, een onbekende werd er niet zonder meer toegelaten. Hij had erover gehoord.

Ze namen een taxi naar de Francouzska, een brede straat die uit het centrum voerde. Ze gaf hem de doorslagen van het artikel, dat slechts tweeëneenhalve pagina telde. De straatverlichting was te zwak om de letters te onderscheiden.

Ze zag er stralend uit, ze had make-up op gedaan, droeg een elegant mantelpakje, op de schouders van het mannelijk gesneden jasje lag haar dikke blonde haar als een bontkraag. Terwijl ze over het kleine circuit van nachtrestaurants vertelde, vroeg hij zich af of ze zijn aanbod zou accepteren. Hij was tot de slotsom gekomen dat hij haar geld moest bieden en hij zou inzetten op een bedrag van duizend dollar. Hij was ook genegen een tegenvoorstel van tienduizend te accepteren, want hij was bereid om alles wat hij nog na de aankoop van het speelfilmdebuut van zijn dochter zijn bezit kon noemen aan haar te geven. Op de zwarte markt hier betekende duizend dollar een fortuin dat ze niet kon weigeren. Van belang was het moment waarop hij zijn voorstel zou doen, na afloop van het diner, alsof het de normaalste zaak van de wereld was om haar liefde te kopen.

Hij had een stugge ontmoeting verwacht, gevolgd door een snelle maaltijd, maar ze leek uitgelaten. Ze praatte voluit en martelde hem met haar lach.

De taxi stopte en Irena leidde hem een donkere steeg in, niet herkenbaar vanaf de straat. De smalle steeg hield de geluiden van de stad op afstand, alleen hun voetstappen weerkaatsten tegen de oude stenen, die de warmte van de dag uitademden. Opeens was hij met haar alleen. Ze was niet bang voor zijn nabijheid.

'Houdt u van gevogelte?' vroeg ze.

'Ik ben gek op fazant, parelhoen, kwartel...'

'Ze zeggen dat de houtvesters van het jachtslot van onze president hier de opbrengst van hun strooptochten brengen.'

Bij een lage deur in een muur die de stenen omheining van een binnenplaats leek te zijn bleven ze staan. Irena klopte.

'Nemen ze reserveringen?' vroeg hij.

'Ze hebben geen telefoon, althans dat beweren ze.'

Een luikje in de deur ging open. In de duisternis herkende Hoffman de contouren van een gezicht. Irena fluisterde iets, maar het gezicht schudde ontkennend. Hij hoorde aan Irena's stem dat hun tocht geen beloning zou krijgen.

Ze wendde zich tot hem. 'Pas over een dik uur,' zei ze, 'maar ze zijn bang dat ze dan niets meer in voorraad hebben.'

'Wilt u wachten?' vroeg hij.

'Ik heb eigenlijk wel flinke honger.'

'Dan gaan we naar Hotel Europa,' besliste hij. Ze zei iets tegen het donkere gezicht en het luikje werd gesloten. Ze liepen terug naar de straat.

'Dat is 't nadeel van deze zaakjes,' zei ze, 'ze zijn afhankelijk van wat ze toevallig op een dag binnenkrijgen.'

'Ik nodig u graag uit voor volgende week. Dan gaan we wat eerder.'

'Dank u wel.'

Opnieuw waren ze alleen. Een zwakke lantaarn in de brede straat vijftig meter verder wierp geel licht op haar gezicht. Ofschoon ze een armslengte van hem verwijderd was voelde hij de hitte van haar lichaam.

'Duizend dollar.'

Hij had het gezegd voordat hij erover had nagedacht.

Glimlachend wierp ze een blik opzij. Het was duidelijk dat ze niet begreep wat hij had gezegd. De slag van zijn hart versnelde, alsof hij bergopwaarts liep.

'Wat zegt u?' vroeg ze.
Hij voelde zijn geslacht groeien.
'Duizend dollar,' herhaalde hij met trillende stem.
Ze bleef staan, nog steeds glimlachend, maar door haar ogen zag hij onrust schieten.
'Ik begrijp niet wat u bedoelt,' zei ze alsof ze reageerde op een niet begrepen mop.
Hij stond met zijn rug naar de grote straat. Het lantaarnlicht viel op zijn schouders dus ze kon zijn gezicht niet zien. Hij bezat de blinde moed van een verdwaalde alpinist.
'Duizend dollar. Als u met mij naar een hotel gaat.'
'We gaan toch naar Europa?'
'Ik bedoel naar een kamer, mevrouw Nová.'
Ze bekeek hem met open mond, haar ogen knipperden.
'Ik eh... ik begrijp 't geloof ik niet helemaal,' zei ze langzaam.
'Duizend dollar, mevrouw Nová, harde valuta, een hoop geld, dat bied ik u als u met mij naar een hotelkamer gaat.'
Ze snoof minachtend, bekeek hem met een afkeer die zelfs niet door Jana kon worden benaderd, en ze wendde haar hoofd af.
'U weet niet wat u zegt, meneer Hoffman.'
Ze holde weg.
Hij volgde haar. Elke stap deed hem pijn. Het was lang geleden dat hij gerend had maar hij kon haar niet laten ontsnappen. Hij zag haar haren rond haar schouders dansen. De stok onder aan zijn buik stond dwars in zijn broek en hinderde hem bij het lopen.
Hij greep haar bij een arm.
Ze bleef staan en wierp hem dezelfde vernietigende blik toe.
Hij hapte uitgeput naar lucht, zijn hart kon elk moment uit elkaar spatten.
'Vergeeft u mij,' zei hij. 'U bent...' Hij slikte, bevochtigde zijn lippen. 'U bent een godin. Ik aanbid u.'
'Een godin bied je geen geld,' zei ze getergd.
'Ik weet geen andere manier om u tot mij te brengen.' Hij klonk wanhopig, verspeelde in één zet alle kaarten. Maar zijn geslacht gloeide.

'Dit is niet de manier,' zei ze hoofdschuddend.

'Ik ken geen andere,' zei hij smekend, 'ik zoek uw liefde maar ik besef dat u niet de mijne zoekt.'

Ze verborg haar gezicht achter haar handen. Hoffman stond nog steeds te hijgen, keek naar de vorm van haar vingers, naar haar hals.

'Tweeduizend,' hoorde hij haar achter haar handen zeggen.

'Vijfentwintighonderd,' zei hij met verstikte stem, 'ik geef u vijfentwintighonderd.'

'Drieduizend,' klonk haar gesmoorde stem.

'Zoals u wilt,' antwoordde hij. 'U krijgt drieduizend dollar.'

Ze reageerde niet.

Hij kon haar gezicht niet zien en wachtte tot ze de moed had om de schaamte in haar ogen te tonen. Hij hief een hand en legde die op haar arm. Ze stapte achteruit, haar gezicht in de schelp van haar handen, en verloste zich van zijn aanraking.

'Laten we een taxi nemen,' zei hij.

'Europa kan niet,' zei ze. Nog steeds verborg ze zich.

'Waarom niet?'

'Daar zullen ze uw paspoort willen zien.'

'Een ander hotel?'

'Ik ken iemand bij International.'

'Ik vertrouw u,' zei hij. 'Ik ben u dankbaar dat u aan mijn positie denkt.'

Nu liet ze haar handen zakken en hij kon haar treurende ogen zien.

'Ik heb 't geld nodig,' zei ze.

HOOFDSTUK DERTIEN

de vroege ochtend van 24 augustus 1989

Hij wandelde met Mirjam over het strand. Een gierende wind nam haar woorden mee en hij zag haar pratende mond en panische blik maar het ontging hem waarom ze zo hevig gebaarde. Toen zag hij Esther. Ze verdween in de hoge golven.

Hij vocht zich door de dikke schuimkoppen naar haar toe en greep haar arm. De tocht terug naar het strand was een kwestie van één slag en hij sleepte haar het vochtige zand op. Achter hem vulde het water meteen hun sporen. Hij drukte zijn mond op de koude lippen van zijn kind en angst stroomde door zijn armen. Hij probeerde leven in haar longen te blazen. Maar ze sloeg lachend haar ogen op en omarmde hem. Het was een spel.

Ze liepen verder. Esther was kleiner dan Mirjam, hij vroeg hoe dat kwam. Esther had een groeistoornis, dat was alles. Marian zat op een plaid en haalde uit een gigantische rieten mand potjes kaviaar, voor elk één.

Ze zaten te eten.

De zon droogde zijn kleren.

Nog voordat de beelden oplosten, wist Hoffman dat hij droomde. Hij keerde terug uit die andere wereld, gelukzalig en verlost van de nachtmerrie waarin zijn kinderen waren gestorven, en toen hij zijn ogen opsloeg zag hij Irena in de fauteuil in de hoek van de kamer zitten.

Hij sloot zijn ogen en bleef een moment liggen. Hij had rondgedwaald in de wereld van wonderen en vergetelheid. Hij had Esther vastgehouden en naar Mirjam geluisterd. Hij had met zijn gezin gegeten. Hij had geslapen. Mijn God.

Hij richtte zich op en keek naar Irena.

Ze had zich aangekleed, rookte een sigaret waarvan de dunne walm door het licht van een schemerlamp cirkelde. De lucht in de kamer leek wel massief. Ondanks het open raam kreeg hij nauwelijks zuurstof in zijn longen.

'Ga je weg?' vroeg hij met een droge mond. Hij leunde op een elleboog.

Ze knikte, rook uitblazend.

'Ik heb geslapen,' zei hij.

'Ik wilde je niet wekken. Maar het briefje lukte niet zo, anders was ik al weg geweest.'

''t Is twintig jaar geleden dat ik geslapen heb.'

'Wat bedoel je?'

Ze sprak zacht en teder, als een minnares. Het drong tot hem door dat ze allebei fluisterden.

'Ik heb nu weer voor 't eerst geslapen. Dank zij jou.'

'Lijd je aan slapeloosheid?'

'Chronisch. Maar ik heb geslapen. Door jou.'

'Echt waar?'

'Door jou, Irena, door jou. Echt waar, door jou.'

Verrast en voldaan glimlachte ze. Ze stond op.

'Ik moet gaan.'

'Ja,' zei hij.

'Let je op? Je kunt gewoon door de grote hal terug. Neem 'n taxi.'

Ze bukte en nam haar handtas.

'Zie ik je volgende week?' vroeg hij.

Ze stopte een pakje sigaretten en een aansteker in het tasje en keek even naar hem op. Ze knikte.

'Ik zal je dan 't geld geven,' zei hij.

'Kleine biljetten...'

'Zal ik doen.'

Hij stak een hand naar haar uit. Ze greep zijn vingers maar ze bleef afstand houden van het bed.

'Ik heb geslapen, Irena. Je weet niet wat dat voor mij betekent. 't Komt door jou. Jouw... jouw liefde.'

'Overdrijf je niet?'

Hij schudde zijn hoofd. 'Nee, nee, nee. Ik ben tegen jou in slaap gevallen. Jij hebt me verlost.'

'Dat klinkt religieus.'

'Dat is 't ook.'

Ze liet zijn hand los en deed twee stappen naar de deur: "t Artikel?'

'Prachtig artikel,' zei hij. 'Kun je zo afdrukken.'

'Weet je 't zeker?' Ze drukte de sigaret uit in een zware glazen asbak.

'Ja,' zei hij.

'Let op jezelf, Felix.'

Hij knikte. Ze opende de deur en verdween.

Hij liet zich op het matras zakken. De lakens geurden naar haar schoot. Hij trok het laken over zijn hoofd en vulde zijn longen met haar aroma.

Terwijl hij zo in zijn tentje lag voelde hij hoe zijn ledematen gloeiden. Een jeugdige kracht verspreidde zich tintelend door zijn buik. Hij gaf zich over aan de herinnering aan haar climax en opnieuw richtte zijn geslacht zich op, alsof hij twintig was. Zijn onttakelende lichaam was nog sterk genoeg om een vrouw van dertig te bevredigen en een oeroude mannelijke trots stroomde door hem heen. Volgende week mocht hij opnieuw tussen Irena's borsten in slaap vallen. Hij wist dat zij zijn einde kon betekenen, maar geen enkele prijs was te hoog.

Opeens keek hij verwachtingsvol uit naar de toekomst. Hij zou Irena overladen met geld en geschenken, hij zou haar verslaafd maken aan luxe en comfort en haar aan zich binden tot hij berooid en uitgeneukt gepensioneerd werd en op de dood ging wachten.

Irena's lichaam was vol en stevig, hij kon zich verliezen in haar ogen, hij had haar gekust en gestreeld – aanbeden – en toen ze zijn hoofd vastgreep en zijn hongerige mond uit haar schaamte duwde had hij de sidderingen van haar climax gevoeld. Ze had hem uitgenodigd en ze hielp hem op haar lichaam. Hij was zijn leeftijd vergeten en vol overgave verdronken in de lust die door haar gezicht straalde.

Zijn geslacht klopte gretig en hij greep de gloeiende stok en bevredigde zichzelf.

Een halfuur later verliet hij de blokkendoos van Hotel

International. De marmeren hal was verlaten, op twee in trainingspakken geklede mannen na die in de brede stoelen naast de uitgang zaten en een asbak hadden volgerookt. Hij stapte de bedompte nacht in zonder dat ze hem een blik gunden. Er stonden twee taxi's voor de deur en hij liet zich naar de residentie rijden.

Het was kwart voor twee. Hij had geslapen. Zijn kinderen waren dood en zijn huwelijk was tot aan de laatste draad opgebrand, maar voor het moment kon hij zich verbazen over de geestdrift waarmee hij op de volgende woensdag wachtte. Hij had hier nog enkele jaren voor de boeg en hij kon jaren van haar genieten - zolang zijn inkomsten dat toelieten.

Hij moest rekening houden met zijn baan en met Marian. Hij kon niet verhinderen dat hij Irena zo nu en dan ergens zou tegenkomen, ze was per slot van rekening journaliste, maar een schandaal moest hij vermijden. De twee mannen bij de uitgang van het hotel waren zonder twijfel leden van de FSZS en dergelijke risico's kon hij niet meer nemen.

Maar toen hij zich bewust werd van deze angsten wuifde hij ze weg en nam hij zich voor dat hij haar zou blijven ontmoeten, ten koste van alles. En hoe ongeloofwaardig dat ook klonk, als ze voor de FSZS zou werken (je kon in deze landen niets uitsluiten) dan zou hij haar evenmin uit de weg gaan. Als ze zijn noodlot was, dan zou hij dat accepteren; zijn alles was per slot van rekening niets waard.

De taxi stopte voor zijn huis. Hij had nog niet gegeten en voelde het speeksel van de honger over zijn tong spoelen. Hij had haar schoot geproefd; hij ging nu de gerookte forel proeven die vanmiddag met de diplomatieke post was gekomen. De forel zat in een pakket delicatessen van een traiteur uit Den Haag, compleet met allerlei folders en Haagse huis-aanhuiskrantjes waarom hij gevraagd had.

Hij kon de nacht aan. Hij had geslapen.

HOOFDSTUK VEERTIEN

de ochtend van 29 september 1989

Nadat hij rond een uur of zeven 's avonds op Charles de Gaulle in Parijs was geland, nam John Marks een aansluitende vlucht naar München, ook al gaf zijn ticket aan dat hij zou overstappen op een Air France-vlucht naar Rome.

In München stapte hij op de trein naar Wenen, met een tweedeklaskaartje, en ver na middernacht liet hij het aan de taxichauffeur over waar hij zou overnachten. De man bracht hem naar Hotel Alpha in het 9. Bezirk, een rustige wijk vlak boven het centrum. Het hotel bevond zich in bescheiden nieuwbouw in een negentiende-eeuwse straat. De kamer was schoon en gedempt.

Hij had de gezichten van medepassagiers in zijn geheugen geprent maar hij werd niet gevolgd. Onderweg had hij geen krant of tijdschrift gelezen. Hij had gemijmerd en zijn herinneringen bekeken.

Zijn afspraak met Marian Hoffman vond plaats om elf uur maar hij liet zich al om zes uur wekken. Na een douche dronk hij uit een van de plastic bekers die hij had meegenomen een kop koffie, op zijn kamer gebracht door een Pakistaanse ober. De vroege trams denderden langs het hotel. Hij kleedde zich in wat hij zijn beste pak vond, een kostuum van Brooks Brothers. Het was een onopvallend, klassiek pak, maar de liefhebber herkende de kwaliteit van de stof en de meesterhand van de kleermaker. Voor de zekerheid nam hij een dunne, onopvallende regenjas mee, ook al was het warm en droog.

De ochtend was helder. Hij liep enkele blokken en begon bij het naderen van een tram aan de verplichte *dry cleaning*, uren van schijnbewegingen om volgers kwijt te raken. Twintig meter verder was een tramhalte. Hij haastte zich en sprong op de treeplank. Hij wierp een blik door de achterruit en zag een geruststellend verlaten trottoir. Hij nam plaats op een enkele stoel vlak naast de klapdeuren van het middendeel van de tram en liet zich naar de Stephansdom vervoeren.

Hij liet zich nu niet meesleuren door herinneringen aan Marian; hij concentreerde zich op mogelijke schaduwen en observators.

In het café tegenover de kerk, Am Stephansplatz, bestelde hij een café au lait, maar hij wantrouwde het kopje en liet het staan. Hij bladerde door een Weense ochtendkrant die in een houten rug was gestoken (hij zag hoe de drukinkt de vingers van zijn handschoenen bevuilden) en lette op de ingang. Het café stroomde vol met precieuze bejaarde dames met verwaande schoothondjes. Na een halfuur verliet hij de zaak.

Hij daalde af onder het plein en nam op een kraakhelder perron de U-Bahn naar Praterstern, aan de andere kant van het Donaukanaal, en wachtte er enkele minuten tot de poorten van het Volksprater opengingen.

Het reuzenrad stond nog stil. Voor de ingang veegden donkere mannen, buitenlandse werknemers vermoedde hij, het straatafval bij elkaar met aan stokken gebonden bundels takken, oerbezems. Hij neuriede de deun van *The Third Man*.

Te midden van vroege gezinnen die zich op de attracties stortten maakte hij een wandeling over het terrein. Hij nam een andere uitgang, hield een taxi aan en gaf de chauffeur opdracht naar het Südbahnhof te rijden. Hij zat schuin op de achterbank en hield achteropkomend verkeer in het oog. Hij had het warm in de regenjas.

Vijfentwintig minuten liep hij op het station van perron naar perron, voorzichtig alsof het oorlogstijd was. Hij stapte in een trein, liep door enkele wagons en verliet de trein weer. Daarna – de regenjas had hij uitgetrokken – nam hij de U-Bahn naar de Südtiroler Platz. Daar verwisselde hij direct van metro en stapte op de lijn naar de Karlsplatz. Een taxi bracht hem naar het Westbahnhof en hij wandelde door de Mariahilfer Strasse in de richting van de Linzer Strasse, sloeg toen af naar links naar het Schloss Schönbrunn.

Opnieuw nam hij plaats in een taxi (hij verbaasde zich altijd dat Europeanen juist Mercedes, voor Amerikanen het hoogtepunt van cultuur en rijkdom, tot de taxi van het continent hadden benoemd) en gaf opdracht naar de Thalia Strasse te rijden. Op de hoek met de Watt Gasse verliet hij de auto en liep met een omtrekkende beweging naar Pension Klopstock in de Klopstockgasse, een verwaarloosde straat in het door gastarbeiders en gestrande Oosteuropese emigranten bewoonde 17. Bezirk.

In de benauwde hal zat Simon Berenstein achter de versleten secretaire die Marks met hem in 1958 op een veiling had gekocht. Berenstein keek op en groette met een achteloos knikje, alsof John Marks zijn dagelijkse bezoekje bracht.

Marks kwam dichterbij en zag in de brede hand de ouderwetse kroontjespen waarmee Berenstein zijn romans schreef. Achterin, in de woonkamer, stond een zware dekenkist die tientallen romans van Berenstein bevatte. De manuscripten mochten echter niet gepubliceerd worden. 'Pas als ik onder het gras lig mogen ze het lezen.' Hij was een Russische jood die in de jaren vijftig naar Oostenrijk was gevlucht. Marks had nooit één regel van hem gelezen maar hij nam voor het gemak aan dat het meesterwerken waren.

Berenstein schreef verder terwijl hij zijn vragen stelde.

'Blijf je lang, John?'

'Alleen vandaag.'

'Wanneer kom je weer eens 'n paar weken?'

'Ik weet 't niet, Simon.'

'Nooit meer, hè?'

'Ik weet 't niet, Simon.'

'Kamer 305. Ze is er al.'

Marks legde de envelop boven op de secretaire. Berenstein liet hem liggen, alsof het er niet toe deed, en Marks liep naar de oude liftkooi. Hij sloot de liftdeur, niks meer dan een net van ijzerdraad, en de lift trilde en werkte zich steunend naar de derde verdieping.

Met een schok bleef de lift op de derde hangen. Marks opende de deur en zocht op de gang naar 305. Donker parket lag op de vloer, zijn leren zolen verraadden zijn aanwezigheid. Hij bleef voor de kamer staan, klopte met de knokkels van zijn geschoeide rechterhand maar hij wachtte niet op antwoord en opende meteen de deur.

Marian zat op de armsteun van een zware fauteuil die voor het raam stond. Zij was gekleed op de warmte, droeg een jurk met halflange mouwen in een motief van kleine bloemen. Zij keek om toen hij binnenkwam en glimlachte nerveus. Toen ze opstond, streek ze haar jurk glad.

Marks was op de drempel blijven staan, de hand op de deurklink.

De eerste keer had hij met haar in de logeerkamer van zijn flat in Dar-es-Salaam geslapen, in 1972, de laatste keer had hij haar in Rio de Janeiro gezien, in '77, vlak voor het Braziliaanse carnaval. Ze was nu twaalf jaar ouder. Hij zag dat ze haar haar had gespoeld en een grijze lok boven haar ogen als een saluut aan haar leeftijd had behouden.

Hij zocht naar woorden. Hij slikte, zag hoe nerveus haar vingers met het hengsel van haar handtas speelden. Allebei aarzelden ze. Toen ze naar hem toe liep, moest hij zijn armen spreiden. Jarenlang had hij over dit moment gedroomd; nu het zover was, was hij bang dat ze hem aanraakte. Hij hoorde dat ze haar tas liet vallen en ze sloeg haar armen om zijn middel. Buiten waren katten aan het vechten.

Toen haar greep om zijn middel verslapte, liet hij haar ook los. Ze pakte zijn handen vast – de handschoenen – en ze bleven tegenover elkaar staan. Ze was groter dan hij. Hij hoorde zichzelf snuiven.

'Wat heerlijk om je te zien, Marian.' Hij sprak haar naam uit als *Mary Ann*, had de Nederlandse manier nooit onder de knie kunnen krijgen.

Ze knikte teder. Haar ogen schoten over zijn gezicht, bekeken de rimpels, zochten naar haren op zijn hoofd. Haar vingers streelden de handschoenen.

'Je ziet er goed uit, John.'

'Jij bent geen dag ouder,' zei hij.

Ze lachte als een jong meisje: 'Je overdrijft...'

'Nee... je bent prachtig,' zei hij met een snik in zijn stem. Hij knipperde met zijn ogen en hield zijn tranen weg. Hij durfde haar niet te kussen.

''t Is pas gisteren, vind je ook niet?' zei ze.

Hij knikte. 'Gisteren,' beaamde hij, ''t is allemaal nog zo helder. 't Is maar 'n paar uur geleden.'

Opeens liepen er tranen over haar wangen. Hij leidde haar naar het bed en ging samen met haar zitten. Ze huilde stil en diep, zoals alleen mensen kunnen huilen die hun verlies accepteren.

'Let maar niet op me,' zei ze.

Ze haalde diep adem en haalde een pakje papieren doekjes uit haar tas. Ze depte de tranen van haar wangen en glimlachte met grote ogen.

''t Is zo heerlijk om je te zien, John. Vertel me alles, waar woon je, hoe gaat 't, en je kinderen, je vrouw, dat wil ik ook weten.'

Hij vertelde dat hij, nadat Marian in Rio een einde had gemaakt aan hun verhouding, gescheiden was en dat hij sinds die tijd alleen was.

Ernstig en aandachtig luisterde ze, hield hem krampachtig bij zijn arm vast, haar vingers brandden door de stof, en ze vroeg naar zijn huis in Vienna, Virginia, en hoe hij zijn dagen vulde. Ook wilde ze weten hoe hij haar had gevonden en hij hield de waarheid bij haar vandaan, vertelde alleen dat een vriend van hem die in Praag gestationeerd was toevallig iets had opgemerkt over de nieuwe Nederlandse ambassadeur.

Ze geloofde wat hij zei. De waarheid was dat hij haar sinds Rio geen week uit het oog had verloren. Hij had toestemming gekregen om haar te vertellen dat hij rapporten over haar kreeg – zoals elke vroegere agent werd ook zij regelmatig gecontroleerd – maar als hij dat zou doen zou hij haar gevoel voor *privacy* beschadigen, dus zweeg hij erover. Hij vroeg naar haar man en ze vertelde fluisterend, alsof haar man haar kon afluisteren, dat haar tweede kind ook gestorven was en het huwelijk met Felix een hel.

Ze keek hem ongerust aan toen er een roffel op de deur klonk. En Marks, die wist wat er komen zou, liet Berenstein binnen. Deze droeg een dienblad met whiskey en een schaal met stukken papaya.

'Deze krankzinnige combinatie is niet door mij bedacht,'

zei hij met zijn Russische tongval. 'Die is van mijn vriend John.' Hij schoof het blad op het tafeltje bij het raam.

Op dat moment kuste Marian John op zijn wang, alsof al die jaren niet waren verstreken. Talloze keren had Marks hun rendez-vous opgesierd met whiskey en papaya. Het was het enige dat hij toen de eerste keer in Dar-es-Salaam in huis had.

'Maakt u zich geen zorgen als u 't niet op krijgt,' zei Berenstein terwijl hij de kamer verliet. '*Enjoy*.'

Marks opende de fles Chivas en gaf haar een paar roddels over de Firma. Hij wilde zich wassen.

Onvermijdelijk zou zij de vraag stellen. Zij deed het na de eerste slok. Hij dronk niet, raakte niets aan.

'Waarom wilde je me zien, John? Is er iets? Of wilde je... wilde je me alleen maar zien?'

'Natuurlijk wilde ik je zien...'

'Maar dat is niet alles?' vroeg ze melancholiek.

'Nee...'

'Er is iets, hè?

'Ja, er is iets.'

'Vertel het me.'

Hij keek naar buiten. Een grijze binnenplaats. Beneden stonden overvolle vuilnisbakken. Katten zochten naar voedsel.

''t Gaat over je man.'

'Felix?'

'Ja.'

Ze rechtte defensief haar rug.

'Vertel 't dan. Wat is er?'

'Hij... hij heeft een verhouding met een agente van de FSZS.'

Ze keek hem glazig aan, zonder te knipperen, en wachtte, alsof ze enkele seconden nodig had om zijn woorden te ontleden. Toen boog ze haar hoofd.

'Ja?' fluisterde ze. 'Heeft ie al wat doorgespeeld?'

'Nog niet. Is je iets opgevallen?'

'Nee. Wie?'

''n Journaliste.'

'Irena Nová,' zei ze. 'Kun je wat vertellen?'

'Ze is drieëndertig. Heeft gestudeerd. Ze is echt journaliste maar ze werkt ook als agente. Ervaren tante.'

Ze verhief haar stem: 'Waarom moet ik dit weten, John? Wat willen jullie van mij?'

'Ik wilde je waarschuwen.'

'Hoe, waarom?'

'Ik zeg niet dat 't gebeurt, maar dit zou wel eens uit de hand kunnen lopen.'

'Wil je dat ik 'm waarschuw?'

'Als je dat zou willen... ik heb toestemming gekregen voor jou: jij mag 't hem zeggen, ja, als je wil...'

'Nee.'

'Nee?'

'Laat 'm. Laat 'm in zijn eigen afgrond vallen.'

'Marian, dit kan serieus worden.'

Hij benadrukte zijn woorden met zijn handen, alsof hij een pleidooi hield voor een jury.

Ze zei: 'Een schandaal is wat ie wil.'

'Hij heeft toegang tot warme informatie.'

'Felix?! Laat me niet lachen. Hij is een simpele ambassadeur.' Ze schudde haar hoofd. 'Hij heeft niks dat ze willen hebben.'

'Ik verzeker je dat 't wel zo is.'

Ze keek hem gepijnigd aan, alsof ze wilde dat hij zijn verhaal zou ontkrachten. Hij onttrok zich aan haar blik, keek naar de katten beneden.

'Waarom kan dit niet gewoon 'n... 'n ontmoeting zijn, John?'

Hij mompelde: 'Ook al bemoeien wij ons niet met de wereld, de wereld bemoeit zich met ons.'

Ze sloeg haar ogen neer, wreef haar handen over elkaar.

'Dit is allemaal belachelijk,' zei ze, 'dit is allemaal zo onwezenlijk.' Ze keek op: 'Hoe komt ie aan die informatie?'

'Hij heeft 'n vriend, 'n studievriend van vroeger, die in de problemen zit. Hij is directeur bij het Natuurkundig Laboratorium van Philips, Hein Daamen.'

'Nee.' Ze schudde krampachtig haar hoofd. 'Nee, John, dat kan niet.'

''t Spijt me,' zei hij.

'O mijn god.'

Marks ging nu door, wilde geen pauze laten vallen, staarde naar de vuilnis beneden: 'Daamen is een schoolvoorbeeld. Drinkt, heeft homofiele contacten naast zijn huwelijk. Hij is af te persen.'

'Weten de Tsjechen dit?'

'Natuurlijk. Zij willen jouw man naar Daamen sturen.'

'Heeft hij anderen van de FSZS ontmoet?'

'Ja.'

'Jullie zijn wel geïnfiltreerd daar, hè?'

'We hebben een heel bijzondere bron, ja.'

'Wat wil je dat ik doe?'

'Je kunt je man wijzen op het gevaar. Je mag hem vertellen wat jij nu weet.'

'Denk je nou echt dat dat 'm tegenhoudt?'

'Misschien.'

'Nee.'

Hij had erop gerekend dat ze dit zou zeggen. Zijn chef Chris Moakley had hij ervan overtuigd dat ze haar na al die jaren weer konden inzetten. Ze nam een slok.

'Wil je me helpen?' vroeg hij.

'Ik werk niet meer voor de Firma,' zei ze. Ze nam de fles en schonk bij.

'Help *mij*.'

'Nee. Waarom? Is er nog iets, John? Is Felix maar een deel van het verhaal?'

'Ja.'

'Jezus... ik dacht dat ik hier na twaalf jaar mijn... mijn liefde ging terugzien.'

'Het spijt me,' zei hij droog.

'O mijn god... ik weet niet of ik 't nog kan opbrengen, John. Ik ben niet meer dezelfde als toen. Ik wil m'n boek afmaken. Dat is 't enige nog waar ik voor leef eigenlijk...'

'Als je nee zegt dan zullen we dat volstrekt accepteren. Maar... 't wordt wel lastiger voor ons.'

'Je zet me onder druk.'

''t Is belangrijk.'

'Voor wie?'

'Voor de Firma.'

'Niet voor mij,' zei ze spottend.

'Ook voor jou. Voor ons allemaal.'

'Vertel 't dan.'

'Je moet eerst tekenen, Marian.'

Ze maakte een stoer gebaar: kom maar. Hij lichtte het formulier uit zijn binnenzak en vouwde het voor haar open. Hij gaf haar een pen.

'Tekenen betekent niets,' zei ze. Ze tekende.

'Nou...?' vroeg ze.

Hij stopte het vel papier weg en zocht naar het begin.

'Waarom draag je handschoenen?' vroeg ze.

'Eczeem,' loog hij. Hij durfde niet te zeggen dat hij bang was om de wereld aan te raken.

Ze nam een slok whiskey en kwam naast hem staan. Samen keken ze naar de hongerige katten beneden.

Opeens kwam Simon Berenstein zwaaiend met een bezem het binnenplein oplopen. Op zijn oude kromme benen joeg hij de katten weg, zichzelf begeleidend met Russische vloeken.

'Ken je hem al lang?'

'Ik heb hem in '58 in Riga ontmoet.'

'Werkt hij voor jullie?'

'Nee.'

'Wat wil je van me? Ik begrijp 't niet,' zei ze nadenkend.

'We hebben een belangrijke bron in Praag. Carla. Carla werkt voor de FSZS. Maar meer nog voor ons. Ze is een dubbel. Carla wil eruit. Ze wil naar ons toe komen. Jouw echtgenoot kent onze Carla.'

'Felix? Hoe dan?'

'Dit is een staatsgeheim, Marian, je hebt net getekend.'

'Wie?'

'Irena Nová.'

Ze draaide zich met een ruk naar hem om.

'Zij is een dubbel voor ons,' zei Marks op gedempte toon, zich bewust van het gewicht van deze informatie.

'Nová? Maar...?'

'Maar?'

'Dan kan zij de informatie toch...' Ze maakte haar zin niet af en ging zitten, voorovergebogen en haar handen plat tegen elkaar, alsof ze aan het bidden was. Ze kneep haar ogen dicht. 'Ik wil hier niks van weten, John.'

'Je kunt ons helpen.'

'Ik kan niet helpen. Ik kan 't echt niet... Weet Felix dat zij eigenlijk voor jullie werkt?'

'Nee. Voor hem is ze alleen een Tsjechische agent. Jouw man...' Zijn stem trilde en hij slikte. Hij was opeens bang dat hij haar hulp toch kwijt was. 'De informatie van jouw man kan haar helpen het land uit te komen. We geven aan die meneer Daamen in Eindhoven stripverhalen en dan...'

Ze schudde haar hoofd.

'Ik wil 't niet horen.' Ze keek hem smekend aan. 'Je moet me hier niet bij betrekken. Ik wil dit niet meer. Geen verraad meer, geen bedrog, geen dwaaltocht door een spiegelpaleis. Dit is allemaal waanzin. Ik kan 't niet.'

Ze stond op en pakte haar tas.

'Je had me met rust moeten laten, John. Wij hadden samen... wij hadden samen herinneringen, iets om voor te leven.'

'Ik ben om jou gescheiden.'

'Nee. Voor jezelf. Niet om mij.'

'Om jou, *Mary Ann*.'

'Voor je eigenwaarde ben je gescheiden. Voor je moraal. En dat is mooi. Maar niet dit.'

Ze liep naar de deur. Opeens bleef ze staan. 'Krijgen jullie er daar in Langley eigenlijk nooit genoeg van? Wat is dat voor een wereld die jullie maken?' Ze begon bevrijd te lachen. 'Jullie zijn net kleine zieke jongetjes, John. Jij ook.'

Tegelijk met haar legde Marks een hand op de klink van de deur, zijn leer op haar huid.

'Alsjeblieft,' zei hij. 'Ik smeek 't je.'

Ze luisterde niet en liep lachend de gang op.

HOOFDSTUK VIJFTIEN

de late avond van 28 oktober 1989

De Chrysler New Yorker draaide Sunset Boulevard op. Freddy Mancini kwam in de file terecht die elke zaterdagavond na de laatste film begon en tot in de ochtend voortduurde. Hij had erover gelezen en dit was de eerste keer dat hij de vier eindeloze rijen auto's met eigen ogen zag.

Ook het centrum van San Diego kon op zaterdagavond vollopen. Maar in Diego werden de auto's bestuurd door mensen die ergens vandaan kwamen of ergens heen gingen terwijl de file van Sunset en Hollywood Boulevard, waar hij binnen drie kwartier moest zijn, gemaakt werd door mensen die de file als hun uitje beschouwden. De file was het doel. De file was het hoogtepunt van de week.

Hij zag Vijftigers waarvan het chroom met fluweel opgepoetst was, alsof ze zo uit de showroom kwamen, hij zag opgekrikte pickups op metershoge wielen, opwippende auto's met regelbare achterveren die als ongeduldige kikkers met hun kont sprongen.

Prachtige meisjes zwaaiden naar hem, Mexicanen met haarnetjes en machosnorretjes luisterden naar de Miami Sound Machine, zwarten met grote zonnebrillen reden met gigantische ghettoblasters rond en sproeiden hun *rap* over de boulevard.

Zijn vierhonderdendertig ponden trokken veel bekijks. Zijn New Yorker, een tweedeurs *sedan de ville*, had brede portieren (een van de redenen waarom hij de auto had gekocht) en een verstelbare stuurkolom, en hij had een aangepaste stoel laten monteren die zijn enorme omvang kon steunen. Hij had de stoel gezien in een tijdschrift dat iemand hem had aangeraden, *This is not edible*, een maandblad voor de echte zwaargewichten (dat wil zeggen met een gewicht van minstens driehonderd pond), en hem meteen aangeschaft. De ramen hield hij dicht. De warme, van uitlaatgassen vergiftigde Sunset-lucht bleef buiten de New Yorker.

Sinds Bobby hem verlaten had was er niets dat hem kon stoppen. Dag en nacht at hij. Hij viel etend in slaap en werd etend wakker. Hij was nu alleen thuis. Zijn Panamese dienstmeisje met een donzig snorretje op haar bovenlip, Teresa, vertroetelde hem en sprak hem toe alsof hij drie was. Naast zijn strategisch voor de televisie geplaatste stoel had hij een koelkast neergezet. Teresa bereidde pittige Mexicaanse gerechten die hij in de loop van de avond aanvulde met *tv-dinners* en *fast food*, alles uit de diepvries van de supermarkt. Hij was verdwaald geraakt in zijn lijf.

Als hij in de spiegel keek – binnenkort moest hij de deuren in zijn huis laten verbreden – zag hij een vage herinnering aan het gezicht van de smalle adolescent die hij was geweest, weggeschminkt onder de kilo's vet op zijn wangen. Een grote, ronde onderkin, roze als bij een vetgemest varken dat het slachthuis werd binnengejaagd, bungelde onder zijn kin. Als hij op bed lag dreef hij op een laag vet. Hij probeerde zich een beeld te vormen van zijn oorspronkelijke lichaam. Hij was altijd licht geweest, eten had hem tot zijn huwelijk met Bobby nauwelijks geïnteresseerd, en hij zag de jongen van vroeger in het pak van een astronaut, een schriel mensje in een beschermend omhulsel waarin de bewegingen traag en zwaar werden. In zijn geval was het ruimtepak gemaakt van spieren en vet.

Bobby had een advocaat in de arm genomen en ze waren nu aan het scheiden. Zij eiste de helft van het huis (alsof je dat in tweeën kon zagen), de helft van de drie auto's (idem) en de helft van zijn twaalf wasserettes. Daarnaast eiste ze honderdduizend dollar schadevergoeding wegens de jarenlange geestelijke en lichamelijke schade die hij haar had toegebracht door zijn onverzadigbare honger.

Freddy's advocaat David Goldman nam de claims van Bobby zeer, zeer serieus.

'Een jury zou haar wel eens gelijk kunnen geven, Freddy.'

'Zij is bij mij weggegaan, Dave, juryleden houden niet van

vrouwen die weglopen. Zij is de verrader.'

'Jij zit daar ook in de rechtszaal...'

'Wat bedoel je?'

'Nou, ze kunnen met eigen ogen zien waarom Bobby is weggelopen.'

'Ik ben zwaar, ja, maar wat geeft dat?'

'Wat geeft dat? Hoor je wat je zegt? Dat geeft een behoorlijk verschil, een gigantisch verschil, namelijk de helft van wat je hebt vergaard met hard werken.'

'Doordat ik dik ben?'

'Jij bent niet zo maar dik, Freddy, jij behoort tot de honderd dikste mannen van de Verenigde Staten en dus tot de dikste in de hele wereld. M'n secretaresse is 't nagegaan bij de redactie van dat tijdschrift dat tegenwoordig jouw lijfblad is en van de honderd dikste mannen zijn er slechts vier getrouwd en van deze vier zijn er drie met een even zware vrouw getrouwd, dat zijn drie goeie huwelijken waarin zowel man als vrouw zich wezenloos vreten. Dus: slechts in één geval was er sprake van liefde, en dat ene geval, mijn beste Freddy, dat was jij.'

'Wat wil je daarmee zeggen?'

'Dat Bobby's advocaat deze cijfers óók heeft en ze zal gebruiken om aan te geven dat een huwelijk met een extreem zware man zoiets is als lopen op water.'

'Wat raad je me aan, Dave?' vroeg hij beschroomd.

'Val af, Freddy, kom daar die rechtszaal binnen als een jonge god en laat zien dat je helemaal niet verslaafd bent aan eten. Want dat wordt hun strategie. Jij bent verslááfd, gaan ze roepen, jij bent 'n *food junkie*.'

Sinds dat gesprek was hij dertig pond aangekomen.

Om halfeen moest Freddy op Hollywood Boulevard zijn, kamer 21 van een *Travelodge*-motel. De man die hij aan de lijn had gehad sprak zonder buitenlands accent. Hij had zich 'Jan' genoemd en Freddy was een paar dagen geleden naar de bibliotheek in zijn wijk gegaan en had in boeken van Tsjechische schrijvers die naam gevonden.

Jan was dus een Tsjechische naam. Jan had via de telefoon om een ontmoeting in San Diego gevraagd maar dat was voor Freddy te dicht bij huis. Hij had zelf Los Angeles voorgesteld en een half uur later had Jan teruggebeld met de mededeling dat L.A. ook goed was. Travelodge bij Hollywood Boulevard en Vermont Avenue, zaterdagnacht halfeen. Dat was ongewoon laat maar Freddy had er begrip voor dat dergelijke ontmoetingen op vreemde tijdstippen plaatsvonden.

Hij vorderde langzaam, en verlegen begroette hij de opgestoken duimen en zwaaiende handen in de auto's om hem heen. Hij hield de ruiten dicht en de airco zoemde koele lucht in het compartiment van bruin leer. Hij luisterde naar een station dat vierentwintig uur per dag nieuws uitzond. Ze hadden het over een demonstratie in Praag vandaag, uiteengeslagen door de autoriteiten. Hij kende Praag.

Op de stoel naast hem stond een doos met snoepgoed dat hij voor zijn vertrek uit San Diego had ingeslagen. Hij graaide naar een blik cashewnoten van Planter's en hij voelde de bodem van de doos. Misschien kon hij wat bestellen bij de Travelodge.

De reis naar Europa had hem gebroken. Bobby was verliefd geworden en hij zelf had iets gezien wat hij niet had mogen zien. De ondervragingen had hij machteloos doorstaan. Hij voelde zich nog nuttelozer dan vóór zijn bezoek aan Praag. Hij was bang geweest voor de terugkeer naar S D., alsof hij voelde dat er met Bobby iets mis was, en toen hij het telefoontje van haar kreeg en zij vertelde dat zij in Miami bleef met Bob Johnson, de grijze weduwnaar van het reisgezelschap, een belezen man die weinig sprak en zich hele dagen voorbereidde op de bezienswaardigheden die het reisbureau had beloofd, had hij gelaten de hoorn neergelegd en zich naar zijn supermarkt gespoed. Hij was vernederd en tegelijk bevrijd. Bobby had hem verlaten voor een ander en daarmee sprak ze een oordeel over hem uit: hij was een stuk vuil, een minderwaardig wezen. Maar het was hem ook meteen duidelijk dat er niemand meer was die hem tegenhield in zijn hunkering naar voedsel.

Hij begon nog grotere hoeveelheden te verorberen. En onder zijn vet ontwikkelde zich een verschrikkelijke furie. Hij kon niet meer aan Bobby denken zonder bittere herinneringen. Hun kinderen kozen geen partij, waren 'begrijpend' en 'wij houden evenveel van jou als van mama'. Toen hij de brief van haar advocaat ontving wilde hij haar vermoorden.

Het was een schokkende ontdekking: hij was bereid alle gevolgen te accepteren als hij er maar in slaagde haar leven te verbrijzelen. De woede die hij met zich meedroeg had diepe en sterke wortels. Was het mogelijk dat hij haar al jaren net zo fel had gehaat als nu? Was het mogelijk dat hij zijn leven had verspild naast een vrouw die hem vanaf het begin geminacht en vernederd had?

Na hun tweede kind was hij snel dik geworden. In die tijd verwierf hij zijn zakelijke succes en hij groeide mee met de omvang van zijn wasseretteketen. Toen begonnen ook haar snerpende opmerkingen, alsof ze hem het succes niet gunde. Als ze in gezelschap waren had ze hem vaak tot mikpunt van spot gekozen, hij had veel gebloosd in zijn huwelijk. Freddy begreep haar niet. Ook Bobby had van zijn welvarende zaak geprofiteerd, maar eigenlijk haatte ze hem om de luxe die hij haar gaf, alsof hij haar daarmee moedwillig afhankelijk van hem had gemaakt.

Bobby was verliefd geworden. Hij had haar nog één keer door de telefoon gesproken. Daarna hadden hun advocaten de discussie voortgezet.

'Hoe kun je verliefd worden op iemand die hetzelfde heet?' had hij gevraagd.

'Hij heet Robert,' antwoordde ze vinnig.

'Jij heet Roberta.'

'Iedereen noemt me Bobby, weet je nog?'

'Hem misschien ook.'

'Nou èn? Hij wordt Bob genoemd. Dat is verschil genoeg. Bob en Bobby.'

'Ik vind 't maar raar,' zei hij.

'Ik kom niet meer terug, Freddy.'

'We zijn nog steeds getrouwd.'

'Dat zegt niets. Ik blijf bij Bob.'

'Ik noemde jou ook vaak Bob in plaats van Bobby. 't Lijkt wel alsof je zegt dat je bij jezelf blijft.'

'Jij bent niet voor rede vatbaar, geloof ik.'

'Kom je echt niet meer terug, Bobby?'

'Nee. En dat is maar beter ook. Voor jou ook, Freddy. Het enige wat jij wil is eten en ik hou je daar maar van af. Ik ben lastig voor jou en jij bent lastig voor mij.'

'Waarom dan ben ik lastig voor jou?'

'Je bent dik en je leeft als een zoutzak.'

'We hadden 't altijd goed, Bobby.'

'Luister. Ik heb 'n advocaat genomen en die zal wel 'n dag afspreken dat ik m'n spullen kom weghalen. Dan wil ik niet dat je er bent, goed?'

'Ik ben er wel.'

'Als de advocaten dat afspreken, dan moet je wegblijven. Anders laat ik je arresteren.'

Freddy was toch gaan kijken en Bobby had zich aan haar belofte gehouden. In een patrouillewagen hadden ze hem afgevoerd. Ten overstaan van de buren had ze hem uit zijn eigen huis laten zetten. De politiemannen kregen hem nauwelijks van zijn plaats maar hij had zijn verzet opgegeven en ze hadden hem naar het districtsbureau gereden. Omdat het een echte arrestatie was moesten ze hem boeien, maar zijn armen waren zo dik dat ze zijn handen niet op zijn rug bij elkaar hadden gekregen. Twee dagen later kwam die brief van haar advocaat.

Freddy had besloten dat zij geen recht had op het leven.

Maar hij kende niemand die haar voor geld wilde vermoorden. Hij was niet in staat om het zelf te doen en had de hulp van een *pro* nodig. Maar waar vind je een ervaren *hitman*? Niet in de Yellow Pages.

De heren die hij in het huis aan de Potomac had ontmoet waren gediplomeerde moordenaars. Hij had echter nooit meer iets gehoord van Marks of zijn assistenten en het was niet echt verstandig om hun te vragen of ze een moord wilden plegen. Na de ondervragingen hadden ze hem op het vliegtuig naar huis gezet en hem met zijn twijfels en tekortkomingen alleen gelaten. Hij had graag in het huis willen blijven – Carolyn maakte de beste kalkoen in de hele verrotte wereld – maar nadat ze hem hadden uitgeschud trapten ze hem weg.

Hij had zijn mond gehouden en ook Bobby had geen woord uit hem gekregen. Toch was het gevoel van verbondenheid dat hij in het mooie huis had gekoesterd gaan slijten en nu dacht hij verbeten terug aan de dagen die hij aan Marks had gegeven. Geen telefoon, geen briefje, geen bedankje.

Hij was nu uit de drukte van de Strip en liet de talloze stoplichten en neonreclame over de reflecterende neus van zijn New Yorker glijden. Hij reed door tot Vermont Avenue, draaide daar naar links en ging op weg naar de kruising met Hollywood Boulevard.

Hier kon je aan het straatbeeld het tijdstip zien, gewoon na twaalf uur 's nachts. Het was drukker dan in S.D. maar zonder de kermisdrukte van de Strip, waar ook de trottoirs bevolkt werden door duizenden Sunset-freaks, de punks voor hun eigen punky clubs, de Angels rond hun Harley's, de leernichten voor hun kennels.

Hij zag de reclame van Travelodge oplichten. Er was ook een oprit op Vermont Avenue en hij parkeerde zijn auto voor het motel, een L-vormig gebouw van twee lagen, eenvoudige hotelkamers met een parkeerplaats voor de deur. Vier uur had de rit vanaf S.D. geduurd en onafgebroken had hij in zijn auto gezeten. Onder de speciale stoel zat een elektromotortje dat het hele ding een kwart slag draaide zodat zijn lichaam die beweging niet hoefde te maken als hij moest uitstappen

Kamer 21 lag op de hoek van de bovenverdieping. Hij hield zich vast aan de trapleuning en trok zich per tree omhoog. Na vijf treden bleef hij staan om op adem te komen. Het kostte hem twee volle minuten om de bovenverdieping te bereiken.

Terwijl het zweet over zijn gezicht gutste, klopte hij op de deur.

Een man met een eivormig kaal hoofd deed open.

'Komt u binnen, meneer Mancini.'

'Noemt u me maar Freddy.'

'Ik ben Jan,' zei de man.

Hij maakte een uitnodigend gebaar. De kamer was smal. Er stonden enkele bescheiden meubels en de achterwand werd gevormd door een keukenblok. Een geopende deur naast het aanrecht liet een slaapkamer zien. Het was een kleine suite. Voor de bank stond een tweede man. Net als Jan was hij een jaar of veertig en droeg hij een onberispelijk donkerblauw pak. Ondanks het late uur zagen ze er allebei fris en energiek uit, als bevlogen Mormonen.

'Hallo Freddy,' zei de tweede, 'ik ben Peter.'

Zijn naam sprak hij op z'n Duits uit. Hij had een diepe, raspende stem.

Freddy ging zwaar op de bank zitten. Het houten onderstel kraakte toen hij zijn gewicht liet vallen. Uit zijn polstasje nam hij een pakje tissues.

'Hoe was de rit, Freddy?' vroeg Jan.

'Heel goed, geen problemen.'

'Kan ik iets voor je inschenken? Wil je iets eten?' vroeg Jan.

'Graag. 'n Scotch... en 'n hamburger, kan dat?' Hij friemelde een Kleenex uit het plastic pakje en depte zijn gezicht en de lagen onder zijn kin en in zijn nek.

Jan maakte een gebaar naar Peter. Deze liep naar het aanrecht en belde via de telefoon die daar aan de muur hing de roomservice. Jan was dus de baas hier.

'Komt eraan. We zijn blij dat je er bent, Freddy,' zei Jan. Hij tilde een pakje sigaretten uit zijn colbert en hield dat Freddy voor.

'Rook je?'

'Nee, dank je,' antwoordde Freddy.

De mannen waren voorkomend. Hij was niet bang voor ze.

'Onderweg niks gemerkt?' vroeg Jan.

Freddy begreep dat hij bedoelde of hij gevolgd was.

'Nee, ik dacht 't niet,' zei hij ofschoon hij er niet op gelet had. Het leek hem dat deze afspraak onder de grootste geheimhouding tot stand was gekomen.

'We waren verrast door je brief,' zei Jan. Hij ging tegenover Freddy in een fauteuil zitten. 'We wisten eerst niet wat we ermee aan moesten. Daarom hebben we je gebeld.'

Peter schonk een glas scotch in. Jan nam de brief uit zijn binnenzak en gaf die aan Freddy.

'Dit is jouw brief toch, Freddy?'

Hij bekeek de envelop en herkende zijn handschrift.

'Ja.'

'Pak de brief er maar uit,' zei Jan.
'Ik herken de envelop. Dat is mijn handschrift.'
'Ik wil toch dat je er even naar kijkt,' drong Jan aan. Hij haalde de brief uit de envelop en liet die aan Freddy zien.
'Dat is m'n brief, ja,' zei Freddy, die in de formaliteiten van Jan de overdreven bureaucratie van het Oostblok meende te ontdekken.
Jan glimlachte en stopte de brief weer weg. Peter overhandigde hem het glas. Gulzig nam hij een slok, de ijsblokjes botsten op zijn tanden.
'De hamburger is onderweg,' zei Peter.
Ook bij hem bespeurde Freddy geen spoor van een accent. De Tsjechen hadden een perfecte opleiding Engels genoten of deze twee waren geboren Amerikanen.
'Jij hebt materiaal voor ons. Althans, dat schreef je in je brief,' zei Jan.
'Ja.'
'Wat voor materiaal?'
'Informatie.'
'Wat voor informatie?'
'Informatie over Tsjechoslowakije.'
'Tsjechoslowakije?' herhaalde Jan.
'Ja, bij toeval heb ik daar iets meegemaakt en een zekere instantie in Langley had belangstelling voor mijn ervaringen.'
Jan en Peter wisselden een blik. Freddy voelde dat deze woorden, die hij onderweg bedacht en geoefend had, hun doel troffen.
'Dat is heel bijzonder,' zei Jan.
'Dat is 't ook,' beaamde Freddy. Hij goot het glas leeg en Jan maakte Peter attent op het glas. Peter stond op om bij te schenken.
'Doe je dit... uit idealisme?' vroeg Jan.
Freddy schudde zijn hoofd en sloeg zijn ogen neer.
'Nee.'
'Kun je iets over je redenen vertellen?'
'Nee,' antwoordde Freddy.
'Ik weet niet wat jij te vertellen hebt, Freddy, maar ik moet natuurlijk weten waarom jij ons zou helpen. Stel je eens onze

positie voor. Misschien ben je wel een provocateur en ga je ons van alles op de mouw spelden.'

'Ik wil jullie hulp,' zei Freddy.

'Hulp? En daarom kom jij bij ons?'

'Ja.'

'Hulp waarbij?'

'Ik heb 'n probleem. Ik geef jullie informatie en jullie moeten me helpen bij het oplossen van dat probleem.'

'Interessant,' zei Jan met een brede glimlach.

Peter gaf hem een nieuw glas. Dankbaar keek Freddy naar hem op.

'Goed, luister Freddy...' zei Jan, 'jij schrijft een brief naar de Tsjechische ambassade, jij biedt materiaal aan, wij bellen jou terug en nu ben je hier. Wat heb je ons te bieden?'

'Eerst wil ik weten wat jullie voor mij kunnen doen.'

Ook dit had hij onderweg gerepeteerd en hij luisterde voldaan naar zijn antwoord.

'Dat hangt van jou af, Freddy.'

'Wat wil *jij*?' vroeg Peter vriendelijk.

'Als jij belangrijke informatie voor ons hebt dan zijn we natuurlijk bereid daar het een en ander voor te doen,' legde Jan uit. Hij stak eindelijk de sigaret op waarmee zijn vingers hadden gespeeld.

'Eerst willen we jouw verhaal horen, dan praten we over de beloning,' voegde Peter toe.

'Nee.' Freddy schudde zijn hoofd. 'Ik wil eerst over de beloning praten. Anders heeft 't geen zin.'

Opnieuw zag hij een blikwisseling tussen de twee mannen. Nu nam Peter de leiding van het gesprek over.

'Vind je dat niet ongewoon, Freddy? Eerst praten over de beloning en dan pas over de koopwaar?' Hij had een bassende stem.

'Nee. Niet in dit geval.'

Peter probeerde nu een dreigende tactiek: 'We zijn benieuwd, maar niet tegen elke prijs, Freddy.'

'Kijk,' zei Freddy, 'jullie zijn hier naar toe gekomen dus dat betekent dat jullie wat huiswerk gedaan hebben en iets te weten zijn gekomen, anders waren jullie er niet. Heb ik gelijk?

Dus jullie weten dat ik in dat huis bij Potomac gezeten heb.'

'Wat is er bij Potomac?' vroeg Jan.

'Een safehouse.'

'Staat daar 'n safehouse dan?' nodigde Jan uit.

'Ja,' zei Freddy. Hij onderstreepte zijn woorden met een gebaar van zijn linkerhand en hoedde zich voor te veel onbetaalde informatie.

'Okee,' zei Peter, 'goed, jij krijgt je zin, Freddy, laten we eerst over de beloning praten.'

'We spreken dat af. Zwart op wit. Jullie moeten in een soort contract opschrijven wat we overeen zijn gekomen.'

'Okee,' herhaalde Peter, 'we zijn akkoord. Jan?'

'Ik leg me erbij neer,' zei Jan, en bij wijze van overgave tilde hij zijn handen op.

Ze lachten gedrieën. Freddy had het gevoel dat hij nu al gewonnen had. Met een verse tissue depte hij de druppels van zijn voorhoofd.

Er werd op de deur geklopt.

Geschrokken keek Freddy om. Maar zijn gesprekspartners hadden geen last van de onverwachte klop op de deur en ontspannen stond Peter op.

'Zal de roomservice zijn,' zei hij.

Hij trok de deur open en er stond inderdaad iemand met een kartonnen doos van een fast food keten, een zwarte man met een baseballpet.

'*Refill?*' vroeg Jan.

Freddy knikte. Hij zag dat Peter de besteller betaalde en de deur weer sloot.

'Hier, Freddy, je late snack.'

'Het begin van m'n late snack,' corrigeerde Freddy. Peter lachte en ging weer op de keukenstoel zitten.

'Ik heb last van m'n rug. Kan alleen op harde stoelen zitten.'

'Zo heeft iedereen wat,' zei Freddy.

Hij beet in de hamburger. Hij proefde meteen dat het tweederangs was, te veel saus, klef brood, het vlees was geperst en deed denken aan een poreuze schoenzool.

Jan zette het glas op het lage tafeltje dat de bank van zijn fauteuil scheidde.

'Goed. We doen zaken,' zei hij terwijl hij achterover ging zitten. 'Wat wil je, Freddy?'

''n Liquidatie.' Hij had zijn mond vol maar hij had geleerd om met een volle mond toch verstaanbaar te zijn.

''n Wat?' zei Jan. Hij ging rechtop zitten. Peter schoof naar het puntje van zijn stoel.

'Liquidatie,' herhaalde Freddy.

'Liquidatie?' vroeg Peter. 'Hoe bedoel je liquidatie?'

'Zo heet dat.'

'Je bedoelt eigenlijk moord?' zei Jan.

'Dat is wat anders,' zei Freddy. 'Als je 't moord noemt dan bedoel je 'n misdaad. Ik bedoel iets dat gerechtvaardigd is.'

Jan staarde hem verbluft aan. Langzaam ging hij weer achterover zitten. Freddy nam een verse hap. Hij voelde de saus over zijn kin lopen en wreef het spoor met een tissue weg.

'Wie?' vroeg Peter.

'Mijn vrouw,' zei Freddy. Hij had zijn mond vol maar het was goed verstaanbaar.

'Je vrouw?!' Jan schoot overeind, keek hem verbaasd aan.

'Je vrouw dus,' herhaalde Peter met zijn kalme galm.

Freddy knikte. Hij had gezegd wat hij moest zeggen. Hij had er uitgebreid over nagedacht. Hij was ervoor uit San Diego komen rijden en desnoods zou hij ervoor naar hun ambassade in Washington gaan, want er brandde een heilige haat in zijn lijf en hij was bereid te offeren. Als de Tsjechen Bobby zouden doden, zou hij hun vertellen wat hij wist – hij wist niet veel maar in ieder geval genoeg om de kosten van een huurmoordenaar (en hij was ervan overtuigd dat zij de namen van huurmoordenaars in hun agenda hadden) te verantwoorden.

'Wij moeten een moord plegen en dan vertel jij alles wat je weet?' vatte Jan de gedachtengang van Freddy samen.

Freddy knikte.

'Vind je 't gek als wij eerst willen weten *wat* we krijgen voordat we zoiets doen?'

In deze vraag hoorde Freddy een serieuze overweging van zijn voorstel. 'Nee,' antwoordde hij.

Peter begon opeens te hinniken en Freddy keek hem verbaasd aan.

De man zat schokschouderend te lachen, boog zijn hoofd en schermde met een hand zijn gezicht af. 'Sorry,' hoorde Freddy hem zeggen.

Freddy keek naar Jan in de hoop steun bij hem te vinden, maar het leek erop dat Jan een lach onderdrukte en snel een nieuwe sigaret opstak om zijn verwarring te verbergen.

Toen Peter zijn hand liet zakken, stond zijn gezicht weer in de plooi. 'Het spijt me,' zei hij als een emotieloze ambtenaar, 'maar dit alles werkte opeens op m'n lachspieren. Wij hadden verwacht dat u om geld zou vragen, of om 'n auto of 'n huis of vrouwen, maar niet dit. Dit is zéér ongewoon, meneer Mancini...'

'Freddy, noem me Freddy...'

'Natuurlijk, Freddy... jouw verzoek hebben we nooit eerder gehoord.'

'Dat is wat ik wil,' zei Freddy.

Hij voelde zich beledigd door hun onprofessionele gedrag, maar hij was vastbesloten zijn voorstel te handhaven. Met zijn vingers veegde hij de resten in de doos bij elkaar en hij duwde de slablaadjes en schijfjes tomaat in zijn mond.

Jan stond op en wees op de spiegel boven zijn fauteuil.

'Zie je deze spiegel, Freddy?'

Hij keek even op en knikte.

'Dit is een *one way mirror*, Freddy.'

Jan stak een hand in zijn zak en liet een identiteitsbewijs zien.

'In de kamer hiernaast staat een videocamera. Die heeft ons samenzijn geregistreerd. Wij werken voor meneer Marks.'

Freddy keek naar Peter. De man knikte met een schuldbewust gezicht, alsof hij er spijt van had dat hij Freddy belazerd had.

'Wij hebben jouw brief onderschept. Dat hoort tot ons werk.'

Freddy begreep niet wat hij bedoelde. Hij keek naar de spiegel en naar de ID in de hand van Jan, hij zocht in het gezicht van Peter naar uitleg en staarde in de lege doos waarin vetvlekken aan de hamburger herinnerden, en opeens begreep hij hoe de vork in de steel zat: de Tsjechen wilden hem testen. Hij glimlachte.

'Ik heb jullie door,' zei hij minzaam.

'Ja?' vroeg Jan.

'Ik trap hier niet in,' zei Freddy lachend.

'Waar niet in?' klonk de nieuwslezersstem van Peter.

'In dit...' Freddy gebaarde met een hand. 'Ga zitten,' zei hij tegen Jan, 'en laten we zaken doen.'

'Wil je met meneer Marks praten?' vroeg Jan.

'Natuurlijk!' antwoordde Freddy. Hij was vrolijk genoeg om hun grappen te verdragen.

Peter stond op en verdween in de slaapkamer achter de keuken.

Jan ging weer zitten. 'Waarom lach je, Fred?' vroeg hij.

'Omdat dit één grote grap is,' zei hij.

'Wat is een grap?'

'Deze zogenaamde set-up. Dat is 'n gewone spiegel en jij bent 'n Tsjech.'

'Als dat zo is... waarom zouden we dit doen, denk je?'

'Om mij te testen natuurlijk!'

'Waarop?'

'Om te kijken of ik niet bij de eerste de beste ondervraging in de fout ga! In films zie je dat toch ook altijd!'

Peter kwam terug en bood hem een draadloze telefoon aan.

'Meneer Marks heeft het gesprek ook gehoord,' zei hij. 'Hij zit in Europa. Hij wil je graag spreken...'

Freddy geloofde geen woord van wat Peter beweerde maar hij nam goedmoedig de telefoon aan.

'Hee John!' riep hij met bravoure.

'Dag Freddy,' hoorde hij John Marks zeggen.

De lijn was slecht en de stem van Marks klonk zwak, maar de imitatie verdiende lof. Freddy kon niet ontkennen dat ze echt hun best deden om deze illusie zo realistisch mogelijk te spelen.

'Hoe gaat 't Freddy?'

'Goed, John. Met jou ook?' Freddy trok een gezicht naar de twee mannen, maar ze bleven hem strak aankijken.

'Jazeker. Freddy, ik maak me zorgen over jou.'

'Dat is niet nodig, John.'

'Ik denk 't wel. Die brief is een ernstige zaak, Freddy, je hebt je tegenover de staat verplicht te zwijgen, je hebt een handtekening gezet, weet je nog?'

'Ja, dat herinner ik me wel...'

Een akelige twijfel beving hem. Deze man trof niet alleen de stem van John Marks maar ook zijn patroniserende toon. Freddy wilde niet accepteren dat zijn brief in verkeerde handen was gevallen.

'Daar staan zware straffen op, Freddy. Als wij er een zaak van maken dan slijt je de rest van je leven achter tralies. Ik neem aan dat je dat niet wil.'

'Wie wel?'

'Waarom heb je die brief geschreven?'

'Omdat jullie me gewoon links lieten liggen.'

'Je wilde toch gewoon je leven verder leiden?'

'Zonder Bobby?'

'Het gedrag van Bobby kunnen wij niet sturen.'

'Luister, namaak-John, jullie ontfermen je over Bobby en dan vertel ik jullie wat ik weet.'

Er klonk geen antwoord, ruis dwarrelde uit de hoorn.

'Mag ik Jan even van je?' zei John's matte stem.

Freddy hield de telefoon op. 'De baas!' zei hij.

Jan nam de hoorn aan en luisterde aandachtig, met knikkend hoofd, scherp naar Freddy kijkend.

Freddy voelde hoe een superieure, triomfantelijke stemming zijn humeur optilde. Hij had zich niet laten naaien en trouw de lijnen gevolgd die hij de afgelopen weken had uitgezet. Ze hadden natuurlijk verwacht dat hij zou ontkennen, ontkrachten, ontkomen. Maar hij had voet bij stuk gehouden en zijn voorstel verdedigd zoals een zelfverzekerd mens die in zijn zaak geloofde dat behoorde te doen. Hij wilde zichzelf bedanken en toegeven aan de lekkere trek die zijn maag kietelde en hij richtte zich tot Peter.

Het ontging hem niet dat deze opeens een wapen in zijn handen had, maar niets verbaasde hem meer.

'Denk je dat we nog iets kunnen bestellen?'

Jan antwoordde: 'Laten we je ergens naar toe brengen waar je wat tot rust komt, Freddy.' Hij drukte op een knop van de draadloze telefoon en verbrak de verbinding.

'Ik vind 't best,' zei Freddy, 'en misschien kunnen we daar iets te drinken krijgen want 't lijkt me dat we wat te vieren hebben.'

'Misschien wel,' zei Jan.

Peter was opgestaan en opende de voordeur. Er stond een man buiten, met zijn rug naar hen toe, op wiens jack in grote fluorescerende letters stond: *FBI*. Hij draaide zich om en Freddy herkende de zwarte man die de hamburger had gebracht. Ook hij was opeens gewapend, een Beretta *riot gun* hield hij met beide handen vast, als een ervaren *cop*.

'Ga je mee?' vroeg Jan.

'Waar gaan we naar toe?' vroeg Freddy.

Hij begreep niet waarom iedereen opeens een wapen droeg, alsof ze hem moesten verdedigen.

'En waarom lopen jullie daarmee rond?' vroeg hij.

'We moeten jou meenemen, Freddy,' zei Jan.

'Hee, ik ben hier met m'n eigen auto dus ik rij zelf.'

Hij probeerde zich uit de bank te werken, trok zich aan de leuning uit de diepte van de kussens, maar het was duidelijk dat hij hiermee ernstige problemen had. Jan gebaarde naar Peter en de twee mannen steunden hem onder zijn armen en trokken hem uit de vallei van de doorgezeten bank.

'Dank je wel,' zei Freddy hijgend. Hij pakte zijn tasje op.

'Ga je met ons mee, Freddy?' vroeg Jan.

'Natuurlijk.'

'Je bent je ervan bewust waar we heen gaan?'

'We gaan toch iets eten en drinken?'

'Nee, Freddy. We gaan naar een dokter. Die onderzoekt jou. Je krijgt een kalmerend middel en dan praten we morgen verder. Goed?'

'Waarom?' vroeg Freddy.

Hij begreep niet wat Jan bedoelde. Angstig keek hij naar de drie mannen die hem naar de deur leidden.

'Je hebt rust nodig, Freddy,' zei Peter.

'Waarom dan?'

Freddy's stem klonk opeens hoog en jong, als van een kind van tien. Hij stapte de nacht in. De lucht omarmde hem als een warme vrouw.

'Je bent een beetje in de war, Freddy.'

Ze duwden hem in de richting van de trap, maar hij had geen aanmoediging nodig.

Freddy liet zich vallen en de zwaartekracht deed de rest. De ijzeren randen van de treden sneden in zijn vlees. Hij herinnerde zich hoe hij in Praag was gevallen en ook al duurde de val misschien één seconde, het was lang genoeg voor het gebed in zijn hoofd: ik wil terug naar het licht in de lange gang, het licht dat streelt en liefheeft, het licht dat troost en verlost...

HOOFDSTUK ZESTIEN

de ochtend van 24 november 1989

Irena stond in een rij die de doorgang Friedrichstrasse wilde passeren.

Het had geregend vannacht, eindelijk had de herfst de lange zomer overmeesterd. Ze wachtte te midden van Oostduitsers die nu zonder hindernissen naar de Kurfürstendamm konden lopen. Haar dochtertje stond geduldig naast haar, haar kinderhanden in wollen wanten, op haar hoofd een kleurrijke muts, een vertederend klein koffertje in de hand. alsof ze uit logeren ging.

De Vopo's stonden aan weerszijden van de grensovergang, in de huisjes, in de uitkijktorens, ze stonden overal, maar ze stuurden niemand terug. Gespannen hield Irena hen in het oog, maar ze zag dat de paspoorten zonder overdreven aandacht bekeken werden. Een van de politiemannen droeg aan een riem een houten bord voor zijn buik; hij legde er de opengevouwen paspoorten op en drukte op een van de pagina's het stempel van de bevrijding. De controle was een loze formaliteit, maar haar hart klopte in haar keel.

Ze had geen Tsjechisch uitreisvisum en ze wist niet of de Vopo's ook anderen dan Oostduitsers mochten doorlaten. De rij schoof door. Vlak achter de betonnen muren en prikkeldraadversperringen vlogen mensen elkaar juichend om de hals. Aan weerszijden van de open grens zwaaiden ze naar elkaar met dassen en zakdoeken, maar de tranen van gisteren waren verdwenen.

'Mama,' zei Vera, 'wacht er ook iemand op ons?'

'Ja, er is ook iemand voor ons.'

Ze tuurde naar de wachtenden in de Amerikaanse sector en ze vroeg zich af wie van de mannen speciaal voor hen naar deze grenspost was gekomen. Twee cameraploegen filmden de reizigers bij het zetten van de eerste stap op Westberlijnse bodem. Tot nu toe hadden ze altijd hun woord gehouden.

De rij schoof verder.

Ze pakte de wollen hand van haar kind en bleef voor de Vopo staan. Hij bekeek haar groene paspoort. Hij had de tientallen vóór haar met een glimlach afgestempeld, bevrijd van de opdracht om te schieten (had hij geschoten, vroeg zij zich af, had hij iemand vermoord die van de ene kant van zijn stad naar de andere wilde wandelen?), maar nu keek hij verward op en ze zag aan zijn gezicht dat hij voor dit geval geen richtlijnen had gekregen. Hij wilde regels, opdrachten, net als een hond was hij radeloos zonder baas.

'Hoe komt u in de DDR?' vroeg hij.

'Ik ben de grens overgegaan,' antwoordde ze met beheerste stem.

Hij wierp even een blik op Vera: 'Hoe?'

'Gewoon op mijn benen,' zei Irena, en nu trilden de woorden.

De man knikte. Een week geleden had haar antwoord tot een woedeuitbarsting geleid. Hij zou haar gearresteerd hebben.

'U heeft geen uitreisvisum,' zei de man. 'Officieel kunt u hier helemaal niet zijn.'

'Maar ik ben er.'

'Officieel niet.'

'Als u uw ogen gebruikt dan ziet u dat ik hier officieel ben.'

Ze zag dat hij zijn woede wegbeet. Hij siste haar toe: 'Gaat u hier weg. Ga terug. Verdwijn hier.'

Ze voelde de onzekere blikken van Vera, die naar haar opkeek, gevoelig voor de toon van het gesprek dat ze niet kon volgen. Irena hield haar hand stevig vast, haar kind zou niets overkomen.

De cameraploeg kwam dichterbij. Samen met de Vopo keek Irena in het dikke glas van de lens en de grote televisiecamera zond hen over de aarde. Een hengel met een microfoon bungelde boven hun hoofd en stervend van angst keek ze de Vopo aan. Onder de klep van zijn politiepet herkende ze in zijn ogen dezelfde angst. Terwijl het glazen wereldoog op hen gericht was, verscheen er onder zijn panische blik een geforceerde glimlach. Hij stempelde af.

Ze trok Vera mee en ze liepen tussen de betonnen wanden, ontweken de plassen en stapten zomaar het Westen binnen. Irena sleurde haar kind met zich mee, Vera holde op haar kleine rode laarzen. Dezelfde grijze hemel, dezelfde lucht in haar longen.

Ze liepen bijna tegen hem aan, een man, een jongen nog die voor haar stond.

'Mevrouw Nová?'

Ze bleef staan en nam hem wantrouwend in zich op. Maar hij was mooi, goed gekleed, een schitterend gebit.

'Mijn naam is Maclaughlin. Ik ben hier om u welkom te heten namens de regering van de Verenigde Staten. Dat is zeker Vera. Gaat u met mij mee?'

HOOFDSTUK ZEVENTIEN

de ochtend van 2 december 1989

Spinoza schreef in het zevende hoofdstuk van zijn *Verhandeling*:

'Het doel is nu, klare en duidelijke ideeën te hebben, zodanige namelijk, die voortkomen uit de zuivere geest en niet uit toevallige bewegingen van het lichaam.'

Ongeschoren en gekleed in een pak dat hij al een week aan had, zat Hoffman achter een gammel tuintafeltje in de lege woonkamer van zijn zomerhuis in Vught. Onder handbereik stond een pot Frankfurters. Opnieuw had hij zich over Spinoza gebogen.

Het zomerhuis was een degelijke houten blokhut, in 1963 opgetrokken door een bedrijf dat Zweedse *prefab*-huizen bouwde en in '71 door Hoffman gekocht. Het had een ruime huiskamer met open keuken, drie slaapkamers en een berging waarin meubels en prullen hadden gestaan die ze in de loop der jaren verzameld hadden. Mirjam had alles verkocht.

Bij een *cash & carry* winkel in Den Bosch had Hoffman een eenvoudige inrichting aangeschaft. Het zomerhuis lag vlak onder de IJzeren Man, een idyllisch meer in het bos dat voor een deel door villa's was overmeesterd. Ten noorden van het water lag het oude concentratiekamp Vught, sinds de jaren vijftig de kampong van gevluchte Zuid-Molukkers, compleet met de barakken waarin de kreten nog resoneerden. Zijn huis lag verborgen achter struiken en bomen en ook nu, nadat de herfst de bladeren had weggenomen, kon je vanaf de provinciale weg niets van de houten wanden zien. Een zandweg van honderd meter lengte verbond het terrein van het huis met de provinciale weg, en de meest nabije buur was een camping twee kilometer verderop, nu gelukkig geheel verlaten.

Voordat hij hier naar toe was gereden had hij in Boxtel, twee uur wandelen naar het zuiden, boodschappen gedaan en voor minstens een week ingeslagen. Op het moment interesseerde het hem niet wat hij in zijn mond stak. Hij vulde zijn lijf en hield zich in leven. Nu vrat hij de pot Frankfurters leeg. Hij wurmde twee vuile vingers in de hals van de pot, trok er een worstje uit, sloeg het vocht eraf en beet erin. Het breken van de strakke huid van de Frankfurter maakte een knappend geluid. Hij begreep waarom ze knakworsten heten.

Elektriciteit werd geleverd, het water was afgesloten, er was vermoedelijk iets mis met de externe wateraanvoer want hij had de hoofdkraan opengedraaid en de leidingen gecontroleerd en geen defect gevonden.

Onder zijn tafel stond een straalkachel, op een draagbare televisie zag hij 's avonds de revolutie in Praag. Achter hem, naast de eenvoudige bank, stond de doos met de filmblikken. Nadat hij in Boxtel boodschappen had gedaan, had hij bij de bank in Den Bosch de film uit de kluis gehaald. Hij liep er risico's mee, maar hij rekende erop dat niemand hiervan wist (ook de Tsjechen en Amerikanen niet).

Hij kon zich niet wassen. Spinoza hechtte belang aan een schoon lichaam maar voor de verbetering van het verstand diende je in eerste aanleg een schone geest te hebben en hij had zijn gedachten losgelaten op de honderdentien paragrafen van de *Verhandeling* om niet ten prooi te vallen aan de waanzin.

Hoffman sloot zich af van het verraad van Irena, overmeesterde zijn uitgeputte lichaam en concentreerde zich.

Hij vatte in gedachten samen: Spinoza was op zoek naar het geluk. Maar de weg die hij wees voerde niet naar de hemel of Bhagwan maar naar het verstand. Wat Hoffman de afgelopen maanden bij brokken had gelezen was een handleiding die ten doel had een *methode* te bieden waarmee je je verstand kon zuiveren.

Met een gezuiverd verstand kon je de Natuur onderzoeken. De verschijnselen van de Natuur zou je dan in hun wezenlijke beginselen begrijpen en in dat begrijpen zou dan de adem van God langs je slapen strijken. Want alles wat bestond kende een verwevenheid die in wetten te beschrijven was – hierin zag Spinoza de hand van God.

Hoffman wist niet of het juist was om Spinoza's God aanschouwelijk te maken in hand en adem; de Natuur zelf was God's hand, het verstand zelf was God's geest. Maar hij had een dergelijk hulpmiddel nodig om greep te krijgen op Spinoza's ideeën.

De ontwikkeling van Spinoza's methode had Hoffman attent gemaakt op zijn eigen rudimentaire denkbeelden omtrent Waarneming, de Ware Idee en de Fictie en dergelijke, maar die waren bespottelijk simplistisch. Spinoza daarentegen was een ontwikkeld mens die wetenschap bedreef en poogde aan te geven hoe een wetenschapper het hoogste rendement van zijn werk kon krijgen. Hoffman kon niet ontkennen dat dat interessant was (interessant zoals een artikel in een bijlage van de NRC interessant kon zijn) maar hij wilde voornamelijk van hem weten hoe een gemiddelde leek – iemand die niet in staat was zijn auto of teevee te repareren, iemand die gehoord had van $E = MC^2$, iemand die *Gödel, Escher, Bach* had gekocht maar op de derde bladzijde was blijven steken, iemand die deed alsof hij de zware materie van de *black hole* in zijn binnenzak had, iemand die nog steeds versteld stond van radiogolven en frequenties en aan de borreltafel over *fotonen* sprak, iemand die zijn land had verkocht – weer kon leren bidden.

Vanochtend vroeg, na een lange nacht die hij kranten lezend had overleefd, toen de bleke zon door de nachtelijke bewolking was gebroken, had hij de wetenschappelijke methode van Spinoza opeens begrepen als een vorm van liturgie. Hij had wel eens een synagoge bezocht en als de Torah-rollen uit de kast werden gehaald en ten overstaan van tien mannen werden gelezen, dan moest hij op afstand blijven, ook al wilde hij meezingen en de onbekende letters lezen.

Als Spinoza het bedrijven van wetenschap inderdaad als een nieuwe vorm van liturgie beschouwde, was het dan nog mogelijk om te bidden? Kon je de God van $E = MC^2$ om vergiffenis smeken? Hoffman meende Spinoza's gedachtengoed juist te interpreteren als hij in Einstein's formule een vorm van de Goddelijke Natuur zag, maar zijn verlangen naar een ritueel liet Spinoza onbeantwoord.

Vanochtend, toen hij hierover was gaan nadenken, had hij buiten staan pissen op de zwarte bladeren. De warme urine trof sissend de koude aarde. Terwijl hij met beide handen zijn lul vasthield had hij zo ver mogelijk zijn hoofd in de nek geworpen. De regenwolken die de hele nacht het dak hadden gegeseld trokken weg naar het oosten en Hoffman was er getuige van hoe de zon even door de wolken brak en hij zag stralen door de lucht schieten en de warmte streelde zijn hoofd.

Hoffman had daar als Spinoza willen staan, kijkend naar de vuurbal en vol vragen als: hoe ontstaan die stralen, valt het licht op waterdeeltjes, en wat is dat licht dan?

Deze vragen waren niet verstoken van esthetische bewondering voor het mechanisme dat hij daar waarnam, integendeel, in deze vragen klonk religieuze liefde door en hij had zich door tijd en ruimte heen verwant gevoeld met Spinoza en zonaanbidders (hij wist wel dat hij daarmee water en vuur verbond, maar hij had daar op die rottende bladeren een sensatie beleefd die hem in verrukking bracht en tot grote vergelijkingen voerde).

Hij wilde bidden.

Hij had willen bidden toen Esther stierf, met de wijsheid op haar gelaat, en hij had willen bidden toen Mirjam stierf, met een naald in haar arm. Hij was uitgedruppeld en had zich een meter verder op de bladeren laten zakken. Hij keek op zichzelf neer en hield zijn adem in over deze demonstratie van menselijke wanhoop en hoogmoed (wanhoop omdat hij op de vlucht was en niet meer op vergiffenis rekende; hoogmoed omdat hij dacht God te kunnen bereiken). Hoffman vroeg de Heer in de Hemel om Inzicht en Begrip, om hulp bij het doorgronden van de *Verhandeling*.

Liturgie, had hij gedacht, misschien was dat het sleutelwoord. Je had daarvoor een boek nodig, vaste handelingen, zo nu en dan wat kaarsen en offers.

Hij was naar binnen gegaan en had zich voor de straalkachel gewarmd. Tussen twee droge boterhammen had hij een paar sardientjes gelegd en lopend door de verwaarloosde tuin had hij ontbeten. Hij had zich niet gewassen, droeg sinds zijn aankomst hier dezelfde kleren en hij wist dat hij de bedorven geur van een oude man verspreidde, maar er was niemand in zijn nabijheid die daar aanstoot aan kon nemen.

Hij had de afgelopen drie dagen alle hoofdstukken herlezen en hij had nu de verse hoofdstukken bereikt, de nieuwe die hij nog niet gelezen had. Het waren er slechts drie.

Het zevende hoofdstuk ging over de 'regels van de definitie'. Spinoza immers wilde zo exact mogelijk de Natuur beschrijven, en dat wilde zeggen: je moest verschijnselen grondig analyseren en zo ver uitkleden tot je bij hun essentie kwam. Ofwel: hij had definities nodig, beschrijvingen van essenties. Hij maakte onderscheid tussen definities van 'geschapen' en 'ongeschapen' zaken. Met de eerste bedoelde hij de waarneembare werkelijkheid, met de tweede bedoelde hij de oneindige, eeuwige Natuur, ofwel: God Zelf.

De definitie van God diende aan vier voorwaarden te voldoen:

1. Het Object had niets buiten zichzelf nodig voor zijn verklaring, het was volledig in zichzelf.

2. De gegeven definitie vermorzelde elke twijfel over de vraag of het Object ook echt bestond.

3. De definitie mocht geen adjectieven bezitten.

4. Alle eigenschappen van het Object werden uit zijn definitie afgeleid.

Nu was Hoffman razend benieuwd naar de definitie, maar deze liet Spinoza hier achterwege. Hoffman bekeek de vier voorwaarden nog eens aandachtig.

De eerste vertelde iets over Zijn oorsprong. God was niet anders dan Zijn eigen Begin. Hij was niet uitgevonden of het gevolg van de ingreep van een andere kracht, nee Hij was Alles.

Naar de tweede voorwaarde greep Hoffman vergeefs. Hij

had geen definitie dus hij kon niet beoordelen of de definitie twijfel uitsloot. Hij bespeurde bij zichzelf de wens om zo'n definitie op papier te zien en hij beschikte over een ongerept vermogen om te geloven, maar ook twijfel bezat hij in overvloed; als zijn ogen een definitie zagen zou zijn hart geloven, zo beloofde hij zichzelf.

Hij had zichzelf te gronde gericht en zocht naar een vorm voor zijn boetedoening – hij staarde naar buiten, naar de kale grijze takken van het Brabantse bos, en hij herinnerde zich hoe hij over de Autobahn had gereden en zijn ogen had gesloten en zich had schrap gezet om de fractie van de eerste seconde van de klap te verdragen voordat het blik hem uiteen zou rijten. Maar een halve minuut later zat hij nog steeds in de Opel Corsa en had hij zijn ogen geopend en het moment van zijn dood verschoven naar een vage toekomst, over enkele dagen of weken. Hij wilde weten wat Irena had bewogen, wat hem zelf had bewogen. Er waren te veel vragen.

Hij moest ze beantwoorden.

Tot dat moment moest hij offeren en zichzelf zuiveren. Maar hij wist niet hoe hij moest beginnen.

Spinoza's derde voorwaarde sprak voor zich: in een definitie van God hoorde je geen woorden te gebruiken als 'De Hoogste', 'De Wijste', 'De Machtigste'. Hoffman begreep dat dit holle woorden waren als je op Spinoza's manier naar God keek.

De vierde wees precies naar het hart van Spinoza's Godsbegrip. De definitie van God lag aan het begin van alles wat bestond en was niets minder dan de verklaring, de oorsprong en het wezen van de wereld. Misschien was die definitie, die alles beschreef, God zelf, en was het dus onmogelijk dat Spinoza die definitie gaf.

Als Hoffman het goed had begrepen dan bedoelde Spinoza dat je door zorgvuldig en liefdevol onderzoek de Natuur in haar essentiële principes kon beschrijven en dat je met de verworvenheden van dat onderzoek ook God vond, zelfs als je niet in staat was om een alomvattende definitie van God te geven. Hoffman, die geen erudiet was, herinnerde zich de uitspraak van Einstein over de zinvolheid van de wereld: 'God dobbelt niet.' Spinoza nu had zoiets enkele honderden jaren eerder beweerd: kijk goed naar het spel, ontdek de regels, ze leiden naar God.

Hoffman had gedacht dat geld naar Irena leidde. Hij had haar willen kopen omdat hij niets anders had dat haar voor hem kon ontsluiten.

Bij de vierde ontmoeting, op een breed bed met een roestend matras op de negende verdieping van Hotel International, nadat hij zich in haar vuur had ontladen, ging ze gewikkeld in een handdoek in de fauteuil bij de schemerlamp zitten en stak ze een sigaret op.

'Felix,' had ze gezegd, 'ik moet je iets zeggen.'

Ze vertelde en bleef hem aankijken: ze zei dat ze gedwongen werd om voor de Tsjechische geheime dienst te werken.

Hij wilde haar geloven. Ze had hem alles kunnen zeggen want hij was bereid alles te geloven wat haar mond zei. Zijn honger naar haar schoot had hem geen keus gelaten.

Zij had hem de slaap geschonken.

'Ze hebben hun manieren om je te breken,' had ze gezegd. Verbeten zoog ze aan de sigaret. 'Ze zorgen dat je familieleden ontslagen worden, je krijgt voor niets toestemming, langzaam wurgen ze je.'

'Waarmee hebben ze je gedreigd?' wilde hij weten.

Ze vertelde dat ze haar broer in elkaar hadden geslagen, dat haar moeder uit huis gezet zou worden. Ze stak de ene sigaret met de andere aan.

'Was 't toeval dat je me toen geholpen hebt in de Italiaanse ambassade?'

'Natuurlijk,' zei ze geërgerd. 'Dacht je dat ze zoiets konden arrangeren?'

Nee, dacht hij, zijn hart konden ze niet arrangeren.

Natuurlijk was hij ervan doordrongen dat hij verstrikt raakte in een onoverzichtelijk web, maar zolang hij zich aan haar lijf laafde liet hij zich door niets afschrikken. Bij de volgende ontmoeting, twee dagen later, noemde ze Hein Daamen. Dit had hem afgeschrikt. Hij besefte dat ze onderzoek hadden gedaan en over dossiers beschikten waarin zijn geheimen waren opgeborgen.

Hein mocht hij niet bedriegen. Hein had hem door de bevrijding gesleept, Hein had hem mee naar huis genomen en onder een kruisbeeld van zwart hout had hij in Hein's kamer door de winter van '44 geslapen, uitgeput door het wachten, vechtend tegen de wurgende angst dat zijn ouders hem waren vergeten.

Hoffman zei nee tegen Irena. Maar ze had argumenten paraat. Hein had schulden, Hein had een vriend (wat Hoffman niet verbaasde, Hein was een meisjesachtige jongen geweest die hem als een oudere zus getroost had), Trudy en hun vijf kinderen wisten niets van de vriend of de geldzorgen, de informatie die Hein kon leveren was ongevaarlijk en niet-militair. Ze probeerde Hoffman ervan te doordringen dat het voor Hein alleen maar voordelen bracht als Hoffman hem overhaalde om een paar paperassen te kopiëren. Veertig kopietjes van een dubbeltje per stuk in ruil voor tweehonderdvijftigduizend gulden op een rekening in Zwitserland.

'Ze wilden jou ook nog wat geven,' had ze gezegd, 'maar ik zei ze dat je beledigd zou zijn als je hiervoor geld zou krijgen.'

'Hoeveel?' vroeg hij.

'Honderdduizend gulden.'

'Ik ben niet beledigd,' zei hij, en ze hadden nota bene nog gelachen.

Bij de volgende ontmoeting, deze keer in een klein hotel in de binnenstad omdat in International een grote groep Koreanen verbleef, had ze over Hein gezwegen. Ze hadden gevreeën, ze had gedoucht en ze was verdwenen. Ze had niet aangedrongen en ze zou de consequenties van zijn weigering in stilte dragen. Hij weigerde niet. Maar hij durfde evenmin.

Vreemd genoeg was het Marian die de kans creëerde. Ze moest naar Nederland. Ze had daar een afspraak met Trudy Daamen.

Hoffman regelde voor zichzelf een bezoek aan Nederland en stelde voor om samen met de Daamens te gaan eten, wat de traditie in stand hield.

Toen hij dit aan Irena vertelde viel ze hem om de hals en ze sleurde hem op het bed en vrat hem op. Twee dagen later ontmoette hij in Hotel International een officier van de FSZS.

Hij vloog met Marian naar Schiphol. Ze logeerden in aparte kamers in het Bel Air in Scheveningen en op zaterdagavond 21 oktober aten ze met Hein en Trudy bij de Blauwe Lotus in Eindhoven. Hoffman maakte een afspraak met Hein toen de vrouwen naar de wc waren. De volgende dag twee uur 's middags bij Hotel Central in Den Bosch.

Ondanks de straalkachel voelde hij zich verkrampt en kil in de hut. Overhaast was hij uit Praag vertrokken. Onderweg in Duitsland had hij ondergoed, een paar overhemden en een dikke trui gekocht en hij trok de trui nu aan, over zijn hemd met das. In de met mos begroeide douchecel hing een spiegel waarin hij zijn vermoeide, ongeschoren kop zag, de boord van het overhemd was zwart uitgeslagen.

Hij liep naar buiten en wandelde om de hut heen. Hij snoof de boslucht in zijn longen, keek speurend om zich heen, zoekend naar verrekijkers of de loop van een geweer. Ze konden hem hier zonder getuigen vermoorden. De 'ze' konden Nederlanders of Tsjechen of Amerikanen zijn. Voor iedereen was hij de te vernietigen prooi.

Afgelopen zondag had hij in Praag de vroege trein naar Berlijn genomen. De dag ervoor was hij door een codetje van de Minister persoonlijk voor dringende consultaties naar Den Haag teruggeroepen en toen hij BZ om bijzonderheden belde – misschien had de gecodeerde telex te maken met de krankzinnige ontwikkelingen van die week, de demonstraties waren losgebarsten, Dubcek had op vrijdag op het balkon gestaan – werd hij doorverbonden naar een man die hij niet kende, ene Van der Voort, die vertelde dat de Minister zijn overkomst dringend verlangde en of hij nog dezelfde middag om halfvier het vliegtuig wilde nemen, zijn stoel was gereserveerd.

Hij had deze Van der Voort gevraagd op welke afdeling hij werkte en de man had geantwoord: 'Het bijzondere kabinet van de Minister.' Hoffman had er nooit van gehoord.

Hoffman belde Wim Scheffers, met de onrust van naderend onheil in zijn stem.

'Het bijzondere kabinet van de minister? Wat is dat?' had Wim gevraagd.

'Van der Voort?' vroeg Hoffman.

'Ik ken geen Van der Voort. Wat heb je toch?'

'Sonnema houdt me voor de gek,' had Hoffman gezegd.

Irena had hem een telefoonnummer gegeven, maar ze nam niet op. Hij probeerde het de hele zaterdagmiddag, elke tien minuten. Tegen het einde van de middag liet hij zich door een taxi naar een treurige buitenwijk met vervallen betonnen flatgebouwen brengen. Ze woonde zes hoog op een tochtige open galerij met dertig andere appartementen, achter een deur met gesprongen groene verf. Ze deed niet open.

Toen hij weer thuiskwam, bleek van de onzekerheid, wachtte Marian hem op. Ze zat beneden te werken; normaal zat ze boven in haar kamer.

'Ze belden uit Den Haag. Vroegen of je al vertrokken was.'

'Wie belde er?'

Ze keek op een briefje. 'Van der Voort. Wie is dat?'

'Een van die omhooggevallen ambtenaartjes,' zei hij.

Hij liep naar de buffetkast, draaide de dop van de fles en schonk whiskey in het glas.

'Jij?'

Ze knikte.

Dit was een van die zeldzame momenten dat ze allebei in de salon waren. Marian zat in een hoek van de bank, boeken en papieren als een verdedigingswal om zich heen, op een bijzettafeltje een theemuts en een kopje. Op het parket naast de bank stond de telefoon binnen handbereik. Ze zette de bril af, de poten hingen aan een zilveren kettinkje dat om haar hals liep, en ze sloot het dikke boek dat op haar schoot lag.

'Geen ijs, hè?' vroeg hij.

'Nee.'

Hij overhandigde haar het glas.

Gulzig nam hij een slok, keek meteen op de bodem.

Zij vroeg: 'Is er iets, Fee?'

Hij goot het restje in zijn keel, liep naar de kast om bij te schenken.

'Dat is slecht voor je, Fee.'

'Ik weet 't,' zei hij.

'Daarom doe je 't zeker ook?'

'Wie weet.'

'Is er iets? Als er iets is dan kun je 't me zeggen. Wie is die Van der Voort?'

''n Ambtenaar,' zei hij droog.

Hij ging tegenover haar zitten, glas in de hand. Achteloos wierp Marian een blik op een papiertje.

'Er heeft nog iemand anders gebeld. Mevrouw Nová,' zei ze.

Hij vertrok geen spier, nipte aan het glas.

''n Journaliste,' verklaarde hij zonder noemenswaardige aandacht. 'Wat had ze?'

'Ze belde uit Duitsland. Zei dat de afspraak niet door kon gaan. Had je dan weer 'n afspraak met haar? Dat interview hebben ze toch al geplaatst?'

'Dat was voor 'n ander blad,' loog hij. 'In welk Duitsland was ze? Oost of West?'

'Maakt dat nog verschil?'

Hij haalde zijn schouders op, maakte een gebaar dat het hem niet interesseerde.

'Ik geloof dat ze zei dat ze in Heidelberg was.'

In Heidelberg was een grote Amerikaanse legerbasis. Ze was dus overgelopen. Ze had de trein naar Berlijn genomen en ze was met de stroom mee dwars door de gebarsten Muur naar het Westen gelopen. Met de geheimen in haar hoofd had ze haar hielen gelicht en ze had hem aangegeven. In ruil voor bescherming en politiek asiel had ze de Amerikanen de namen van verraders gegeven. Ook hem had ze genoemd. Natuurlijk had ze hem genoemd. Ze wreekte zich voor zijn onnozele poging haar te kopen. De dringende consultatie die hem naar Den Haag riep was niets anders dan een poging om hem op Nederlandse bodem te arresteren. Van der Voort was een BVD-man. Irena had de Amerikanen zijn naam gegeven en de Amerikanen hadden de naam in handen van de BVD gespeeld.

Hij goot het glas leeg. Hij moest niet doordraaien. Er was niets aan de hand.

'Wat kijk je somber. Vertel dan wat er is!'

'Niks,' zei hij bars, 'er is niks, geloof me nou.'

'Ik geloof je niet, schat.'

'Zei ze nog wat?'

Ze tilde even haar bril op en keek door de glazen op het briefje.

'Dat je 't haar moest vergeven dat de afspraak niet doorging. Dat klinkt wel erg intiem, hè?'

De telefoon ging over en zijn hart klopte opgewonden. Marian boog zich opzij en greep de hoorn.

'Ja?'

Ze luisterde, knikte. ''n Ogenblikje alstublieft.' Ze legde haar hand op het mondstuk en fluisterde: 'Van der Voort weer.'

Steunend kwam hij uit de fauteuil. Hij tilde de telefoon van het parket en nam de hoorn van haar over.

'Hoffman,' zei hij. Hij deed enkele stappen van haar vandaan.

'Met Van der Voort,' hoorde hij. 'U hebt de vlucht niet gehaald, heb ik begrepen.'

'Dat klopt,' zei Hoffman, 'ik had nog zo veel werkzaamheden dat ik 'm gemist heb.'

'De code is door de minister zelf afgeparafeerd,' zei Van der Voort. 'U weigert gehoor te geven aan een opdracht van uw hoogste chef. Dat is insubordinatie, meneer Hoffman, dat kan u uw baan kosten.'

'Wat is precies *uw* baan, meneer Van der Voort?'

'Luistert u eens, u dient morgenochtend het Malev-toestel van halftien te nemen. Als u niet met die vlucht aankomt dan vrees ik voor uw positie.'

'Wie ben jij, Van der Voort?'

'Ik dien mijn land, meneer Hoffman. Komt u naar Den Haag. Wij zijn geen barbaren. Wij hebben begrip. Wij kunnen vergeten. *Maar komt u*. Door de telefoon kunnen we dit niet afhandelen.'

'Ja... tot morgen,' stamelde Hoffman. Hij verbrak de verbinding. Ze waren bang dat hij zou overlopen. Maar naar wie?

Gisteren had Dubcek honderdduizenden toegesproken. Milos Jakes was afgetreden, de dissidenten hadden de macht overgenomen. In Berlijn zaten de Moffen dronken op de Muur en bralden met blikjes bier in de hand over een eeuwig Duitsland, zelfs in Bulgarije waren ze de straat opgegaan. Het beangstigde hem. Hij was bang voor de massa's, voor de spreekkoren. Hij wist dat de illusie die nu over Oost-Europa sloeg zou verdrogen tot ontgoocheling. Vandaag zouden Bush en de namaak-communist Gorbatsjov elkaar op Malta ontmoeten. In het Witte Huis en in Downing Street begrepen ze niet dat het oude communistische tuig dat het Oostblok had beheerst de beste bondgenoot was die ze zich konden wensen.

Hij zette de telefoon op de salontafel en ging weer zitten.

'Ik moet morgen naar Den Haag,' zei hij met neergeslagen ogen.

Hij nam een slok. Hij voelde de gespannen blik van Marian.

'Er is iets. Je wil 't me niet zeggen maar ik voel dat er iets is. We zijn nog niet dood, Fee, als we willen hebben we nog 'n toekomst.'

'Luister, Mar, er is niks aan de hand. Ik vertel 't je nog wel eens, goed?'

'Als er niks is hoef je 't me ook niet te vertellen, lijkt me.'

'O gaan we de *smartass* uithangen?'

'Kom toch es onder je pantser vandaan. Vertel es, man...'

'Laat me met rust!'

Hij trok zich uit de stoel en verliet de salon. Maar op de drempel met de hal bleef hij staan.

'Marian...'

Ze keek op, hard en strak.

'Zullen we vanavond ergens gaan eten?'

Ze knikte verbaasd, een glimlach schemerde door haar masker.

'Ja, wat leuk,' zei ze.

Ze waren gaan eten in het Expo-restaurant aan de Moldau. Ze had zich opgemaakt, een zwierige jurk aangetrokken, en hem vragend in de ogen gekeken. Achter de metershoge ruiten lag de stad beneden aan hun voeten, een labyrint van donkere stegen en daken, torens en kapellen. Op het grote plein in het midden stond een half miljoen demonstranten. Waar zij zaten was niets te zien. Ze hadden over niks gesproken en hij had zich tot zijn verbazing gerust en tevreden gevoeld.

Toen ze naar haar kamer ging kuste ze hem op een wang. In zijn werkkamer en in de keuken wachtte hij de nacht af. Hij at en dronk, las de kranten die zaterdagochtend met de koerier uit Nederland waren gekomen. Om een uur of zes verliet hij het huis. Zacht had hij de deur dichtgetrokken. Hij had besloten om geen kleren mee te nemen. Spinoza en zijn persoonlijke papieren zaten in zijn attachékoffertje. Hij had net zo lang gelopen tot hij een taxi was tegengekomen. Hij kocht een treinkaartje naar Berlijn en vertrok. Zijn diplomatieke pas opende elke slagboom.

Op het Bahnhof Zoo had hij de trein naar Hannover genomen en omdat hij vermoedde dat de grote autoverhuurbedrijven op de computer van de politie waren aangesloten had hij daar bij een klein bedrijf een auto gehuurd, een Opel.

Eerst was hij naar het zuiden gereden en hij had vanaf Frankfurt de Rijn gevolgd. Bij Straatsburg was hij de Franse grens gepasseerd en via Nancy, Metz en Luxemburg was hij bij Maastricht teruggekeerd naar het Koninkrijk, zijn werkgever die nu naar hem op jacht was. Hij had vier dagen over de reis gedaan, de nachten afgewacht in dorpshotelletjes waar ze geen papieren hoefden te zien. Hij was van plan naar Zuid-Amerika te vluchten, maar eerst moest hij nadenken, zijn rusteloze hoofd hier tussen de bomen tot rust brengen. Daarvoor had hij Spinoza nodig.

Het was stil in het bos. In Brabant overwinterende vogels riepen naar elkaar, een ondoorgrondelijke ruis van zuchtende takken streelde de oren. Waardoor wordt dit alles geregeerd? had Spinoza zich afgevraagd, welke wetten beheersen deze natuur? Ontdek de wetten en je ontdekt God, had hij geleerd.

Misschien lag daarin de beloning voor de wetenschapper,

dacht Hoffman, in de bijdrage, hoe klein ook, aan de ontsluiering van God. Hoffman had zijn leven verdaan als boodschappenjongen. Zijn meest directe omgang met de wetenschap was de verleiding van Hein Daamen geweest. Hein was ingenieur en in het geheim homo. Hein was zijn broer.

Hij ging het huis in en vulde een glas met mineraalwater. Hij schepte er wat Nesquick in en dronk de koude chocolade. Onderweg had hij Hein verscheidene keren gebeld. Trudy had gezegd dat hij plotseling op reis was gegaan. Er had geen ongerustheid in haar stem geklonken.

Hij liep weer naar buiten met zijn glas. Hij was in deze streek opgegroeid. In het dorp waar hij een paar dagen geleden boodschappen had gedaan had hij met angstige ogen tussen de varkens naar de overvliegende bommenwerpers geluisterd. Net zo vuil als nu, net zo hunkerend naar verlossing en de troost van schone lakens, had hij op zijn ouders gewacht. Ze hadden nergens een graf. Toen de Canadezen met dichtgeknepen neuzen de boerderij bezetten had hij de *Elegien* van Rilke in zijn handen. Ten tijde van Auschwitz las hij gedichten.

Jede dumpfe Umkehr der Welt hat solche Enterbte
denen das Frühere nicht und noch nicht das Nächste gehört

Later hoorde hij dat zijn ouders ondergedoken hadden gezeten bij een zuster van de huishoudster die ze op de Hekellaan hadden gehad. Onder de houten vloer van een boerderij in Berlicum hadden ze zich schuilgehouden. Ze waren verraden.

Hij had geen vaderlandsliefde, stelde hij vast terwijl hij de zandweg naar de provinciale weg tussen Vught en Loon op Zand in het oog hield, want hij had geen vaderland. Dit volk had zijn ouders verraden en hij had het volk terugbetaald. Hij voelde geen wroeging als hij aan de Staat der Nederlanden dacht. Het drong nu pas tot hem door dat hij een beroepsbuitenstaander was, een permanente vluchteling. Hij voelde schaamte als hij aan Marian dacht, dat was alles.

Hij had Hein bij Hotel Central in Den Bosch ontmoet.

Ze zaten in het café beneden, tussen provinciale notabelen, en keken naar het lome zondagse Marktplein. De avond ervoor hadden ze met hun vrouwen gegeten.

'Je ziet er goed uit,' had Hein gezegd, 'viel me gisteren al op.'

'En jij ziet eruit om op te schieten,' had Hoffman geantwoord.

Ze hadden wat gedronken en een uur later waren ze gaan eten bij De Pettelaer. Toen Hoffman hem op de laatste trein naar Eindhoven zette was Hein dronken. Hij had toegegeven dat hij een homovriendje had en schulden op de beurs had gemaakt. Hij was zijn geld kwijt. Kon niet eens de aflossing van de hypotheek betalen. Hoffman zei dat hij zou helpen.

Twee dagen later belde hij Hein. Hein kwam naar het Bel Air in Scheveningen.

'Ik kan je helpen, Hein, maar...'

'Maar wat?'

Ze zaten in een hoek van de bar, weggezakt in brede leren banken, ondanks de vroege middag aan de whiskey.

'Ik ben zelf ook m'n spaarcenten kwijtgeraakt, jongen.'

'Hoe?'

'Vertel ik je nog. Eerst jouw probleem.'

'Felix, ik ben je zo dankbaar, weet je dat? Ook al kun je geen stuiver vinden maar alleen al het feit dat ik 't iemand heb kunnen zeggen, jongen, echt, ik zal dit nooit vergeten.'

Hoffman, de zwendelaar, zei: 'Je bent 'n broer voor me, Hein.'

Hij vertelde dat hij iemand kende in Praag die geld over had voor bepaalde informatie. Hij noemde de codenaam voor de radar die ze bij het Natuurkundig Laboratorium in opdracht van Hollandse Signaal aan het bouwen waren.

'Dat is technologische spionage, Felix,' fluisterde Hein geschrokken, meteen argwanend om zich heen kijkend alsof de politie al klaarstond om hem in de boeien te slaan.

'Daar heb ik ook over nagedacht, maar luister: 't gaat hier om informatie die ze zelf nooit in machines kunnen omzetten,' zei Hoffman zelfverzekerd, als wist hij waar hij het over had. ''t Is veel te ingewikkeld voor ze. Ze krijgen de informatie, maar ze kunnen niks bouwen.'

Hein knikte, koortsachtig de reikwijdte van Felix' voorstel overdenkend. Hij omhelsde de relativeringen van Hoffman en noemde onderdelen van het apparaat die ze in het Oosten niet konden fabriceren. 'Maar ze kunnen ze wel laten stelen,' zei hij.

'Dat is niet onze verantwoording,' had Felix geantwoord.

'Jezus Felix, 't is me nogal wat wat je daar voorstelt,' fluisterde Hein. 'Dit gaat wel ver allemaal.'

'Ik ben in dienst van de Staat. Van mij mag je.'

'En wat nu als dit uitkomt?'

'Dit komt niet uit.'

'Jezus Felix, ik heb zo'n puinhoop van m'n leven gemaakt. Ik heb gebiecht, voor 't eerst sinds jaren, maar die kwast achter 't gordijntje liet me weesgegroetjes bidden in plaats van dat ie me 'n lening gaf.'

'Dit is 'n simpeler manier om aan geld te komen, Hein. Dit komt niet uit. Niemand zal dit ooit te weten komen. Alleen jij en ik. Kopieer die bouwtekeningen, en dat is voor jou geen enkel probleem want jij bent de baas daar, en je geeft ze aan mij. 't Geld staat dan in Bern voor jou op de bank.'

'Is er geen andere manier?'

'Misschien wel. Maar dit is 't enige wat ik kan bedenken.'

Hein keek nog eens argwanend door de bar en boog zich naar Hoffman. Hij fluisterde met rode ogen: 'Dit is verraad, Felix. Dit is echt spionage. En jij bent medeplichtig.'

'Als 't jou helpt dan interesseert 't me niet. Maar 't komt nooit uit. Dit blijft voor altijd en eeuwig geheim. Jij komt zo van je sores af. Er is geen andere manier. Je krijgt weer adem om wat te sparen, je kunt je rekeningen betalen, je kunt je vriend een cadeau geven en hem wegsturen, je kunt weer gewoon je leven voortzetten. Niemand anders zal je helpen. Als je 't niet redt zullen ze je bij Philips laten vallen. Kies voor jezelf. Doe 't nou maar...'

Als een geslepen acteur had hij Hein de rechtvaardiging van het verraad gegeven. Hein ging akkoord.

Hij ging het huis weer in, greep een pak gevulde koeken (hij voelde dat ze al waren uitgedroogd) en sloeg de *Verhandeling* open. Hoofdstuk acht: De Orde.

'Opdat al onze waarnemingen geordend en verenigd worden, wordt er vereist, dat wij zo spoedig als mogelijk is en als de rede zulks postuleert, onderzoeken, of er een Zijnde is en tevens hoedanig dat is, dat de oorzaak is van alle dingen zoals ook zijn objectieve essentie de oorzaak is van alle ideeën.'

Ofwel, zo parafraseerde Hoffman: bestaat God? En als God bestaat, hoe kan hij dan de oorzaak van alle dingen zijn?

Spinoza ging er vanuit dat er een ordenende kracht was die zich kenbaar maakte in de verschijnselen van de Natuur. Het was noodzakelijk om 'altijd al onze ideeën af te leiden uit fysieke dingen, dat wil zeggen, uit reële zijnden'. Natuurkunde, zo begreep Hoffman, was in de ogen van Spinoza Godskunde, en ook omgekeerd gold dat: Godskunde was Natuurkunde.

Maar wat diende er zoal onderzocht te worden? Volgens Spinoza was dat 'de reeks van vaste en eeuwige dingen', teneinde het 'intieme wezen der dingen' te vatten. De wetten die alles beheersten, Newton's F = MA en Einstein's $E = MC^2$, duidden op de omtrekken van iets Goddelijks dat al het bestaande voedde.

Maar waar moest je beginnen, en met welke kennis? 'Immers, alles tegelijk begrijpen is iets, dat de krachten van het menselijk verstand verre te boven gaat,' schreef Spinoza. Was er hoop voor hem, vroeg Hoffman zich af, kon hij de kennis vergaren waarmee hij de Goddelijke Idee kon vinden?

In de voorlaatste alinea van dit hoofdstuk leek Spinoza hem de helpende hand te reiken: als je een ware gedachte had kon je daaruit andere ware gedachten afleiden. Je had dus minstens één ware gedachte nodig, één idee waarop elke twijfel afketste.

Hoffman had nooit iets gevonden dat een ware idee genoemd kon worden. Hij was een blinde consument geweest die 'het intieme wezen' van de dingen die hij had aangeschaft nooit had waargenomen. Hij wist niets van Natuurkunde, hij wist niets van de Natuur. Hij had verorberd, vermalen en verwerkt. Hij was een slachtoffer van de omstandigheden en een slachtoffer van zijn driften.

Hij dronk het glas Nesquick leeg om de droge resten van de koeken weg te spoelen, stond op en met verkrampte darmen verliet hij het zomerhuis. Hij liep enkele meters het bos in, duwde de kale takken opzij. Hij knoopte zijn broek open, stapte uit de pijpen en legde de broek naast zich neer. Hij trok zijn walmende onderbroek uit. De kou die uit de grond opsteeg sloeg meteen tegen zijn billen en hij rilde. Krampen schoten naar zijn nieren, kreunend hurkte hij.

Twee kleine en keiharde keutels verlieten zijn lichaam. De laatste keer dat hij iets behoorlijks had geproduceerd lag zeker tien dagen achter hem. Sinds zijn vertrek uit Praag had hij helemaal niets meer uitgescheiden en dit was het eerste afval dat hem verliet. Hij at fabrieksbrood, geconserveerd vlees, groenten uit blik. Hij raakte nog meer verstopt dan in Praag. Misschien was het beter om alleen vers fruit te eten want ook zijn lichaam moest gezuiverd worden.

Hij was vergeten een rol wc-papier mee te nemen en hij greep een handvol bladeren en veegde er zijn aars mee schoon. Toen hij zich wilde oprichten voelde hij de onmacht van zijn spieren. Hij reikte naar een tak, boog die naar zich toe en trok zichzelf met beide handen omhoog. Hij stapte in zijn broek.

In Berlijn had hij zwaaiend met zijn diplomatieke pas door een van de gaten in de Muur het Westen betreden. De vernietiging van de Muur betekende het begin van het einde. Het was onmogelijk dat een duurzame vrede over Europa zou neerdalen. Dit continent had vrede gekend door de angst.

Hij had de Moffen aan weerszijden van de Muur bekeken en de oude gloed van het *Herrenvolk* straalde uit hun bezopen koppen. Het zou niet lang meer duren of ze zouden de verloren gebieden in Polen en Tsjechoslowakije en Rusland opeisen en weer brullen om een Groot-Duitsland. Wat Hoffman had gedaan had hij niet gedaan uit vaderlandsliefde of ter instandhouding van de status quo – hij gaf ronduit toe dat hij Irena had geholpen opdat hij met haar kon slapen. Hij was de slaaf van zijn driften maar hij prefereerde deze knechtschap boven de knechtschap als diplomaat. Dit nam niet weg dat hij schaamte voelde. En toch: als hij opnieuw voor de keuze stond om haar te verliezen of haar met gestolen geheimen te behouden, dan wist hij wat hem te doen stond. Want in wezen had hij geen keuze.

Of waren deze overwegingen ook weer een vorm van zelfbeklag en apologie? Zat hij niet gevangen tussen stompzinnig gedrag en het vermogen zichzelf te vergeven? Kaal egoïsme had hem tot verraad gebracht, niks anders dan dat. Hij was zijn baan kwijt, zijn huwelijk, zijn inkomsten, en wat hij nog had waren herinneringen.

In de bergruimte opende hij een van de kasten. Hij haalde er fotoalbums uit, alsof hij zijn ogen moest bewijzen dat hij een verleden had, en nam ze mee naar de bank. Mirjam had haar best gedaan om Esther en haar ouders niet te beschadigen. Hier en daar miste hij een deel van zijn gezicht of had hij een arm verloren. Op een foto zat Mirjam als peuter op zijn schoot en had ze alleen haar romp; zijn hart was weggesneden. Alle films waarin ze schitterde, en dat waren ze bijna allemaal, had ze verbrand. Hij had haar nog als pornoster, anderhalf uur lang, en als hij naar Zuid-Amerika ging zou hij de doos meenemen. De gedachte dat Van der Voort of de Amerikanen Mirjam zouden vinden vervulde hem met schaamte.

Hij kende schaamte omdat hij de oorlog had overleefd, schaamte voor de machteloosheid bij het sterven van Esther, schaamte als hij Marian aankeek. Hij pakte een krant die naast de haard lag, las de datum: 11 augustus 1984. Een krant van Mirjam. Hij maakte er de haard mee aan. Het vochtige hout knapte en suisde en hij ging voor het vuur zitten, warmde zijn handen. In dit huis had ze haar geslacht laten filmen. Een cameraploeg had hier rondgelopen, ze hadden lampen neergezet, en Mirjam had haar benen gespreid. Hij had het niet kunnen voorkomen.

Hij overzag de afgelopen maanden en een noodlottige logica verscheen aan zijn geestesoog. Als hij erover nadacht was hij overtuigd van de onafwendbaarheid van wat hij had gedaan. Het had misschien later kunnen gebeuren, maar het was onvermijdelijk geweest. Dat had hij ook gezegd toen hij zondagavond op het station in Hannover Wim Scheffers had gebeld.

'Wim? Dit is Felix.'

'Felix, mijn god! Waar ben je?'

'Dat kan ik niet zeggen, Wim.'

'Wat is er gebeurd? Ik heb vanmiddag bezoek gehad van de Afdeling Beveiliging. Je wordt gezocht! Weet je dat?'

'Van der Voort?'

'Ja! Wat is er aan de hand?'

'Brengen ze 't in de pers?'

'De pers? Waarom? Wat heb je gedaan?'

'Ik heb de Tsjechen wat spullen gegeven.'

'Wat heb je?! Waarom?'

'Waarom? Daarom. Liefde.'

''n Vrouw?'

'Ja. 'n Vrouw.'

'Mijn god, man, toen ze vanmiddag kwamen toen dacht ik al dat 't zoiets was. Waarom heb je 't gedaan?'

''t Kon niet anders. Heb je wat gehoord? Wanneer is er alarm geslagen?'

''t Schijnt dat Marian alarm heeft geslagen.'

'Om hoe laat?'

'Vanochtend vroeg. Je was weg.'

'Zo vroeg? Heeft ze me dan zien weggaan?'

'Dat weet ik niet. Felix, ik moet je zeggen... je moet je aangeven. Ik word misschien wel afgeluisterd, ik weet 't niet. Maar kom terug en meld je. Ze zullen 't wel in de doofpot stoppen. Niemand heeft er wat aan om 't op te blazen. En de Tsjechische geheime dienst bestaat toch niet meer. Kom hier naar toe.'

'Nee. Ik moet nadenken.'

'Wat ga je dan doen, Felix?'

'Nadenken. Spinoza lezen. Bel Marian. Zeg haar dat ik... dat ik haar niet had willen treffen...'

'Pas op jezelf, jongen.'

Irena zou wel op zichzelf passen. Ze was natuurlijk al in Amerika. In de spionageromans die hij had gelezen werd dat *debriefing* genoemd. Ze zou haar huid duur verkopen. Privileges ruilde ze voor brokjes informatie en over een paar maanden, als ze hen bevredigd had (en misschien nam ze de leider van het ondervragingsteam mee naar bed), kreeg ze geld en een huis en een andere naam.

Hij had niet verwacht dat ook in Tsjechoslowakije de storm zou losbreken, maar wie wel. Achteraf begreep hij dat de bestorming van de Muur voor alle volkeren in het Oostblok het signaal voor de aanval was. Hij had de Duitse kranten gelezen, de Duitse televisie gezien. De Oostduitsers waren gaan *winkelen*. Ze hadden hun Trabantjes geparkeerd en ze waren etalages gaan bekijken. Vrijheid was vrijheid om te consumeren. Hadden ze in rijen voor de boekwinkels gestaan (aan rijen waren ze gewend)? Mijn God, dacht hij, ze hadden in rijen voor het Kaufhaus des Westens gewacht! Was dat nou proletarisch winkelen? En niet alleen de Duitsers, ook de Tsjechen wilden op een dag met een American Express Goldcard kunnen afrekenen. Als hij toen zijn essays over het kritisch consumentisme geschreven had was hij wereldberoemd geworden. Ze waren niet anders dan hij. Hij was niet beter.

Hij leed onder het besef dat hij niet anders was.

Spinoza's God bood geen ontsnapping. Hij kon Hem niet om vergiffenis vragen of om verlossing. Hij kon zijn hoofd tot bloedens toe tegen de muur slaan maar niemand zou zijn smeekbeden verhoren. Als hij een liturgie zou willen, dan was er niets anders dan de liturgie voor een spiegel.

De vlammen dansten op de houtblokken en zijn gezicht en handen gloeiden. Het verdriet dat als een strakke jas om zijn lichaam spande was nog goedkoper dan goedkope tranen en hij vermande zich en ging opnieuw achter de tafel zitten. Het huis en zijn omstandigheden vergetend, las hij het laatste hoofdstuk, 'De eigenschappen van het verstand'.

Het verstand diende te zijn toegerust op het begrijpen, zodat de wetten van de Natuur gekend werden. Maar wat was het verstand precies? Met ons verstand moesten we een definitie geven van het verstand; de aard, de definitie dus, was pas te geven als we de aard al kenden, en dat was een onmogelijkheid die geen ontsnapping toeliet. Daarom gaf Spinoza een lijst van acht eigenschappen die het verstand moest hebben:

1. Hij begon met: echte kennis kende geen twijfel. Als je iets zeker wist (zoals: de som van de hoeken van een driehoek is gelijk aan die van twee rechte) dan verdween de twijfel en was zekerheid synoniem met kennis.

2. Er waren begrippen die in absolute zin door het verstand werden gevat (zoals het begrip 'kwantiteit' of 'uitgestrektheid') en er waren begrippen die de steun van andere begrippen nodig hadden (zoals het begrip 'beweging', dat omschreven moest worden met behulp van andere, wel als absoluut te kenmerken begrippen).

3. In de niet absolute begrippen waren de absolute begrippen werkzaam; een begrip als 'beweging', een niet absoluut begrip, was afhankelijk van absolute begrippen als 'ruimtelijkheid' en 'oneindigheid'. Spinoza bood hier het meetkundige voorbeeld aan van de beweging van een lijn die tot in het oneindige kon worden voortgezet.

Hoffman concludeerde hierbij twee dingen: er was dus een hiërarchie van begrippen, bovenaan stonden de absolute begrippen; en ten tweede: in het verstand bestonden ideeën als oneindigheid, ideeën die we konden vatten doordat de Natuur ons door ons verstand in staat stelde over zulke ideeën na te denken. Uiteindelijk ging het dus om die absolute begrippen.

4. 'Het verstand vormt eerst positieve ideeën, dan negatieve.'

Volgens Hoffman betekende dit dat definities geen ontkenningen mochten bezitten. De Natuur, de wereld, was iets dat positief bestond en moest ook als zodanig beschreven worden.

5. 'Het neemt de dingen niet zozeer als durend waar als wel onder het aspect van eeuwigheid en in een oneindig aantal.'

Ons verstand moest zich vooral richten op de eeuwigheid, op de tijdloze wetten die de Natuur kenmerkten, zo begreep Hoffman.

6. Dit punt hield hem langdurig vast. Hij stond op, liep heen en weer voor de haard en liet de woorden tot zich doordringen: 'De heldere en duidelijke ideeën die wij vormen, lijken zozeer voort te komen uit de noodzakelijkheid van onze natuur alleen, dat zij volledig bepaald lijken te zijn door onze macht alleen.'

Het viel hem op dat in deze lange zin twee keer 'lijken' voorkwam, wat in de rest van de *Verhandeling* nauwelijks gebeurde. Spinoza was blijkbaar niet helemaal zeker van zijn zaak geweest.

Hoffman omschreef de heldere ideeën die in de zin stonden als wetten die de Natuur beschreven. Die *leken* voort te komen 'uit de noodzakelijkheid van onze natuur alleen'. Ofwel: we konden niet anders dan op een dag die wetten ontdekken, we waren ertoe voorbestemd omdat onze natuur nu eenmaal zo is. Maar dat was niet het einde van de zin: '... dat zij volledig bepaald lijken te zijn door onze macht alleen'. Dit was complex.

Hoffman liet zich op een stoel zakken en staarde naar het dovende vuur. Het ging om de *wil*, bedacht hij opeens, er stond eigenlijk: als we willen dan kunnen we alles te weten komen. Hij nam het boek weer op en las.

7. In dit punt onderstreepte Spinoza de individuele vrijheid van de wetenschapper: hij schreef dat je op verschillende manieren het oppervlak van een ellips kon meten, en de verschillen hingen af van je voorstellingsvermogen, van je persoonlijke intuïtie.

8. 'Naarmate ideeën meer volmaaktheid van een object uitdrukken, zijn zij zelf volmaakter. Want een architect die een kapel heeft uitgedacht, bewonderen wij niet zozeer als hem die een prachtige tempel heeft ontworpen.'

Hoffman vroeg zich af of de lijst eigenlijk wel eigenschappen van het verstand gaf. Wat hij had gelezen leek op een lijst van mogelijkheden, op wat je zoal kon doen met het verstand en welke waarde je eraan moest toeschrijven, wat natuurlijk in het laatste punt het sterkst opviel. Bewondering leek hem geen kenmerk van het verstand te zijn.

Toen Hoffman de twee laatste paragrafen van het boek bekeek, zag hij dat de vertaler onder aan de pagina drie woorden had toegevoegd: *De rest ontbreekt*. Bleek staarde hij naar deze regel.

Hij hield zijn adem in toen hij het geluid van een auto hoorde. Gealarmeerd liet hij het boek zakken en keek naar buiten. Op de zandweg naderde de zelfverzekerde neus van een Mercedes, de auto schommelde over kuilen en gaten, regenwater spatte op. Het gebrom van de cilinders rolde door het bos.

Hij vergat zijn oude lichaam en als een bedreigd dier, snel en precies, sprong hij op. Hij moest vluchten.

Maar toen hij de doos met filmblikken zag kon hij zich niet verroeren. De ranzige film van Mirjam stond daar onbeschermd en naakt op de kale planken vloer. Het was een rampzalige fout geweest om de film uit de kluis te halen. Hoe kon hij vluchten en de schaamte van Mirjam aan de Moffen laten?

Hij legde het boek op het deksel en tilde de zware doos op. De zenuwen verlamden zijn benen. Maar hij trok ze mee naar buiten, leem en lood tegelijk, omhelsde de doos alsof deze steun kon geven. Met een elleboog duwde hij de achterdeur open, het boek gleed van het deksel, en hij stapte stram door de bladeren, zijn knieën knikten onder het gewicht.

De zwiepende takken geselden zijn voorhoofd en hij voelde zich verlaten door de laatste waarheid. Met bonzend hart liep hij onder lege bomen en een grijze hemel. Hij vluchtte omdat er een auto naderde. Hij liet de boerderij achter, ging schuilen in de veiligheid van het bos. Het gekrijs van de zenuwachtige varkens sloeg tegen zijn achterhoofd en hij voelde een dodelijke vermoeidheid in zijn armen en benen maar hij kon niet stil blijven staan. Hij vluchtte omdat in de doos zijn leven zat en hij wilde hem aan zijn ouders geven. Ergens achter deze boomstammen wachtten papa en mama aan een witgedekte tafel en hij wilde ze dit geschenk brengen. Hij ging ze vertellen dat ze in deze doos $E = MC^2$ konden vinden en dat in de formule de Geest van de Heer van Hemel en Aarde schemerde. Hij vluchtte en zocht zijn ouders want alleen zijn vader en moeder konden het vuil van zijn lijf schrobben. Hij voelde de bomen stil op hem neerkijken en opeens trilde hij van woede want hij kon geen genoegen meer nemen met de sprakeloosheid van de bomen, die hem toch konden vertellen waar zijn ouders waren, waar hun stof zweefde en hun as wervelde. En zijn kinderen, hij mocht zijn kinderen niet vergeten, de wind streek door de bomen en hij wilde weten waar hij heen moest rennen in dit woud van kale stammen, en waar hij de mensen kon ontmoeten die hij onderweg verloren had.

Hij struikelde en voelde het dikke karton uit zijn handen glippen en hij viel neer op een bed van bladeren en takken en paddestoelen. De doos scheurde en de filmblikken rolden over de grond. Zijn hart bonkte wild in zijn keel en hij richtte zich op en de aanblik van de gescheurde doos woelde een diep verdriet op. Hij kroop naar de blikken en legde ze gejaagd in hun kapotte nest.

Eén ware gedachte had hij nodig, één idee die geen twijfel toeliet.

Speeksel gleed over zijn kin, hij streek over zijn hoofd en zag bloed op zijn vingers. Geteisterd door twijfel en onmacht en angst tuurde hij achter de takken en zag dat de bestuurder van de Mercedes uitstapte. Het was een kleine man van zijn leeftijd die geen uniform droeg. De man opende het portier van de passagier en een vrouw verscheen. Hoffman herkende Marian. Een beige regenjas met hoge kraag verborg haar lichaam en ofschoon de lucht grijs en zwaar was had ze een zonnebril op en met opgetrokken schouders haastte ze zich het huis in.

Hoffman kon zich niet bewegen. Hijgend hield hij een filmblik vast en staarde naar de auto terwijl talloze vragen door zijn hoofd vlogen. De man ontdekte hem achter de kale struiken. Roerloos keken ze naar elkaar, gescheiden door honderd meter niemandsland. De wind streek over de lege kruinen, vogels fladderden op. Marian kwam uit de achterdeur van het huis en bleef op de drempel staan, keek naar het boek dat hij had verloren. Met beide handen zette ze haar zonnebril af en ze liep zoekend het bos in.

Toen ze hem zag stak ze een vergevende hand naar hem uit. Met gespreide vingers strekte ze een arm en terwijl hij tussen de blikken op de koele, vochtige bladeren ging liggen alsof hij moest slapen wist hij zeker, wist hij absoluut zeker dat ze hem zou troosten.

HOOFDSTUK ACHTTIEN

de avond van 31 december 1989

De Dienst diende opzien te vermijden. Wim Scheffers kende die huisstijl en had Hoffman door een bevriende psychiater laten onderzoeken. De uitslag stond bij voorbaat vast: hij werd verminderd toerekeningsvatbaar verklaard. Marian had een strafpleiter zonder scrupules gevonden die samen met Scheffers op basis van het psychiatrisch rapport een compromis had gesmeed: om gezondheidsredenen had Hoffman ontslag genomen en het ontslag werd eervol verleend. Het financiële pensioen had hij geweigerd, zoals afgesproken, en een kort bericht in de rubriek *Personalia* van het NRC-*Handelsblad* maakte melding van de vervroegde uittreding van de ambassadeur in Praag:

'*Drs. F.A. Hoffman*, ambassadeur te Praag, zal per 1 januari a.s. zijn functie neerleggen. Het Ministerie van Buitenlandse Zaken deelde mee dat de heer Hoffman (59) wegens gezondheidsredenen terugtreedt. De heer Hoffman was jarenlang Tijdelijk Zaakgelastigde in Khartoum (Sudan) en sinds april jl. ambassadeur in Tsjechoslowakije. Hij was vanaf 1959 werkzaam in de Buitenlandse Dienst.'

Geen regel over de affaire had de pers bereikt.

Marian had plannen gemaakt. Zij zou een huisje kopen aan de Côte d'Azur of in Toscane, ze zouden samen van de rest van hun leven genieten, ze zouden wandelen en musea bekijken, ze zouden elkaar vasthouden bij het oversteken van de straat, ze zouden elkaar aankleden als het zover was.

Opnieuw was hij in Spinoza afgedaald, een nieuw boek dat hij had aangeschaft. Hij zat met het boek op zijn schoot voor het raam en keek even op toen een vroege vuurpijl zilveren sneeuw over de stad probeerde te strooien, maar de vochtige lucht doofde de sterren. Ze zaten in de kamer van Marian op de hoogste verdieping van het Bel Air. Zij zat in de andere stoel bij het raam, studerend en aantekeningen makend. Hij besefte dat zij haar studie nooit zou voltooien.

De wind sloeg de regen tegen de ruit. De televisie in de hoek toonde beelden van een onbegrijpelijke vrolijkheid, het geluid had hij weggedraaid.

Hij had een biografie van de filosoof gekocht en het boek dat hij nu vasthield, de *Ethica*, dat het hoofdwerk van Spinoza scheen te zijn. Er stonden talmoedische zinnen in als: '*Al wat is, is in God en niets is zonder God bestaanbaar noch denkbaar*', en: '*Het Denken is een attribuut van God, ofwel God is iets denkends*'. Hoffman kon nu bidden zonder te geloven.

Toen er geklopt werd opende hij de deur. Een ober die geen Nederlands sprak bracht champagne in een koeler. Hoffman nam het blad bij de deur van hem over en nadat Marian haar boeken op het tapijt had gelegd schoof hij het op het tafeltje bij het raam.

'Wanneer eindigt de twintigste eeuw?' vroeg hij, 'in 2000 of 2001? Wat vind jij?'

Ze zette haar bril af en keek hem vragend aan. Maar ze antwoordde en liet de verwondering over de vraag voorbijgaan.

'Een honderdtal loopt van 1 tot en met 100,' zei ze, 'dus ik denk dat de eeuw pas voorbij is na het jaar 2000.'

'2001 is dus het nieuwe begin?' zei hij.

Hij ging zitten, legde de *Ethica* weer op zijn schoot.

'Toch beschouwt iedereen het jaar 2000 als 'n nieuw begin,' zei hij.

'Het klopt eigenlijk niet, maar dat is zo, ja. Ik doe dat ook.'

Hij zei plechtig: 'Ik wil 't jaar 2000 meemaken.'

Hij zag liefde en zorg in haar ogen opflikkeren.

'Ik ook, Fee,' zei ze, 'ik doe met je mee.'

Hij sloeg het boek open en las verder. Ook zij verdiepte zich weer in haar werk.

Na een minuut keek hij op en zei: 'Maar ik bedoel: ik wil 't meemaken omdat dan de twintigste eeuw voorbij is, begrijp je?'

Ze trok haar bril omlaag. 'Nee? Wat bedoel je?'

'Deze eeuw moet weg. Ik wil 'm zien doodgaan. Dat is de enige manier om 'm alles nog een beetje betaald te zetten. We hebben 'm overleefd, we zullen 'm begraven.'

Ze knikte verloren. Ze schoof de bril weer op haar neus en hij keek over de natte daken van Den Haag. Woede stroomde door zijn kaken. Hij kreeg er honger van. Hij boog zijn hoofd en begon te bidden.

'*Al wat naar onze voorstelling onszelf of een geliefd wezen Blijheid brengt, trachten wij van onszelf of van het geliefde wezen te bevestigen, en omgekeerd trachten wij al wat naar onze voorstelling onszelf of het geliefde wezen bedroeft, te ontkennen.*'

*****

Inhoud